ACCESS 2003
POUR
LES NULS

ACCESS 2003
POUR
LES NULS

John Kaufeld

Access 2003 Pour les Nuls
Publié par
Wiley Publishing, Inc.
909 Third Avenue
New york, NY 10022.

Copyright © 2003 par Wiley Publishing, Inc.

Pour les Nuls est une marque déposée de Wiley Publishing, Inc.
For Dummies est une marque déposée de Wiley Publishing, Inc.
Collection dirigée par Jean-Pierre Cano
Edition : Pierre Chauvot
Traduction : François Saluden
Couverture : Antoine Paolucci
Production : Emmanuelle Clément

Edition française publiée en accord avec Wiley Publishing, Inc.
© 2003 par Éditions First Interactive
27, rue Cassette
75006 Paris - France
Tél. 01 45 49 60 00
Fax 01 45 49 60 01
E-mail : firstinfo@efirst.com
Web : www.efirst.com
ISBN : 2-84427-506-0
Dépôt légal : 4e trimestre 2003
Imprimé en France

Sommaire

Introduction

. . . .

Comme nous tous, vous avez certainement des tas de choses à faire. En fait, vous devez avoir une pile de dossiers qui vous attend sur le coin de votre bureau ou qui est stockée quelque part sur Internet. Quelqu'un – votre patron, un collègue ou un ami – vous a dit qu'Access pouvait vous simplifier la vie et vous permettre de réduire votre pile plus rapidement qu'auparavant.

Vous vous êtes donc procuré Access, et vous voilà devant ce livre !

À propos de ce livre

Si, au lieu d'avoir augmenté votre productivité, vous êtes perplexe, voire totalement perdu face à une base de données, *Access 2003 pour les Nuls* est un livre fait pour vous.

En effet, ce livre a pour but de vous expliquer l'utilisation d'Access 2003, sans que vous soyez nécessairement un crack en informatique. Que voulez-vous de plus ?

Signification des styles

Vous devrez de temps en temps indiquer à Access d'effectuer une tâche ou autre. De même, le programme peut quelquefois exécuter ses propres commentaires et vous renvoyer des messages (bref, une communication à double sens). Pour souligner la différence entre les messages humains à ordinateur et vice versa, j'emploie un format de commande différent.

Voici deux exemples de messages qui apparaissent dans ce livre :

Ce que vous entrez dans l'ordinateur

```
Ce que répond l'ordinateur à votre commande
```

Comme Access est un programme Windows, vous ne vous contenterez pas de saisir des données, vous devrez également utiliser la souris. Même si je n'utilise pas de police particulière pour les actions de la souris, je suppose que vous connaissez déjà les bases. Voici les mouvements de la souris indispensables pour effectuer un travail sous Access 2003 (et autres programmes Windows) :

- ✔ **Cliquer** : Placez le curseur de la souris (l'extrémité de la flèche) sur un élément du menu, un bouton, une boîte de dialogue ou toute autre chose que vous voulez sélectionner, puis pressez rapidement le bouton gauche de la souris, et relâchez.

- ✔ **Double-cliquer** : Placez le pointeur de la souris comme pour cliquer, mais pressez deux fois très rapidement le bouton gauche de la souris, et relâchez.

- ✔ **Cliquer et glisser** *(surligner)* : Placez le curseur de la souris au début du texte à surligner, puis appuyez sur le bouton gauche de la souris. Maintenez le bouton de la souris appuyé, et faites glisser le curseur sur la partie à sélectionner. Relâchez le bouton de la souris.

- ✔ **Cliquer du bouton droit de la souris** : Faites comme pour cliquer mais utilisez le bouton droit de la souris et non le gauche.

Naturellement, la barre de menu d'Access 2003 est pratique. Lorsque je vous invite à sélectionner quelque chose dans le menu principal, l'instruction adopte cette forme :

Sélectionnez Fichier/Ouvrir la base de données.

Vous pouvez également utiliser les lettres soulignées comme raccourcis clavier pour contrôler Access 2003 depuis votre clavier. Pour cela, maintenez appuyée la touche Alt, puis appuyez sur les lettres soulignées. Dans l'exemple précédent, le raccourci clavier est Alt+F, O. Ne tapez pas la virgule – elle est là pour faciliter la lecture de l'exemple !

Si vous n'êtes pas familiarisé avec les gymnastiques du rongeur ou si vous voulez en apprendre plus sur Windows en général, procurez-vous un exemplaire de l'un des nombreux titres de *Windows pour les Nuls*. Chaque version a son propre ouvrage !

Ce que vous n'avez pas à lire

Devez-vous ingérer la totalité de cet ouvrage pour comprendre Access ? Dieu merci, non ! (D'ailleurs, je ne pense pas que le livre se digère bien – tout au moins pas sans un passage ou deux dans le broyeur.) Certains sujets sont abordés dans ce livre pour la simple raison que je n'ai pas pu me résoudre à les laisser de côté.

Ne vous gênez pas pour ignorer tout ce qui est repéré par l'icône "Note technique", identique à celle en marge de ce paragraphe. Il n'est pas indispensable de connaître les notions signalées par ces petits poteaux indicateurs pour élaborer des fonctions Access qui vous sont utiles. Si vous avez envie de plonger dans les profondeurs inexplorées du programme, commencez votre aventure en jetant un coup d'œil aux notes techniques.

Si vous utilisez Access uniquement pour accéder aux grosses bases de données conçues en interne dans votre entreprise, ne vous préoccupez pas du chapitre parlant de conception de base de données. Il est d'ailleurs fort peu probable que votre service informatique vous laisse toucher à la structure de la base de données. Pourquoi donc vous soucier des détails de conception ?

Pré-requis

Il vous suffit de connaître quelques petites choses sur votre ordinateur et sur Windows pour tirer le plus grand parti d'*Access 2003 pour les Nuls*. Tout au long de ce livre, nous supposerons que :

✔ Vous connaissez l'utilisation de base de la version de Windows que vous avez.

✔ Vous souhaitez travailler avec des bases de données créées par des tierces personnes.

✔ Vous souhaitez créer des requêtes, des rapports ou occasionnellement des masques de saisie.

✔ Vous souhaitez créer immédiatement et de toute pièce votre base de données.

✔ Vous possédez une copie de Windows 98, 98SE, ME, 2000, NT4 ou XP, ainsi qu'une copie du logiciel Access pour Windows (ou la suite Office). Si vous utilisez encore Windows 95, nous vous conseillons fortement de vous procurer un nouvel ordinateur.

Fort heureusement, vous n'aurez pas à vous charger de la conception des tables, des champs, des types de données, des bases de données relationnelles ; le travail d'Access est justement de le faire à votre place. Tout ce que vous devrez savoir est écrit dans cet ouvrage, il ne vous reste plus qu'à le lire.

Organisation de ce livre

Afin de vous donner un aperçu de ce que vous apprendrez au cours de votre lecture, voici un bref récapitulatif du contenu de chacune des six parties de ce livre.

Première partie : Qui de la base ou des données fut la première ?

Oui, ce livre répond à la question fondamentale : "Mais qu'est-ce qu'une donnée ?" Et ce, en commençant par un survol à la fois des concepts de base de données en général et d'Access en particulier. Cette partie contient également ment certaines suggestions sur la manière de résoudre (avec ou sans Access) des problèmes liés aux bases de données. Si vous êtes sur le point de créer une nouvelle base de données Access pour résoudre quelques problèmes épineux, commencez par lire cette section.

Deuxième partie : Les tables

Les tables (là où sont stockées les données) sont au centre du petit monde des bases de données. Cette partie vous donnera les informations nécessaires pour concevoir, créer, utiliser, modifier des tables ; ce qui vous permettra de continuer à avoir une vie normale tout en utilisant Access.

Troisième partie : Trouver les réponses à (presque) toutes vos questions

Si les tables sont au centre du monde d'Access, les requêtes ne sont pas loin de sa périphérie. Pour Access, les requêtes posent d'épineuses questions ; elles trouvent les réponses que vous voulez obtenir, ces dernières étant cachées quelque part dans votre base de données. Cette partie vous explique également comment poser de courtes questions en utilisant les fonctionnalités apparentées aux requêtes que sont Rechercher, Filtre et Tri.

Quatrième partie : Imprimez le contenu de vos tables

Visualiser les données à l'écran n'est pas toujours suffisant. Pour soigner votre travail, vous devez le coucher sur papier. Cette partie est consacrée au système de report d'Access, la partie du logiciel dédiée à la récupération des informations contenues dans une page imprimée et dont la procédure vous rend fou !

Cinquième partie : Assistants, formulaires et autres mystérieuses fonctionnalités

A ce stade, la technologie s'apparente à la magie (jetez un œil sur le panneau de configuration d'un four à micro-ondes ultramoderne). Cette partie vous dévoile quelques-unes des régions mystérieuses d'Access en vous expliquant comment travailler plus rapidement, trouver de l'aide auprès des assistants, faire en sorte que votre ordinateur effectue les tâches voulues juste en lui parlant, voire vous aventurer à écrire une bribe de programme. Si les possibilités sans limite qu'offre Internet aiguisent votre curiosité, lisez la section consacrée aux nouvelles fonctionnalités de connexion au Web d'Access. Vous n'en reviendrez pas !

Sixième partie : Les dix commandements

La série *Pour les Nuls* vous fait penser inévitablement à l'irremplaçable partie des Dix commandements. Cette section vous donne un ensemble de trucs et astuces, et de bonnes idées, nous l'espérons. Vous trouverez un peu de tout, y compris des trucs pour gagner du temps et des solutions aux problèmes le plus fréquemment rencontrés avec Access.

Icônes utilisées dans ce livre

Lorsqu'un sujet traité dans ce livre présente un intérêt particulier, je le souligne. J'utilise dans ce cas les icônes ci-après pour mettre en valeur le texte (pour une raison ou une autre) afin de *vraiment* attirer votre attention. Voici un bref aperçu des icônes que vous rencontrerez au fur et à mesure de votre lecture, et leur signification :

Les "Trucs" sont des notes très utiles, qui vous font gagner du temps, de l'énergie, voire vous évitent toute crise de nerfs. Si vous rencontrez un "Truc", prenez le temps de le lire.

Certains éléments sont trop importants pour être oubliés. Les icônes "N'oubliez pas" vous le rappellent. Ces éléments sont des étapes cruciales dans une opération, ce sont ces points que vous ne devez absolument pas oublier.

Il peut m'arriver de m'enflammer dans un sombre vocabulaire très technique. Les icônes "Note technique" vous expliqueront certains détails obscurs. Si vous êtes un tant soit peu aventurier, vous les lirez. Vous les trouverez peut-être intéressantes...

L'icône "Attention" vous prévient que sauter cette information peut être dangereux pour la santé de vos données. Soyez particulièrement attentif à ces icônes et suivez ces prescriptions pour garder vos bases de données en pleine forme.

Et maintenant

À présent, plus rien ne vous retient pour découvrir le monde merveilleux d'Access. Tenez fermement *Access 2003 pour les Nuls* et plongez dans cet univers.

- ✔ Si vous ne connaissez pas ce nouveau programme et ne savez pas par quoi commencer, lisez la présentation générale du Chapitre 1.

- ✔ Si vous savez comment concevoir une base de données, je vous en félicite et vous conseille de passer directement au Chapitre 4 ; vous y trouverez des trucs utiles sur la conception et le développement.

- ✔ Vous recherchez un sujet particulier ? Commencez par la Table des matières ou l'Index, sinon feuilletez simplement ce livre jusqu'à ce que vous trouviez ce que vous recherchez.

Bon voyage !

Première partie

Qui de la base ou des données fut la première ?

"Notre classe d'informatique a créé une atmosphère de défi où l'analyse critique, l'esprit de synthèse et la résolution des problèmes sont de bonne qualité. Je pense que nos étudiants ont énormément appris."

Dans cette partie...

Toute chose a un commencement. Il en est ainsi pour la nature, la science et les miettes de pain sur votre chemise. Quoi donc de plus naturel que de commencer ce livre par ce qui est à l'origine des bases de données ?

Cette partie commence par l'étrange examen de la solution d'un problème qui débouche sur le nouveau programme Access. Vous découvrirez par la suite les secrets d'une bonne organisation des données et saurez où trouver de l'aide lorsque l'univers d'Access vous laisse tomber.

Bref, cette partie est un bon point départ pour tous ceux qui sont néophytes en matière de conception de base de données ou tout simplement pour les nouveaux utilisateurs d'Access. Bienvenue à bord !

Chapitre 1

Présentation en 37 minutes

*V*ous ne mettrez pas plus de 37 minutes à lire ce chapitre, si toutefois vous le lisez en entier. Vous y consacrerez encore moins de temps si vous connaissez déjà le programme ou si vous lisez en diagonale. Quoi qu'il en soit, ce chapitre vous donne un aperçu général d'Access du début à la fin (littéralement).

Comme la meilleure manière d'apprendre à utiliser Access est de l'utiliser, ce chapitre est un rapide et fulgurant tour de ce logiciel. Il aborde les principaux points de l'utilisation d'Access. Il fait figure d'introduction, conçue pour vous présenter l'essentiel de ce logiciel développé dans les autres parties de ce livre.

Si vous êtes débutant, ce chapitre est un bon point de départ. Si vous connaissez les anciennes versions d'Access, je vous conseille de parcourir ces quelques pages pour vous familiariser avec les modifications apportées. Bonne lecture.

Au commencement était Access

Pour démarrer Access, cliquez sur le bouton Démarrer et sélectionnez, dans le menu Démarrer (Figure 1.1), Microsoft Access 2003. Si Access n'est pas affiché, recherchez dans le menu Démarrer un groupe de programmes portant le nom Office, ou Microsoft Office. Si vous ne trouvez toujours pas Access dans le menu Démarrer, vous devez créer votre propre raccourci (aïe !). Suivez les étapes ci-après pour créer un raccourci :

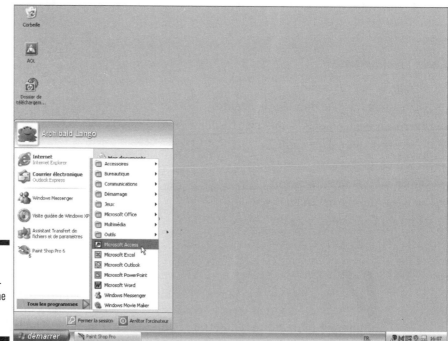

Figure 1.1
Pour un pro-
gramme intelli-
gent, Access ne
se cache pas
très bien.

1. **Cliquez sur le bouton Démarrer et sélectionnez Rechercher/Fichiers ou Dossiers.**

   La boîte de dialogue Rechercher : tous les fichiers s'affiche.

2. **Saisissez le nom du fichier, msaccess.exe, et cliquez sur Rechercher maintenant.**

   Windows trouve le fichier du programme.

Si Windows trouve deux copies du programme, cela veut dire que votre ordinateur dispose de deux versions d'Access, une plus ancienne *et* une récente. Pour différencier les deux programmes, cliquez du bouton droit sur la première entrée, puis choisissez Propriétés dans le menu contextuel. Une petite fenêtre apparaît. Elle fournit diverses informations sur le fichier. Cliquez sur l'onglet Version, en haut de la petite fenêtre. Pour Access 2003, le numéro de version du fichier commence par 11. S'il débute par un nombre inférieur à 11, fermez la fenêtre et recommencez la manœuvre avec l'autre fichier. Si *aucun* de ces fichiers ne comporte le bon numéro de version, Access 2003 n'est apparemment pas installé sur votre machine (ou Windows ne le trouve pas). Dans ce cas, sortez les CD-ROM et installez le programme.

3. **Cliquez du bouton droit de la souris (maintenez-le appuyé) et faites glisser le fichier depuis la fenêtre de résultat Fichier recherché sur le bouton Démarrer.**

   Le menu Démarrer s'ouvre.

4. **Faites glisser le fichier dans Programme et relâchez le bouton de la souris pour faire apparaître Access (Figure 1.2).**

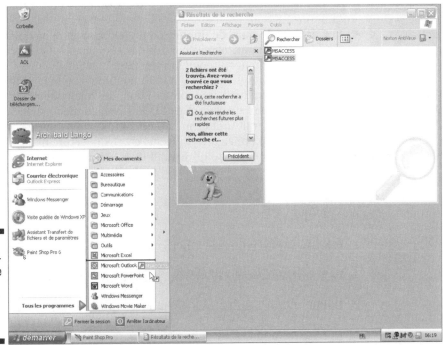

Figure 1.2
Vous pouvez faire glisser l'icône Access sur le menu Démarrer pour le faire apparaître.

Un menu déroulant apparaît, vous demandant ce que vous voulez faire.

5. **Sélectionnez ici Créer un raccourci.**

Félicitations ! Vous venez d'ajouter un raccourci au menu Démarrer !

L'icône de raccourci a certes besoin d'être améliorée (le nom *raccourci vers msaccess.exe* fait un peu trop "technique"). Cette correction ne réclame qu'un clic ou deux. Pour renommer le raccourci dans votre menu, cliquez du bouton droit et choisissez Renommer. Tapez un nouveau nom, intelligent, dans la boîte de dialogue Renommer, puis cliquez sur OK.

Ouvrir une base de données existante

Access sans fichier de base de données est comme un lecteur de CD sans CD : bel objet, mais vous ne pouvez pas danser !

Les fichiers de base de données entrent dans deux catégories distinctes :

- ✔ **Les fichiers de base de données existante** : Vous travaillez sans doute avec une base de données existante (vous avez bien construit en une seule fois une base de données que vous utiliserez pour toujours).

- ✔ **Les fichiers de base de données qui n'existe pas** : Si vous êtes ferment décidé à créer une nouvelle base de données, lisez le Chapitre 4 qui vous en explique la conception et la création.

Si vous venez de démarrer Access, votre écran devrait ressembler à la Figure 1.3. Access s'ouvre avec le Gestionnaire des tâches affiché. Ce Gestionnaire des tâches apparaît tout beau, attendant que vous ouvriez une base de données, que vous en créiez une nouvelle, etc. L'ouverture d'une base de données existante est très rapide, il suffit de la sélectionner dans la section "Ouvrir".

Si vous ne trouvez pas la base de données que vous recherchez, suivez les étapes ci-après :

1. **Cliquez sur Ouvrir sous "Ouvrir" (dans la palette située à droite).**

La boîte de dialogue Ouvrir apparaît (Figure 1.4).

2. **Double-cliquez sur la base de données qui vous intéresse.**

La base de données se charge. Vous pouvez travailler.

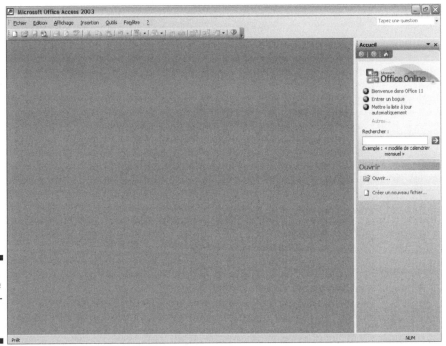

Figure 1.3
Access se lance
et affiche le Ges-
tionnaire des
tâches.

Si la base de données que vous recherchez n'est pas listée dans la boîte de dialogue Ouvrir, elle doit être dans un autre dossier ou répertoire. Lisez le Chapitre 6 pour savoir comment retrouver la base de données sur votre disque dur ou sur le réseau.

Si vous avez déjà un tant soit peu travaillé avec Access (imprimé des documents, vérifié un formulaire ou plus généralement effectué des tâches courantes) et que vous voulez ouvrir une autre base de données, suivez les étapes ci-après :

1. **Sélectionnez Fichier/Ouvrir ou cliquez sur le bouton Ouvrir dans la barre d'outils.**

   La boîte de dialogue Ouvrir apparaît à l'écran.

2. **Double-cliquez sur le nom de la base de données que vous allez utiliser.**

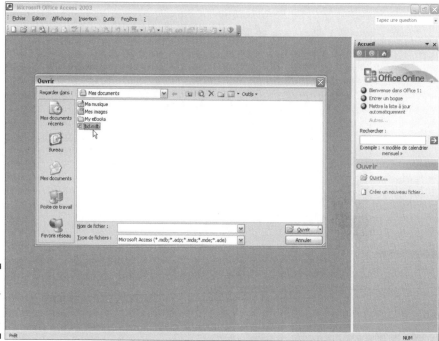

Figure 1.4
La boîte de dialogue Ouvrir dans toute sa majesté.

Si la base de données n'est pas listée, elle doit être sans doute dans un autre dossier ou répertoire. Lisez le Chapitre 6 pour savoir comment retrouver la base de données sur votre disque dur ou sur le réseau.

Si un message vous demande si vous voulez *convertir* ou *ouvrir* votre fichier, cela veut dire que le fichier de base de données à employer a été créé avec une version antérieure d'Access. Access 2003 veut convertir vos fichiers existants vers le format de fichier de base de données actuel. Il est préférable d'accepter. Suivez les instructions affichées pour transformer la base de données en nouvelle base Access 2003. Tout devrait se dérouler correctement. Veillez cependant à enregistrer une copie du fichier avant de le convertir (juste au cas où quelque chose ne se déroulerait pas bien).

La fenêtre de la base de données

Lorsqu'une base de données est ouverte, elle apparaît en règle générale à l'écran comme illustré à la Figure 1.5. Bien qu'Access stocke tous les éléments de votre base de données dans un gros fichier, il les organise à l'intérieur de ce fichier en fonction de leur nature : tables, requêtes, formes, etc. Dans Access, ces éléments sont baptisés *objets*. Pour obtenir la liste des objets d'un certain type dans votre base de données, cliquez sur un des boutons au-dessous de la barre Objets (du côté gauche de la fenêtre). Le côté droit de la fenêtre change. Il affiche tous les objets de cette catégorie, ainsi que quelques commandes supplémentaires qui servent à créer de nouveaux objets ou à modifier ceux existants.

Le haut de la fenêtre de la base de données vous indique le format du fichier. Sur la Figure 1.5, le format est Access 2000. Vous pouvez utiliser Access 2003 pour ouvrir les précédentes versions d'un fichier (comme Access 2000 ou Access 97), mais vous ne pouvez pas utiliser une version d'Access antérieure à Access 2000 pour ouvrir un fichier Access 2003.

Figure 1.5
La fenêtre de la base de données vous donne accès à tout ce qui constitue votre base de données.

Une fois la base de données ouverte, vous pouvez :

✔ Ouvrir une table : Cliquez sur le bouton Tables, sous Objets, puis double-cliquez sur la table que vous souhaitez consulter.

✔ Exécuter une analyse, une requête ou un formulaire : Cliquez sur le bouton correspondant dans la section Objets, puis double-cliquez sur l'objet avec lequel vous allez travailler.

> ✔ Lorsque vous avez fini de travailler sur une base de données, fermez-la
> en cliquant sur le bouton Fermer la fenêtre (le X dans le coin supérieur
> droit de la fenêtre) ou en sélectionnant Fichier/Fermer. Si vous préférez
> utiliser le clavier, Ctrl+W le fait sans avoir besoin de recourir à la souris.

Si vous voulez en savoir plus sur l'utilisation de la superbe interface d'Access,
lisez le Chapitre 2.

Si une quelconque bonne âme a pris le temps de vous faciliter légèrement la
vie, un écran de démarrage (ou menu général), semblable à celui de la
Figure 1.6, apparaît automatiquement à l'ouverture de votre base de données.
Ce menu général est sur bien des points un menu amélioré de ce que vous
pouvez faire avec votre base de données.

Figure 1.6
Une base de
données affi-
chée par un
magnifique menu
général.

Chercher une aiguille dans une botte de foin

Trouver des enregistrements spécifiques dans une table Access revient un peu
à chercher une aiguille dans une botte de foin. Que vous recherchiez des noms,
des prénoms, des indicatifs ou des codes postaux, Access retrouve très facilement les enregistrements que vous souhaitez.

Voici comment trouver des enregistrements :

1. **Ouvrez la table dans laquelle vous allez effectuer la recherche.**

   Si vous ne savez pas ouvrir une table, reportez-vous à la section précédente.

2. **Cliquez dans le champ dans lequel vous allez effectuer votre recherche.**

   Le curseur clignotant apparaît dans le champ, vous indiquant qu'Access est prêt à effectuer votre recherche.

3. **Sélectionnez Edition/Rechercher ou cliquez sur le bouton Rechercher dans la barre d'outils.**

   La boîte de dialogue Rechercher et remplacer apparaît (Figure 1.7).

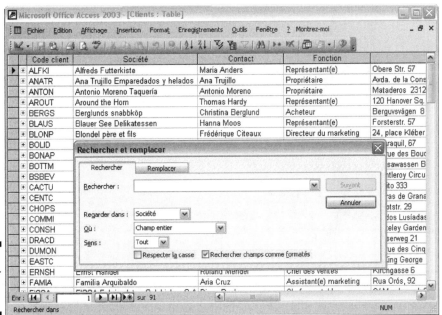

Figure 1.7
La boîte de dialogue Rechercher et remplacer.

Access affiche le nom du champ courant dans la section de la boîte de dialogue. Pour rechercher dans un autre champ, cliquez sur la flèche à côté du champ, puis sélectionnez le champ dans la liste déroulante.

4. **Saisissez correctement le texte que vous recherchez dans la boîte Rechercher maintenant.**

   Attention à l'orthographe, Access recherche exactement le texte que vous avez saisi !

5. **Pressez Entrée ou cliquez sur le bouton Rechercher maintenant pour lancer la recherche.**

   La recherche commence et se termine sans que vous vous en rendiez compte.

   Si le programme trouve l'enregistrement correspondant, Access surligne la donnée (Figure 1.8).

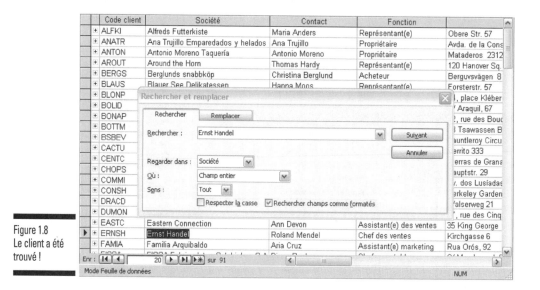

Figure 1.8
Le client a été
trouvé !

Si aucun enregistrement ne correspond à vos critères, une grande et officielle boîte de dialogue vous informe que Microsoft Access a terminé la recherche de l'enregistrement, mais n'a pas trouvé de correspondance. (Si le Compagnon Office est à l'écran à la place de la grande boîte de dialogue, il vous donne le résultat des recherches.) Si ce message apparaît, cliquez sur OK puis revérifiez ce que vous avez saisi dans le champ Rechercher maintenant. Vous avez sans doute fait une erreur. Dans un tel cas, corrigez-la, puis relancez la recherche.

Access teste automatiquement dans la table les correspondances de ce que vous avez saisi dans le champ. Par conséquent, si vous saisissez Simon dans la boîte de dialogue Rechercher, Access ne trouvera pas l'enregistrement contenant *Cours Simon, école de théâtre*. Car cette saisie ne correspond pas exactement à Simon, ce n'est qu'une correspondance partielle. Pour qu'Access traite une correspondance partielle comme une correspondance complète, modifiez les paramètres Correspondance dans la boîte de dialogue Rechercher et remplacer (à la place de Champ complet, choisissez Une partie du champ).

Si vous ne trouvez toujours pas l'enregistrement, le Chapitre 10 vous donne de plus amples détails sur la boîte de dialogue Rechercher.

6. Cliquez sur Annuler ou appuyez sur la touche Echap pour fermer la boîte de dialogue Rechercher lorsque vous avez fini.

Le bouton droit de la souris vous donne également des trucs pour trouver des enregistrements, que je vous indique au Chapitre 10.

Effectuer quelques modifications

Hélas, tout change : vos clients déménagent, les numéros de téléphone des entreprises changent d'indicatifs et les doigts d'un petit lutin sèment la pagaille dans le texte que vous saisissez. Quelle qu'en soit la raison, votre travail inclut également la résolution de divers problèmes auxquels vous serez confronté avec votre base de données. Bonne chance !

Effectuer des modifications dans des tables n'est pas difficile. C'est même très aisé. J'indique les différentes étapes ci-après. Sachez que toutes vos modifications sont *automatiquement* sauvegardées. Lorsque vous avez terminé de travailler sur un enregistrement, Access écrit directement les informations dans la base de données. Si vous faites une erreur, appuyez immédiatement sur Ctrl+Z pour annuler vos modifications, après il sera trop tard.

Attention ! Soyez particulièrement attentif aux modifications des enregistrements de base de données ! S'il est facile d'effectuer des modifications, récupérer ces dernières peut être très difficile. Access vous permet d'annuler uniquement les dernières modifications que vous avez faites !

Pour modifier un enregistrement, suivez les étapes ci-après :

1. Ouvrez la table en double-cliquant sur son nom dans la fenêtre Base de données.

Quel que soit votre choix, les données sont sympathiquement affichées à l'écran.

2. Cliquez sur le champ que vous allez modifier.

La pointe de votre curseur apparaît dans le champ, sous forme d'un I majuscule.

3. Effectuez les modifications nécessaires.

Toutes les touches d'édition standard (Début de ligne, Fin, Espacement, et Suppr) fonctionnent lorsque vous modifiez une entrée dans Access. Reportez-vous au Chapitre 6 pour de plus amples informations.

4. Une fois le champ corrigé, appuyez sur la touche Entrée pour sauve-garder les modifications.

Dès que vous avez appuyé sur la touche Entrée, les données sont sauve-gardées. Elles le sont bel et bien. Si vous vous rendez compte que les données précédentes étaient mieux, pressez immédiatement Ctrl+Z ou sélectionnez Edition/Annuler enregistrement sauvegardé.

Reporter les résultats

Saisir tous ces merveilleux détails dans une table, c'est bien. Mais ce serait bien mieux si tous ces enregistrements remplissaient une page imprimée. Cela tombe à merveille, le système d'états d'Access remplit cette fonction !

La mise en page de votre état sous Access est un jeu d'enfant. Ce programme comporte toute sorte d'options de rapport ainsi qu'un robuste Assistant qui vous guide dans les tâches plus difficiles. La Quatrième partie vous présente toutes les fonctionnalités des états intéressantes.

L'impression d'un état fait partie des tâches les plus courantes. En voici la description :

1. Sous la fenêtre Base de données, cliquez sur le bouton Etats.

Access énumère tous les états disponibles dans cette base de données (Figure 1.9).

2. Cliquez du bouton droit de la souris sur l'état que vous allez imprimer.

Un menu déroulant apparaît sous le curseur de la souris.

3. Sélectionnez Imprimer dans le menu déroulant (Figure 1.10).

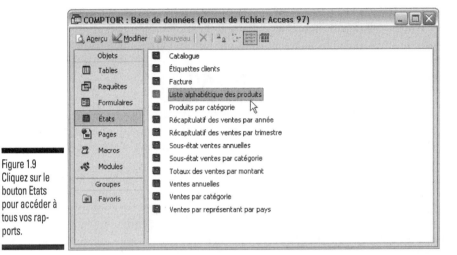

Figure 1.9
Cliquez sur le bouton Etats pour accéder à tous vos rapports.

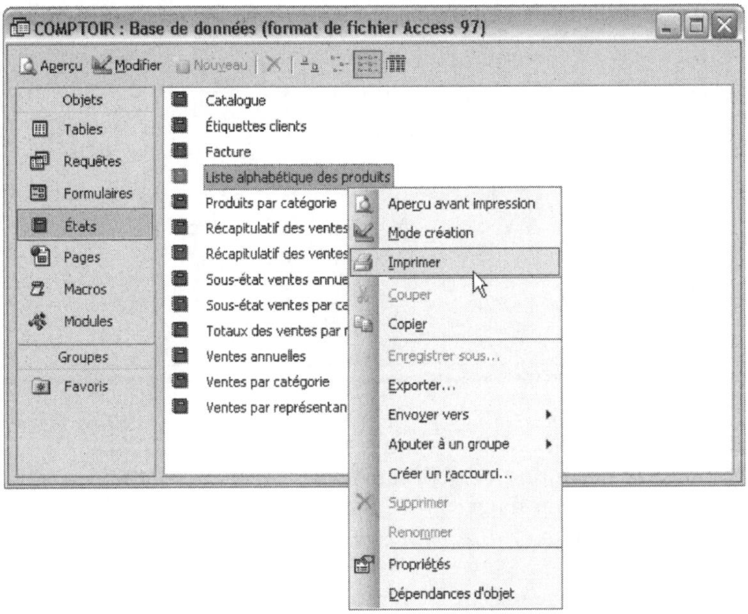

Figure 1.10
Le menu Imprimer.

Access fait apparaître une boîte de dialogue pour vous indiquer que l'impression est en cours. Une fois l'impression achevée, cette boîte de dialogue disparaît aussi vite qu'elle est apparue.

Si vous changez d'avis en cours d'impression, cliquez sur le bouton Annuler dans la boîte de dialogue pour arrêter l'opération.

Sauvegarder le gros du travail

La fonctionnalité de sauvegarde automatique d'Access est très pratique, car elle vous simplifie la vie. Que vous ayez saisi une tonne de données ou corrigé deux informations, votre travail est automatiquement sauvegardé.

Quelques clics peuvent vous sauver la vie

Où que vous soyez dans Access, le menu Aide n'est jamais loin. Le Chapitre 3 présente toutes ses options.

Si vous ne savez absolument pas comment procéder, appuyez sur la touche F1. Cette touche est universelle pour tous les menus Aide de Windows. F1 fait apparaître tout aussi bien l'indispensable Compagnon Office que la boîte de dialogue bourrée de sujets allant des fonctionnalités les plus récentes d'Access aux explications prodigieusement simples des macros.

À moins que vous ne soyez d'humeur à parcourir tous les sujets, posez votre question au Compagnon Office, ou cliquez sur l'onglet Rechercher, en haut de la fenêtre, et recherchez le sujet qui vous intéresse. Quel que soit votre choix, la réponse n'est jamais loin !

Cela dit, la fonctionnalité de sauvegarde automatique a son revers. Car Access ne fait pas attention à ce qu'il sauvegarde. Il se contente de sauvegarder, point. Si vous effacez par mégarde 237 enregistrements et faites quelques clics au hasard, vous pouvez dire *Au revoir enregistrements et bonjour sauvegardes* !

Je l'ai déjà dit et je le répète : lorsque vous effectuez des modifications dans vos enregistrements, soyez particulièrement attentif. Détruire un enregistrement ne demande qu'une seconde.

La lecture de la sauvegarde

Vous avez sans doute entendu parler de sauvegarde. Mais l'esprit des Nuls ne me permet pas de conclure sans vous toucher deux mots sur les sauvegardes de vos bases de données. Même si j'en ris, les sauvegardes constituent une part *primordiale* de l'utilisation d'Access (et de tout autre programme, bien sûr).

Pourquoi les sauvegardes sont-elles si importantes ? Imaginez la vie sans ordinateur. Rappelez-vous les années 70, imaginez que vous arriviez un matin au bureau et que vous ne trouviez pas d'ordinateur. Rien, rien du tout. Le bureau est vide. Pas de courrier reçu ou à envoyer, pas de liste de clients, rien. Tout était dans l'ordinateur !

Vous devez établir un plan de sauvegardes. Même s'il ne s'agit que de votre ordinateur, prenez des notes sur la procédure de sauvegarde :

✔ Combien de sauvegardes effectue votre ordinateur ? Une meilleure question serait : "Combien de données vous ne pouvez pas vous permettre de perdre ?" Si vos données changent quotidiennement (comme dans un système de comptabilité), vous devez effectuer des sauvegardes une ou deux fois par jour. Si vous utilisez principalement votre machine pour jouer et occasionnellement travailler avec Access, faites des sauvegardes une ou deux fois par semaine. Aucune règle n'est universelle.

✔ Où sont stockées les disquettes ou bandes de sauvegarde ? Si vos sauvegardes sont stockées près de votre machine, elles seront certainement détruites en cas d'incendie. Conservez vos sauvegardes dans un autre endroit, si possible dans une autre pièce.

✔ Comment sauvegardez-vous vos données ? Rédigez une procédure étape par étape, en indiquant quel type de bande ou de jeu de disquettes à utiliser pour sauvegarder.

✔ Comment restaurez-vous vos données ? Encore une fois, rédigez une procédure étape par étape. Vous n'aurez sans doute pas l'esprit clair si un accident se produit et que vous devez restaurer les données abîmées, aussi faites en sorte que les étapes soient simples et compréhensibles.

Une fois la routine de sauvegarde bien installée, essayez de restaurer vos données pour vérifier que le système fonctionne. Prenez bien deux heures pour vérifier que tous vos efforts porteront leurs fruits le jour fatidique, lorsque le lecteur de disquettes tombera en panne.

Si vous travaillez dans une société, il est possible que le département informatique effectue automatiquement les sauvegardes. Passez-leur un coup de fil pour vous en assurer.

Sortir avec les honneurs

C'est fini pour aujourd'hui, éteignez votre ordinateur :

1. **Si vous avez une base de données ouverte, sélectionnez Fichier/ Fermer, ou cliquez sur le bouton tout en haut à droite de la fenêtre de la base de données.**

Je suis de la vieille école. Je ne fais pas confiance au programme pour fermer tout ce qui est ouvert dans mon poste de travail. Je sauvegarde puis ferme manuellement mes travaux avant de quitter le programme.

2. **Fermez Access en sélectionnant Fichier/Quitter.**

Fermez Windows. Cliquez sur le bouton Démarrer, puis sur Arrêter. Une fois que l'ordinateur s'apprête à se mettre au lit, éteignez-le, et allez vous même vous coucher !

Chapitre 2

Trouver son chemin

Dans ce chapitre :

▶ Que faire avec l'interface ?

▶ Regarder par la petite fenêtre.

▶ Examiner les barres d'outils.

▶ Exécuter des commandes dans le menu.

▶ Effectuer des tâches à l'aide du bouton droit de la souris.

S e balader dans une ville que l'on ne connaît pas est à la fois excitant et frustrant. Visiter les monuments, reconnaître les endroits les plus célèbres, en découvrir de nouveaux pour dégainer votre carte de crédit est très agréable. Sortir des sentiers battus pour explorer les alentours est tout aussi exaltant, mais ne pas retrouver son chemin peut être très énervant.

Si vous utilisez avec aisance les précédentes versions d'Access, déplacer votre souris dans Access revient à conduire dans un quartier que vous n'avez pas revu depuis 20 ans. Le chemin vous semble familier, mais vous réserve quelques surprises... "Oh, ils ont changé un élément du menu, il était à droite... euh, la moitié du menu a disparu, non, c'était là... J'ai besoin d'une autre tasse de café !"

Rien n'est plus insupportable que de voir s'empiler la masse de travail lorsqu'on essaie de décoder un nouveau programme. Ce chapitre vous permettra d'éviter ce piège en vous présentant les caractéristiques d'Access. Vous apprendrez à utiliser les fonctionnalités les plus courantes de la fenêtre principale à la barre d'outils. Reprenez votre souffle et préparez-vous à une belle balade : c'est la meilleure façon de vous familiariser avec Access.

Reconnaître les monuments

Comme Access est un programme Windows, la première étape de cette excursion est donc la fenêtre principale du programme. La Figure 2.1 représente Access affichant la fenêtre d'une base de données (dont je parlerai plus loin dans ce chapitre).

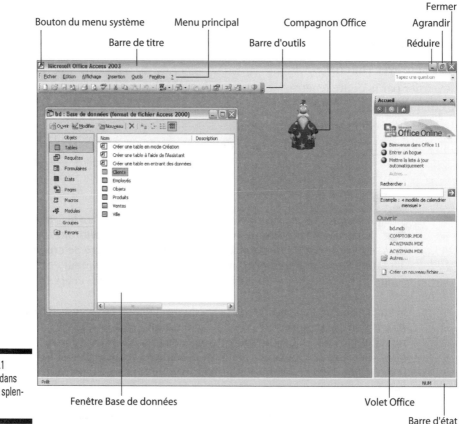

Figure 2.1
Access dans toute sa splendeur.

Pour utiliser au mieux Access, vous devez connaître sur le bout des doigts les neuf parties de la fenêtre principale. Je les décris brièvement dans les paragraphes qui suivent. Si vous êtes un vrai débutant sous Windows, procurez-vous un exemplaire de *Windows 2000 pour les Nuls* (ou *Windows Me pour les Nuls*, *Windows 98 pour les Nuls* ou encore *Windows XP pour les Nuls...*).

✔ **Bouton Menu de contrôle** : Cliquez sur l'icône (la clé d'Access) tout en haut à gauche pour ouvrir le Menu de contrôle. Double-cliquez sur l'icône pour fermer Access.

✔ **Barre de titre** : Chaque fenêtre est complétée par un espace dédié au titre de la fenêtre. Cet espace a une seconde fonction : il change de couleur pour vous indiquer le programme actuellement activé sous Windows. En double-cliquant sur la barre de titre vous pouvez agrandir et restaurer Access.

✔ **Menu principal** : Le menu principal s'insère entre la barre de titre et la barre d'outils. C'est également la principale escale pour actionner les commandes et fonctions d'Access.

✔ **Barre d'outils** : Considérez la barre d'outils comme la version électronique de Lon Chaney, l'homme aux mille visages. Chaque fois que vous effectuez une tâche sous Access, cette barre se modifie rapidement pour vous offrir tous les outils dont vous avez besoin. J'aborderai plus loin dans ce chapitre ce caractère instable.

✔ **Boutons des utilitaires** : Ces trois boutons apparaissent sur chaque fenêtre. Présentation, de gauche à droite :

• Réduire le programme avec un bouton sur la barre des tâches.

• Le programme en cours peut être soit intégré dans une fenêtre, soit affiché en plein écran (un bouton, deux tâches).

• Fermer la fenêtre du programme en cours.

✔ **Barre d'état** : Access est un programme bavard. S'il veut vous indiquer quelque chose, un message apparaît dans la barre d'état. Tout à fait à droite de la barre se trouvent les indicateurs des paramètres du clavier tel que Caps Lock.

✔ **Fenêtre de la base de données** : En plein milieu se trouve une fenêtre de base de données, décrite dans la section suivante.

✔ **Barre de tâches** : En bas de l'écran se trouve la barre de tâches de Windows, outil rapide et facile à utiliser pour passer d'un programme Microsoft à l'autre. Chaque programme lancé comporte un bouton sur cette barre. Pour utiliser un autre programme, il suffit de cliquer sur ce bouton.

✔ **Volet Office :** Le côté droit de l'écran d'Access est occupé par le nouveau *volet Office*. Cette partie massive de l'écran apparaît et disparaît sur commande, en choisissant Affichage/Volet Office dans le menu principal. Pensez à ce volet comme à un point d'information universel. Access propose le volet Office pour de nombreuses opérations, de l'ouverture de fichiers de base de données existante à l'exploitation du module d'aide.

✔ **Le Compagnon Office** : Ce petit personnage agaçant apparaît dans tous les produits Office, y compris Access. Lorsque vous vous posez une question ou que vous avez besoin d'aide, cliquez dessus et soumettez-lui votre problème. (Si vous ne savez que faire, cliquez dessus, et sélectionnez Animer !)

La boutique Windows

Access est bien plus qu'une grande fenêtre. Il regorge de petites fenêtres qui correspondent à un besoin ou une situation particulière. Cette section vous présente les quatre fenêtres les plus courantes.

Pour savoir comment ces fenêtres fonctionnent, que faire et pourquoi les utiliser, parcourez ce livre. Les bases de données et feuilles de données sont traitées dans la Deuxième partie, les requêtes dans la Troisième partie et les formulaires dans la Quatrième.

La fenêtre de la base de données

Généralement, lorsque vous ouvrez une base de données, elle apparaît dans une fenêtre (Figure 2.2). Cette fenêtre vous donne accès à tout le contenu de la base de données, aux outils pour modifier l'affichage ou créer de nouveaux éléments ; bref, elle vous permet de gérer votre base de données. Plutôt cool, non ?

Les boutons de la barre Objets, en bas à gauche de la fenêtre, passent d'une liste à l'autre des objets (tables, requêtes, états, etc.) qui constituent une base de données. Quatre boutons de la barre d'outil, en haut de la fenêtre, vous permettent d'utiliser ces objets dans une base de données :

✔ Ouvrir vous permet d'afficher l'objet courant.

✔ Créer vous permet de modifier l'objet.

✔ Nouveau vous permet de créer un objet.

✔ Le X vous permet de supprimer l'objet courant.

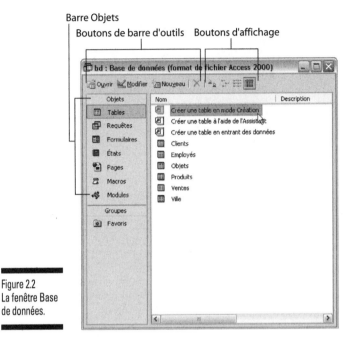

Barre Objets
Boutons de barre d'outils   Boutons d'affichage

Figure 2.2
La fenêtre Base
de données.

Les boutons d'affichage sont visibles à droite du gros bouton Supprimer (X). Les boutons d'affichage modifient la manière dont Access affiche les fenêtres de la base de données. Vous disposez d'un large choix, depuis les sympathiques icônes colorées jusqu'à des minidossiers détaillés. Ces boutons d'affichage ont un aspect familier, les mêmes sont visibles dans l'Explorateur de Windows. Libre à vous de tester tous les paramètres (évitez seulement de cliquer sur le X !).

Votre base de données *peut* apparaître comme à la Figure 2.3. Cette fenêtre n'est qu'un exemple d'affichage (Figure 2.2), parmi tant d'autres, des applications formelles d'Access. Apparemment, cette forme a été créée par un Nul. Cette forme spéciale est appelée un *menu général*.

La fenêtre feuille de données

Est-ce une table ou un tableur ? Seuls ses propriétaires le savent ! Regardez la Figure 2.4, vous pouvez facilement confondre les deux ! C'est une table, mais elle ressemble à un tableur. Dans le mode feuille de données, une table Access ressemble (et même fonctionne) comme un simple tableur. Mais cette ressemblance est superficielle. Cette table est foncièrement différente.

Figure 2.3
Exemple de
menu général.

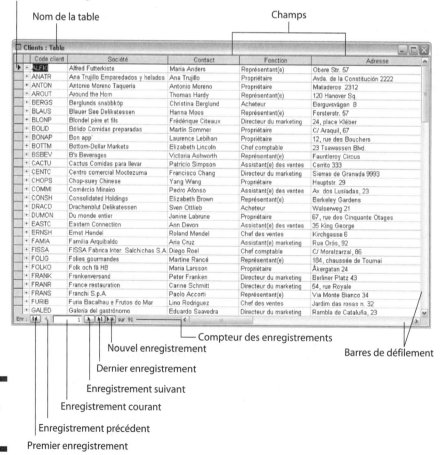

Figure 2.4
La table Clients
dressée en
tableur.

La fenêtre Feuille de données indique le nom de la table en haut. En dessous, les champs de la table sont déployés dans la fenêtre. Les enregistrements de la table sont disposés en ligne. Ne vous inquiétez pas si vous ne connaissez pas exactement la différence entre un champ et un enregistrement. Le Chapitre 4 vous l'explique en détail.

Dans le coin supérieur droit se trouvent les barres de défilement qui permettent de se déplacer facilement dans la table. Les boutons de navigation se trouvent en haut à gauche de la fenêtre. Ils font office de contrôles comme sur un lecteur de CD ou un magnétoscope. Les boutons en forme de flèche vous permettent de passer à l'enregistrement suivant ou précédent. Si vous cliquez sur le bouton représentant une flèche et une étoile, vous ajoutez un nouvel enregistrement dans la table.

Vous pouvez apercevoir un petit signe plus (+) à gauche de certains enregistrements. Ce petit signe indique une relation entre cette table et d'autres. (Pas de panique ! Je vous explique comment créer et utiliser des relations entre les tables aux Chapitres 4 et 5.) Lorsque vous cliquez sur le signe plus à côté d'un enregistrement donné, Access affiche les données le concernant. Par exemple, la Figure 2.5 affiche tous les articles commandés par un certain client.

Figure 2.5
Cliquez sur le signe plus à côté d'un enregistrement pour "percer" les informations le concernant.

Code client	Société	Contact	Fonction	Adresse
─ ALFKI	Alfred Futterkiste	Maria Anders	Représentant(e)	Obere Str. 57

	N° commande	Employé	Date commande	À livrer avant	Date envoi	N° messager	Port	Destin
	10702	Peacock, Margaret	13-nov-95	25-déc-95	21-nov-95	Speedy Express	119,70 F	Alfred's Futterkis
	10835	Davolio, Nancy	15-févr-96	14-mars-96	21-févr-96	Federal Shipping	347,65 F	Alfred's Futterkis
	10952	Davolio, Nancy	15-avr-96	27-mai-96	23-avr-96	Speedy Express	202,10 F	Alfred's Futterkis
	11011	Leverling, Janet	09-mai-96	06-juin-96	13-mai-96	Speedy Express	6,05 F	Alfred's Futterkis
*	(NuméroAuto)							

Code client	Société	Contact	Fonction	Adresse
+ ANATR	Ana Trujillo Emparedados y helados	Ana Trujillo	Propriétaire	Avda. de la Constitución 2222
+ ANTON	Antonio Moreno Taquería	Antonio Moreno	Propriétaire	Mataderos 2312
+ AROUT	Around the Horn	Thomas Hardy	Représentant(e)	120 Hanover Sq
+ BERGS	Berglunds snabbköp	Christina Berglund	Acheteur	Berguvsvägen 8
+ BLAUS	Blauer See Delikatessen	Hanna Moos	Représentant(e)	Forsterstr. 57

La fenêtre formulaire

Le formulaire est une autre manière courante d'examiner des tables Access. Avec des formulaires, les données ont une mise en page plus traditionnelle, sans le style ampoulé des tableurs. En règle générale, un formulaire représente les données dans une table, avec un enregistrement par écran. Cela fait penser aux informaticiens des années 70 qui utilisaient un ordinateur valant un million de dollars qui avait l'intelligence d'un pauvre micro-ondes actuel !

La Figure 2.6 présente un très simple, mais classique, exemple d'un formulaire Access. En haut, vous avez la barre de titre ; les champs de la table occupent le milieu du formulaire. Dans le coin supérieur gauche se trouvent les mêmes boutons de navigation que ceux que vous avez rencontrés et utilisés dans la fenêtre feuille de données.

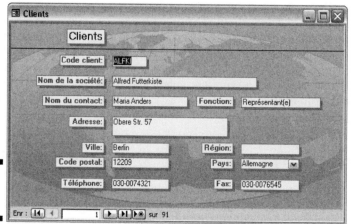

Figure 2.6
Exemple de for-
mulaire.

Je vous explique au Chapitre 22 comment créer vos propres formulaires.

La fenêtre requête

Le cœur de tout programme de base de données est sa capacité à rechercher des informations. Le cœur d'Access est son système de requête. Et au cœur du système de requête se trouve la fenêtre requête, reproduite avec amour à la Figure 2.7. Voici les sept principales options de cette fenêtre :

✔ La barre de titre affiche le nom de la requête en haut de la fenêtre.

✔ Les *tables* concernées par la requête apparaissent dans la moitié supérieure de la fenêtre.

Si la requête utilise plusieurs tables, je vous explique dans cette section comment relier (ou joindre) des tables.

✔ Le critère de recherche : les instructions qui font fonctionner la requête apparaissent dans la moitié inférieure de la fenêtre.

✔ Plusieurs barres de défilement ajustent les panneaux pour vous permettre de visualiser clairement chaque élément.

Tables recherchées

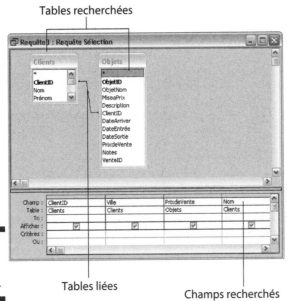

Figure 2.7
Les principaux
éléments de la
fenêtre requête.

Tables liées

Champs recherchés

Lorsque vous lancez une requête, Access affiche généralement les résultats dans une feuille de données.

Les barres d'outils

Les barres d'outils d'Office sont très utiles. Access en comporte également un tas. Vous ne pouvez rien trouver sans recourir à une barre d'outils.

Mais qu'est-ce au juste, une barre d'outils ? C'est une rangée de sympathiques boutons juste en dessous du menu, en haut de l'écran. La Figure 2.8 représente la barre d'outil de la Base de données activée.

Les barres d'outils vous donnent accès en un seul clic aux meilleures fonction-nalités d'Access. Les ingénieurs ont conçu les barres d'outils de telle manière qu'elles contiennent les fonctions les plus courantes dont vous avez besoin lorsque vous travaillez sur vos données. La barre d'outils de la Feuille de données, par exemple, comprend trois boutons qui contrôlent les outils de Filtrage (outils qui vous permettent de retrouver très rapidement des informa-tions). Au lieu de passer par le menu pour trouver ces outils, il suffit d'un clic de souris pour les ouvrir.

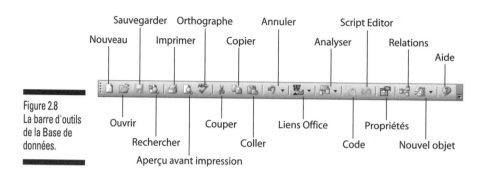

Figure 2.8
La barre d'outils
de la Base de
données.

Puisque les barres d'outils sont utilisées à maintes occasions, je vous les décris tout au long de ce livre. Pas de panique si vous ne vous rappelez plus ce que font tous ces boutons, moi-même j'ai du mal. Si vous voulez le savoir, laissez le curseur de votre souris dessus. Apparaît alors une info-bulle – une petite boîte avec un texte décrivant la fonction du bouton.

Si vous avez attendu un certain temps (comme deux secondes) et qu'aucune info-bulle n'apparaît, la fonction est sans doute désactivée. Cliquez du bouton droit de la souris sur la barre d'outils et sélectionnez Personnaliser. Dans l'onglet Options, vérifiez que la rubrique "Afficher les info-bulles" est cochée. Puisque vous êtes dans l'onglet Options, profitez-en pour cocher ou décocher "Grandes icônes" afin de personnaliser la taille des boutons.

Des menus, encore des menus (et des raccourcis clavier qui fonctionnent tout aussi bien)

À vrai dire, il n'y a pas grand-chose à dire sur les menus d'Access. Vous avez sans doute remarqué qu'ils changent chaque fois que vous faites quelque chose de nouveau. Bien loin est l'époque où on avait *un programme, un menu*. Maintenant, vous avez à votre disposition des menus contextuels qui présentent différentes options en fonction de ce que vous souhaitez faire.

Mais certaines fonctionnalités ne changent jamais. Voici le bref résumé d'un menu générique :

✔ Si votre souris meurt, vous pouvez récupérer des éléments du menu à partir des raccourcis clavier. Il suffit de maintenir appuyée la touche Alt,

puis de presser la lettre surlignée de l'élément du menu que vous
souhaitez.

Par exemple, appuyez sur Alt+F pour ouvrir le menu Fichier.

✔ Certaines options du menu ont des touches spécifiques qui leur sont
attribuées. La commande Copier (Edition/Copier dans le menu)
s'exécute en appuyant sur Crtl+C.

Si une option a son équivalent raccourci clavier, Access indique cette
combinaison de touches juste à côté de l'option dans le menu déroulant.

Jouer avec les autres boutons de la souris

Votre mère vous a certainement dit de ne jamais jouer avec le bouton droit de
la souris. Elle avait tort ! Windows 95 a donné sa "raison d'être" au bouton
droit : pour afficher un menu déroulant ou contextuel, vous pouvez l'utiliser ou
simplement cliquer sur l'option. À la Figure 2.9, j'ai cliqué du bouton droit de la
souris sur la table Clients. Access propose alors une liste de commandes
courantes pour cette table. Au lieu de parcourir le menu principal pour copier
cette table, je peux cliquer du bouton droit de la souris et sélectionner Copier
dans le menu déroulant.

Quelle que soit l'application Windows que vous utilisez, testez le bouton droit
de la souris. Dans le doute, cliquez du bouton droit de la souris. Vous verrez
bien ce qui se passe !

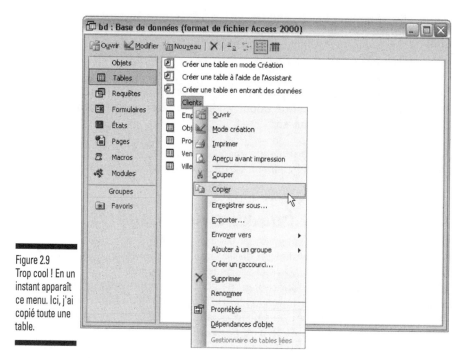

Figure 2.9
Trop cool ! En un instant apparaît ce menu. Ici, j'ai copié toute une table.

Chapitre 3

Le saint-bernard d'Access et autres formes d'aide

Les montagnes sont bien plus hautes que vous ne l'imaginiez lorsque vous les regardiez d'en bas. Votre matériel semble ne jamais pouvoir tomber en panne lorsque vous l'achetez. Votre bon vieux matériel attend que vous atteigniez le bord d'un pic rocailleux. C'est à ce moment précis que votre bon vieux compagnon se souvient de son effroyable peur du vide et tombe... en panne.

C'est là qu'entrent en scène les saint-bernard. Lorsque vous êtes perdu dans les Alpes, vous avez froid, peur. Vous êtes seul. Il est alors réconfortant de savoir qu'un saint-bernard n'est peut-être pas loin. Je ne sais pas exactement ce que font ces chiens lorsqu'ils vous trouvent. Mais, dans ce cas, leur compagnie vous rassure. Access a son propre saint-bernard, même si à l'écran il ressemble plus à quelques boîtes de dialogue qu'à un chien. Ce chapitre vous présente les diverses manières de trouver une réponse aux questions que vous vous posez sur Access. Savoir où trouver l'information est tout aussi important que l'information elle-même. Aussi, feuilletez ce chapitre et découvrez les options.

Trouver de l'aide ici et là

Quel que soit l'endroit où vous vous trouvez dans Access, le système d'aide se tient prêt à vous assister. Le système d'aide d'Access 2003 présente un tout autre niveau d'aide qu'auparavant : il présente à la fois les informations d'aide stockées sur votre ordinateur *et* celles issues des massives bases de données d'aide du site Web de Microsoft.

Le nouveau système d'aide étant très lié à ces informations sur le Web, il fonctionne évidemment mieux si vous êtes connecté en permanence à Internet via une connexion à haut débit comme l'ADSL, le câble ou un réseau d'entreprise. Grâce à ce genre de connexion, le système d'aide d'Access trouvera toujours les éléments d'information les plus récents pour répondre à vos questions.

Si votre ordinateur est connecté à Internet par le biais d'une connexion à la demande (ou si vous sollicitez le système d'aide alors que vous êtes déconnecté), Access répondra néanmoins, grâce aux excellents fichiers stockés sur votre ordinateur. En fournissant deux systèmes d'aide parallèles, les développeurs d'Access s'assurent que vous obtiendrez de l'aide, où que vous soyez, que votre ordinateur soit ou non connecté.

Poser des questions au logiciel

Access 2003 propose trois moyens pour demander de l'aide. La Figure 3.1 les présente tous à la fois.

Pour utiliser le système d'aide, choisissez parmi les trois méthodes décrites ci-après celle qui vous convient le mieux. Une fois passé l'étape où vous posez votre question, ces trois méthodes travaillent en coulisse de la même manière et affichent leurs résultats dans le même volet Office Résultats de la recherche. Seules les méthodes de questionnement du système ont été modifiées pour perturber les braves gens.

Voici les trois possibilités de poser des questions dans la nouvelle version d'Access :

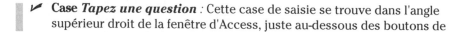

    ✔ **Case *Tapez une question*** *:* Cette case de saisie se trouve dans l'angle supérieur droit de la fenêtre d'Access, juste au-dessous des boutons de fermeture et de restauration. Cliquez dans la case, tapez votre question et appuyez sur Entrée.

✔ **Compagnon Office** : Le Compagnon Office existe encore dans cette version d'Access. Il fonctionne cependant de manière un peu différente que les compagnons Office précédents. Au lieu de recueillir les questions et afficher les réponses, le nouveau compagnon Office gère simplement la question. Les réponses apparaissent dans le volet Office, pas dans la bulle du compagnon Office. Pour poser une question par l'intermédiaire du Compagnon Office, cliquez dessus. Dans la bulle qui s'affiche, tapez votre question et appuyez sur Entrée.

✔ **F1 ou le traditionnel bouton d'aide Windows :** Pendant des années et des années, la touche F1 a servi consciencieusement à demander de l'aide dans la majorité des programmes. Elle réalise la même chose dans Access 2003 (toutes ces années de formation ne seront donc par perdues). F1 affiche dans le volet Office Assistance d'Access une série de liens vers des endroits utiles sur Internet. En haut du volet Office, on trouve la case de recherche, où il est possible de poser votre question. Pour demander quelque chose, cliquez dans la case de saisie Rechercher, tapez votre question, puis appuyez sur Entrée.

La Figure 3.1 présente les diverses zones pour poser des questions. Bien que les trois options mènent aux mêmes ensembles de résultats, c'est la touche F1 qui fournit le plus d'informations. Du fait qu'elle affiche le Volet Office Assistance, vous disposez non seulement de la possibilité de poser une question mais aussi de liens vers une formation, une assistance générale sur les tâches professionnelles, une mise à jour aisée du logiciel, et vers les communautés en ligne de Microsoft. Avec toutes ces options, il est payant de passer quelque temps à découvrir les possibilités du volet Office Assistance. On ne sait jamais ce qu'on peut y découvrir !

Votre connexion Internet en sait plus que vous ne le pensez

Si vous pouvez accéder à Internet ou à un compte sur AOL, CompuServe ou Prodigy, alors une foule de réponses sont au bout de votre modem. Microsoft offre des zones de support technique officielles sur les principaux services en ligne, ainsi qu'une page très complète sur le World Wide Web. Le Tableau 3.1 vous explique où trouver les supports de chaque système.

Tableau 3.1 : Le support en ligne de Microsoft.

Système	Commande d'accès	Remarques
Usenet	microsoft.public.accesss.gettingstarted	Requiert un accès aux groupes de diffusion sur Internet.
Usenet	comp.databases.ms-access	Requiert un accès aux groupes de diffusion sur Internet.
Web	http://www.microsoft.com/office/support.htm	Requiert un accès au Web.

Une grande quantité de titres de la collection *Pour les Nuls* vous permettent de naviguer à travers le monde en ligne. Parmi ceux-ci, *Internet pour les Nuls* (de John Levine, Carol Baroudi et Margaret Levine Young).

Ne jamais boire à l'eau d'un puits vide d'une liste de diffusion

Si vous avez une adresse électronique, inscrivez-vous sur une liste de diffusion sur Access pour participer à des discussions sans fin de tous niveaux, des novices aux experts. Au lieu de remplir votre boîte de réception de messages vraisemblablement importants, une liste vous permet d'obtenir très rapidement les réponses à vos questions.

Pour rejoindre une liste de diffusion, envoyez un message à LIST-SER@peach.ease.lsoft.com. Ecrivez un message sur n'importe quel sujet (l'ordinateur de l'autre côté s'en moque). Dans le corps du message, saisissez SUBSCRIBE ACCESS-L suivi de votre vrai nom (et non de votre adresse électronique). L'ordinateur de la liste de diffusion extrait votre adresse électronique dans le message.

Une fois inscrit, le premier message que vous recevrez vous expliquera comment fonctionne la liste, comment envoyer vos messages et comment vous désabonner si vous en avez assez. Essayez ! Les listes de diffusion sont de superoutils !

Parler avec un être humain

Il peut arriver que vous ayez besoin de parler avec un être humain, n'importe qui susceptible de résoudre votre problème. Pour cela, contactez l'assistance utilisateur de Microsoft au 0 825 827 829, code d'accès 1020, de 9 h à 19 h du lundi au vendredi, et de 10 h à 18 h le samedi.

Deuxième partie
Les tables

Dans cette partie...

Avec Access, vous allez pouvoir commencer à
stocker, gérer, organiser et réorganiser vos
données. Puisque les données se nichent dans des
tables, vous devez connaître parfaitement le
contenu de vos tables, afin de pouvoir modifier vos
données.

Cette partie vous présente les bases de la gestion
des tables. Vous commencerez par créer des tables,
puis vous apprendrez à les utiliser ainsi qu'à effectuer des opérations de maintenance et de réparation sur ces dernières.

Chapitre 4

Concevoir et construire la structure de vos données

C e chapitre est le plus important de ce livre. Pourquoi ? Parce que les bases de données réellement utiles se développent à partir de projets qui demandent une extrême attention. En fait, le problème est que personne n'explique des choses comme enchaîner avec succès une foule de champs et en faire une table. Pour des raisons que j'ignore, on pense que vous le savez déjà – c'est-à-dire que c'est instinctif, comme les oiseaux suivent le vent du sud ou ma femme fait les soldes.

Si vous ne sursautez pas face au message : "Les numéros de téléphone et les codes postaux sont traités en tant que texte, même si ce sont des chiffres", alors ce chapitre vous est dédié. Les pages suivantes vous dévoilent les secrets des champs, tables et bases de données. Il définit les termes des bases de données que vous devez connaître, donne des trucs pour sélectionner des champs et concevoir des bases de données, ainsi que des détails pour assembler tous les éléments en une superbe base de données.

Même si je déteste aborder le vocabulaire technique, je dois le faire ici pour que vous puissiez comprendre la première section de ce chapitre. Le vocabulaire des bases de données défini ici apparaît dans tout Access. Qu'il s'agisse de faire une requête, de concevoir un formulaire ou de créer un état, ces termes techniques sont employés furtivement, prêts à surgir et à brouiller les idées d'une personne mal préparée. Armez-vous pour contrer leurs attaques en consacrant du temps à la section qui suit.

Le vocabulaire relatif aux bases de données à connaître (et à supporter)

Attendez ! Ne sautez pas cette section sous prétexte qu'elle parle de terminologie ! Je lui consacre le strict minimum de temps, mais vous devez simplement connaître quelques mots magiques avant de vous lancer dans le développement d'une base de données.

Si vous êtes pris d'étourdissement car vous venez de comprendre que vous allez développer une base de données, posez ce livre et respirez profondément. Rappelez-vous qu'il s'agit seulement d'un ordinateur, et que ce n'est pas aussi important que les enfants, les vêtements à la mode ou la mousse au chocolat.

Les quelques termes que vous devez connaître sont répertoriés dans les sections suivantes. Chaque terme est brièvement décrit et aussi traduit pour tous ceux qui ont déjà travaillé avec des logiciels de bases de données comme FileMaler, FoxPro, Oracle et Paradoxe.

Les éléments d'une base sont ici classés par taille, des plus petits aux plus grands. Les définitions se suivent, ce qui est bien plus logique : vous commencez par entrer les données, et seulement ensuite vous travaillez avec des bases de données.

Les données (vos affaires)

Les données sont ce que stocke, combine et empile Access à votre place. Chaque fois que vous inscrivez votre nom de famille dans un formulaire, vous fournissez une donnée. Dans un programme de base de données, votre nom peut être stocké en tant qu'élément unique (votre nom complet, avec ou sans initiales), ou éclaté en deux éléments (nom et prénom), voire plusieurs (titre, prénom, nom de famille, initiales et suffixe). Ces détails dépendent de la manière dont le concepteur de la base de données a paramétré les champs de la base (ce dont je parle à la section suivante). Voici deux caractéristiques d'une donnée.

Pour ce qui concerne les champs, n'oubliez pas ces notions :

- ✔ Quasiment tous les programmes appellent une donnée... une donnée. Ne vous attendez pas à une définition plus pointue de ce terme, c'est tout !

- ✔ Les programmes de base de données lisent les données autrement que vous et moi. Si vous lisez 16 773, vous savez que c'est un nombre – c'est intuitif. Access et les autres programmes de base de données lisent 16 773 comme un nombre ou un groupe de caractères, en fonction du type de champ dans lequel il est stocké. Cet étrange comportement est développé dans la section intitulée "Gambader dans les champs", plus loin dans ce chapitre. Assurez-vous que vous avez bien compris cette petite curiosité, car elle peut vraiment vous mettre dans l'embarras.

Les champs (les pièces pour ranger vos affaires)

Comme personne ne souhaite que ses données se baladent un peu partout, les assistants techniques ont créé des *champs* – lieu où vivent vos données. Chaque champ contient un type de données. Par exemple, pour suivre les informations concernant une collection de cartes de joueurs de football, vos champs comprendront le nom du fabricant de la carte, le nom du joueur, sa position, l'année, l'équipe, les conditions, etc. Chaque élément constitue un *champ* unique dans votre base de données.

- ✔ De même que pour le mot *donnée*, les programmes tels que FoxPro et FileMaker s'accordent sur la définition d'un *champ*. Cependant, des logiciels qui traitent des bases de données plus grandes, tels Oracle et Microsoft SQL Server, emploient le terme *colonne* à la place de champ.

- ✔ En revanche, les programmes sont en désaccord lorsqu'il s'agit de types spécifiques de champs. Ce n'est pas *parce que vous avez toujours utilisé cette méthode sous Paradox* que cette même méthode fonctionne sous Access. Pour de plus amples informations, lisez la section intitulée "Gambader dans les champs", plus loin dans ce chapitre.

Les enregistrements (les pièces d'une maison)

Avoir des champs est un bon point de départ, mais si vous vous arrêtez maintenant, comment saurez-vous que tel nom de famille va avec tel prénom ? Vous avez besoin de quelque chose qui classe en ordre ces turbulents champs, quelque chose comme un *enregistrement*. Tous les champs d'une carte de football, d'une saisie comptable (ou de tout autre chose) que vous suivez sous Access sont reconnus en tant qu'*enregistrement*. Si votre collection compte deux cartes de football, vous avez deux enregistrements dans votre base de données, un pour chaque carte.

- ✔ FoxPro et FileMaker emploient le terme *enregistrement*. Oracle et Microsoft SQL Server parlent de *ligne*.

- ✔ Chaque enregistrement dans une *table* a les mêmes champs, mais les données qu'ils contiennent sont (généralement) différentes.

- ✔ Un unique enregistrement contient toutes les informations nécessaires concernant un seul élément (ligne de comptabilité, recette, etc.) dans votre table.

Les tables (les maisons du voisinage)

Une *table* est une collection d'enregistrements qui décrivent des données similaires. Retenez bien *données similaires*. Tous les enregistrements d'une simple table contiennent des champs de données similaires. Les informations sur la collection de cartes de football tiennent dans une simple table, tout comme une donnée comptable. Toutefois, une seule table ne doit pas traiter à la fois les cartes de football et les saisies comptables. La combinaison des deux crée un nouveau concept (qui pourrait divertir les travaux comptables), mais cela ne marche pas sous Access.

- ✔ Avez-vous remarqué que j'ai dit que la collection de cartes de football peut tenir dans une seule table ? Je prends des risques, car je pense que cette table ne peut physiquement pas contenir toutes les entrées de vos cartes. Vous pouvez utiliser à la place des tables *liées* pour contenir les données. C'est tout ce que vous devez savoir pour l'instant, mais comprenez bien cette section, c'est important. Lisez la section "Fichiers plein texte versus bases de données relationnelles", plus loin dans ce chapitre, pour avoir un aperçu général.

Les bases de données (une communauté)

Une *base de données* Access (ou un *fichier de base de données*, ces appellations sont synonymes) est une collection de tout ce qui est relatif à un ensemble particulier d'informations. Les bases de données contiennent tous les états, tables, requêtes et formulaires que vous pouvez créer sous Access pour gérer vos données. Au lieu de stocker toutes ces informations séparément sur votre disque dur, où vous pourriez les perdre ou accidentellement les effacer, elles sont regroupées en un seul fichier collectif.

Gambader dans les champs

Un champ, rappelez-vous, est le lieu de vie des données. Il contient un élément de données, comme l'année ou l'équipe.

Comme il existe toute sorte de sujets dans le monde, Access offre une variété de types de champs pour les stocker. En fait, Access met à votre disposition dix types de champs. De prime abord, ces choix ne semblent pas si souples que ça. Si le connaisseur de bases de données n'en est pas satisfait, il peut toujours définir le contenu d'un champ en utilisant l'Assistant Rechercher. Grâce aux options des champs, vous pouvez également personnaliser vos champs afin qu'ils correspondent au mieux à vos besoins. C'est tout. Ah ! ils font également du pop-corn...

Chaque champ comporte un certain nombre d'options qui permettent de les personnaliser de manière très pratique. Vous pouvez demander une information, tester si la saisie correspond à ce que vous recherchez, puis formater automatiquement le champ comme vous le voulez. Tout ce que vous devez savoir vous attend au Chapitre 7.

Tous les types de champs sont mentionnés dans la liste qui suit. Ils sont classés dans le même ordre qui celui qui apparaît à l'écran sous Access. Ne vous inquiétez pas si vous ne savez pas pourquoi telle personne utilisera un type et pas l'autre. Choisissez celui dont vous avez besoin et retenez les autres. Au travail !

✔ **Texte** : Stocke les textes – lettres, chiffres et donc la combinaison des deux – jusqu'à 255 caractères.

Les chiffres dans un texte ne sont pas considérés comme des chiffres. Ce sont simplement une série de chiffres rassemblés dans un champ. Tenez-en compte lors de la création des tables de votre base de données.

Les champs texte ont un paramètre dont vous devez tenir compte : la taille. Lorsque vous créez un champ texte, Access doit connaître le nombre de caractères que contient le champ. C'est la taille du champ. Si vous créez un champ appelé Prénom et que sa taille est 6, Joseph tient dans ce champ, mais pas Stéphanie. Cela peut poser un problème. En règle générale, dotez le champ d'une taille un peu plus grande que nécessaire. Il est facile d'élargir un champ, mais il est risqué de le réduire. Le traitement des champs est abordé au Chapitre 9.

✔ **Mémo** : Contient jusqu'à 64 000 caractères – ce qui fait quasiment 18 pages de texte.

Ce champ texte est vraiment grand. Il convient pour des remarques générales, des descriptions détaillées, et tout autre chose qui demande de l'espace.

✔ **Numérique** : Contient de véritables valeurs numériques.

Vous pouvez additionner, soustraire, calculer votre fortune avec ces champs nombre. Si vous travaillez avec des dollars et des cents (ou des livres et des pennies), utilisez un champ Monétaire.

✔ **Date/Heure** : Stocke l'heure, la date ou la combinaison des deux, en fonction du format que vous utilisez.

Utilisez un champ Date/heure pour suivre les grands moments de la vie.

Monétaire : Aligne les monnaies, prix, factures, etc.

Dans une base de données Access, on fait les comptes ici : euros et yens. Si vous utilisez autrement les chiffres, passez au champ Numérique.

NuméroAuto : Comme son nom l'indique, ce champ se remplit automatiquement d'un numéro généré à chaque nouvel enregistrement.

NuméroAuto est très utile. Lorsque vous ajoutez un client dans une table, Access génère automatiquement un numéro de client ! Bien que Microsoft SQL Server fasse de même, les pauvres utilisateurs d'Oracle doivent franchir plusieurs barrières pour générer un numéro de client (ou autre).

✔ **Oui/Non** : Contient oui/non, vrai/faux, et on/off en fonction du format que vous avez choisi. Si vous avez besoin d'un simple oui, utilisez ce champ.

✔ **Objets OLE** : OLE (Object Linking Embedding, objet lié et imbriqué) est une technologie très puissante ; prononcez "o-lé". Un objet OLE est comme un document Word, un tableau Excel, un bitmap Windows, voire un fichier son MIDI. En intégrant un objet OLE dans une table, votre base de données saura automatiquement comment éditer un document Word ou un tableau Excel, jouer un fichier son MIDI, etc.

✔ **Lien hypertexte** : Avec ce type de champ (et un peu de la magie du Net avec Internet Explorer), Access comprend et stocke un langage de liaison spécifique qui donne accès à Internet.

Si vous utilisez Access sur le réseau de votre société ou que vous utilisiez énormément Internet, ce type de champ vous est destiné. Je vous donne de plus amples informations sur les liens hypertexte et d'autres trucs sur Internet au Chapitre 21.

✔ **Assistant Liste de choix** : L'une des fonctionnalités les plus puissantes d'un programme de base de données est la liste de choix. Elle permet d'accélérer l'entrée des données (avec quelques erreurs) en vous laissant choisir la valeur correcte d'un champ dans une liste prédéfinie. Pas de saisie, pas de souci, pas de problème, c'est un outil relativement utile. Dans certains programmes de base de données, l'ajout d'une liste de choix dans une table est assez difficile. Heureusement, l'Assistant Liste de choix d'Access rend cette tâche la moins pénible possible. Demandez des informations supplémentaires sur l'Assistant Liste de choix au Compagnon Office.

Pour vous donner une idée de ce qu'est une base de données, le Tableau 4.1 récapitule les champs des bases de données les plus courants. Certains sont vieux, mais encore utiles. Vous avez également dans ce tableau quelques exemples spécifiques pour le nouveau millénaire.

Tableau 4.1 : Un champ pour tous les cas.

Nom	Type	Taille	Contenu
Titre	Texte	4	M., Mme, Mlle
Prénom	Texte	15	Le prénom d'une personne
Initiale	Texte	4	L'initiale du deuxième prénom d'une personne (possibilité de mettre l'initiale des autres prénoms suivie d'un point)
Nom de famille	Texte	20	Le nom de famille d'une personne

Tableau 4.1 : Un champ pour tous les cas. (*suite*)

Nom	Type	Taille	Contenu
Emploi	Texte	25	Le titre ou le poste professionnel
Société	Texte	25	Nom de la société
Adresse 1	Texte	30	Comporte deux champs pour l'adresse
Adresse 2	Texte	30	Car la localisation des sociétés est un peu compliquée de nos jours
Ville	Texte	20	Nom de la ville
Etat, Province	Texte	4	État ou province ; s'applique au nom qui correspond à la donnée que vous stockez
Code Postal	Texte	10	Code postal (remarquez qu'il est stocké en tant que texte, et non comme numéro)
Pays	Texte	15	Pas nécessaire si vous travaillez dans un seul pays
Téléphone du bureau	Texte	12	Numéro de téléphone (la taille passe à 17)
Numéro de fax	Texte	12	Numéro de fax
Téléphone domicile	Texte	12	Numéro de téléphone personnel
Téléphone portable	Texte	12	Numéro de téléphone portable
Adresse électronique	Texte	30	Adresse électronique sur Internet
Site Web	Hyperlien		Adresse de page Web (la taille est déterminée automatiquement)
Télex	Texte	12	Numéro de télex standard (la taille peut être de 22 caractères pour inclure le service de réponse)

Tableau 4.1 : Un champ pour tous les cas. (*suite*)

Nom	Type	Taille	Contenu
NSS	Texte	11	Numéro de Sécurité sociale
Commentaires	Mémo		Espace libre pour des notes ; Access choisit automatiquement une taille de champ

Tous ces exemples sont des champs texte, y compris pour les numéros de téléphone. Car Access considère la plupart des éléments que vous insérez dans une base de données comme du texte. Rappelez-vous que les ordinateurs tiennent compte de la différence entre un *numéro* réel et une chaîne de chiffres, comme la chaîne de chiffres qui forme un numéro de téléphone, ou le numéro ID du gouvernement.

Lorsque vous créez un champ, demandez-vous si vous allez *faire des calculs* avec le numéro que vous entrez. Si c'est le cas, saisissez-le dans un champ Numérique. Sinon, entrez-le dans un champ texte.

Plus loin dans ce chapitre, à la section "Créer des tables d'un coup de baguette magique", je vous présente l'Assistant Table qui est rempli de champs prédéfinis pour vos tables.

Fichiers plein texte versus bases de données relationnelles

Contrairement à la glace ou aux journées d'été, les tables de vos bases de données n'ont que deux saveurs de base : plein texte ou relationnelle.

Une base de données est soit plein texte, soit relationnelle ; elle ne peut pas être les deux à la fois.

Ces deux survivances du *jargon informatique* expliquent comment les tables stockent les informations dans les bases de données. Lorsque vous construisez une nouvelle base de données, *vous* choisissez le type d'organisation qu'utilisera votre base de données. Pas de souci, vous n'êtes pas seul à prendre cette décision. Les paragraphes suivants décrivent brièvement chaque type d'organisation. (Reportez-vous au Chapitre 5 pour de plus amples informations.)

Jouer au jeu des prénoms (champs)

De tous les programmes de bases de données de Windows, je pense qu'Access a les règles de nomination les plus simples. Contentez-vous de retenir ces quelques indications pour donner le bon nom à vos champs.

- ✔ Commencez par une lettre ou un chiffre.

  Après le premier caractère, libre à vous d'utiliser des chiffres ou des lettres. Vous pouvez également inclure des espaces dans les noms des champs.

- ✔ Choisissez un nom de champ court et facile à comprendre.

  Vous pouvez actuellement utiliser jusqu'à 64 caractères pour créer un nom de champ. Mais ne pensez pas utiliser tout cet espace ! Toutefois, ne soyez pas mesquin en créant des noms de type N1 ou AZ773, à moins qu'ils n'aient un sens particulier dans votre société.

- ✔ Utilisez des lettres, des chiffres, voire des espaces dans les noms de champ.

Bien qu'Access vous permette d'inclure toute sorte de signes de ponctuation dans le nom d'un champ, ne le faites pas ! Restez simple ! Vous éviterez ainsi des problèmes.

Fichiers plein texte : une solution simple pour les petits problèmes

Dans un système *plein texte* (également appelé *fichier plein texte*), toutes les données sont rassemblées dans une seule table.

Un répertoire téléphonique est un bon exemple de base de données fichier plein texte : noms, adresses et numéros de téléphone (les données) sont regroupés au même endroit (la base de données). Il peut y avoir quelques doublons : si une personne a trois numéros de téléphone personnels, son nom et son adresse sont cités trois fois dans le répertoire, mais cela ne pose pas vraiment de problème. La base de données fonctionne bien.

Les bases de données relationnelles : des solutions complexes pour les gros problèmes

Le système *relationnel* (ou *base de données relationnelle*) utilise un petit espace de stockage en supprimant les données en double (dites *redondantes* dans le jargon informatique) dans la base de données. Pour cela, celle-ci décompose les données en plusieurs tables, chaque table contenant une partie de l'ensemble des données.

Reprenons l'exemple du répertoire téléphonique : une table de la base de données peut contenir le nom du client et l'adresse, et une autre table les numéros de téléphone. Grâce à cette approche, la personne qui possède trois lignes de téléphone a *une seule entrée* dans la table "client" (après tout, ce n'est qu'un seul client), mais trois entrées différentes (une pour chaque ligne) dans la table "numéros de téléphone". En utilisant une base de données relationnelle, le système stocke une seule fois les informations personnelles relatives à un client, et donc libère de l'espace sur le disque dur de l'ordinateur.

Le *champ primaire* (ou *clé de liaison*) est la clé de cette technologie avancée. Toutes les tables du système de base de données relationnelle contiennent ce champ. La donnée du champ primaire fonctionne comme un reçu lorsque vous déposez une pellicule à développer dans un magasin. Pour récupérer vos photos, vous présentez le reçu, complété par un petit numéro de réclamation. Ce numéro vous identifie (ou fait la liaison), vous et votre pellicule, de telle sorte que le vendeur puisse trouver celle-ci. Tout comme dans l'exemple du répertoire, chaque client a un numéro unique. La table "numéros de téléphone" stocke l'ID du client avec chaque numéro de téléphone. Pour trouver à qui appartient tel numéro, vous recherchez l'ID du client dans la table "nom du client". Certes, retrouver le numéro de téléphone ainsi requiert plus d'étapes qu'avec le système de fichiers, mais le système relationnel libère de l'espace de stockage (plus de doublons) et réduit les risques d'erreur.

Si cette procédure vous paraît compliquée, ne désespérez pas. Les bases de données relationnelles sont compliquées ! C'est pourquoi le Chapitre 5 explique ce concept bien plus en détail, avec des exemples de fonctionnement et d'avertissement qui vous permettront de devenir un expert qualifié en base de données. S'attaquer aux bases de données relationnelles demande de la patience. N'ayez pas honte de demander de l'aide à vos proches.

Comprendre ce que tout cela signifie

Vous devez maintenant avoir une idée de la différence entre un fichier plein texte et une base de données relationnelle. Chaque approche a des avantages et des inconvénients dans votre base de données :

- Les fichiers plein texte sont faciles à construire et à maintenir (par exemple, un tableur Excel).

  Tout le monde peut créer un système de base de données plein texte opérationnel – et quand je dis tout le monde, c'est tout le monde. Ce système s'applique parfaitement bien aux listings, comme les listes de diffusion, les répertoires téléphoniques ou les collections de vidéos. C'est une solution simple pour des problèmes simples.

- Les systèmes relationnels s'appliquent aux besoins des grandes entreprises comme la facturation, la comptabilité ou l'inventaire.

  Si vous avez un projet de petite envergure (comme une liste de diffusion ou une base de données de membres), une approche relationnelle peut être une solution trop imposante qui ne correspond pas forcément à vos besoins. Le développement d'une solide base de données relationnelle demande compétence et pratique (et dans certains pays une licence d'ingénieur).

Votre société a sans doute un certain nombre d'informations stockées dans un système de base de données relationnelle. Comprendre le fonctionnement de ce type de système est important, c'est pourquoi je le traite tout au long de ce livre. Lisez notamment le Chapitre 5 pour apprendre à utiliser les relations entre des tables.

Je vous déconseille de commencer par construire une base de données relationnelle. Si vous en avez réellement besoin, demandez de l'aide à l'Assistant de base de données ou à un ami expert en la matière. Il y a trop d'éléments à prendre en compte pour créer des relations entre les champs. Demandez de l'aide la première fois, vous essaierez seul plus tard.

Bien qu'Access soit un programme de base de données relationnelle, il utilise très bien les systèmes plein texte. Que vous ayez à choisir entre un fichier plein texte et un fichier relationnel pour votre projet de base de données, Access est le programme qui convient !

Une bonne conception est la clé pour obtenir de superbes tables !

Etes-vous toujours prêt à démarrer votre ordinateur et à lancer Access ? Ne le faites pas tout de suite ! Vous devez avant tout concevoir les tables de votre base. Certes, cela fait de la paperasserie, mais c'est absolument indispensable pour construire de bonnes bases de données. Lorsque je crée un système pour mes clients, voici précisément ce que je fais :

1. **Je m'arme d'un bloc de papier et d'un stylo.**

   Malgré les merveilles des PC et de Windows, certaines tâches sont plus faciles à réaliser en les couchant sur du papier. En outre, si la conception de la base de données ne vous satisfait pas, vous pouvez toujours griffonner dans la page !

2. **Faites une brève description des états, listes et autres entrées que vous voulez mettre dans votre système.**

   Pourquoi commencer par l'impression ? Parce que ces états sont la raison pour laquelle vous créez une base de données.

   Ne vous inquiétez pas si votre liste ne vous paraît pas parfaite ni *complète*. Vous pourrez y revenir plus tard et inclure de nouveaux éléments.

3. **Sur une autre feuille de papier, faites l'ébauche de quelques états, listes et autres entrées mentionnés à l'étape 2.**

   Vous n'avez pas besoin ici de concevoir des états détaillés, ce n'est pas le but ! Maintenant, vous allez réfléchir à tout ce dont vous avez besoin dans votre base de données (états, listes, étiquettes d'enveloppe, etc.) ; définissez clairement ce qui vous semble le plus important et notez-le. Cette liste prend la forme du plan des champs de votre base de données. (Après tout, vous n'allez pas imprimer une étiquette si votre base de données ne stocke pas les adresses !)

4. **Pour chaque champ inscrit dans votre liste, écrivez le nom et le type de données du champ. Pour les champs texte, incluez la taille.**

   Vous devez passer par cette étape, même si vous comptez utiliser l'Assistant de base de données ou l'Assistant Table lorsque vous construirez les tables. Même si ces assistants donnent automatiquement un nom et une taille aux champs que vous créez, vous pouvez toujours les personnaliser.

5. **Organisez les champs dans les tables.**

   Vérifiez que les données vont naturellement ensemble, comme le nom, l'adresse et le numéro de téléphone dans une base de données de contact, ou l'ID produit, la description, le distributeur, le coût et le prix de vente pour un système d'inventaire.

   Si vous avez beaucoup de champs ou que vous ne vouliez plus les mettre ensemble, faites appel à un ami expert.

Cette dernière partie est la plus difficile, mais elle deviendra avec la pratique la plus facile. Pour vous exercer, créez quelques exemples de bases de données avec l'Assistant de base de données et regardez comment il les rassemble. Choisissez un sujet (comme la comptabilité, l'agenda ou une collection de CD) et observez comment font les pros de Microsoft.

Ouvrez les tables en mode Création : dans la fenêtre base de données, cliquez avec le bouton droit de la souris sur le nom de la table, puis sélectionnez Création dans le menu déroulant. Quels sont les champs qui vont ensemble ? Pourquoi les tables sont organisées ainsi ? Passez en plein écran pour voir comment les tables interagissent entre elles dans la base de données. Pour cela, cliquez sur le bouton Relations dans la barre d'outils. Access affiche la fenêtre Relations (Figure 4.1) qui représente à l'aide d'un graphique la façon dont les tables de la base de données sont reliées entre elles. Suivez les lignes des tables pour démêler les connexions.

Construire une base de données

Après avoir lu page après page ce livre, pris une quantité de notes, englouti deux ou trois litres de café, le moment est enfin arrivé : vous allez construire une base de données. Vous allez maintenant créer un fichier principal contenant les tables, états, formulaires et autres. De plus, si vous utilisez l'Assistant de base de données, cette étape crée également tous les éléments nécessaire à votre place !

Sans plus attendre, voici comment créer une table :

1. **S'il n'est pas encore lancé, démarrez Access.**

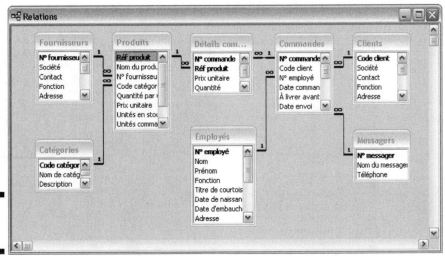

Figure 4.1
La fenêtre Rela-
tions.

2. **Sélectionnez Fichier/Nouveau dans le menu principal (Figure 4.2) ou cliquez sur le bouton de la barre d'outils Nouvel objet.**

Le Gestionnaire des tâches Nouveau fichier s'ouvre. Vous pouvez créer une nouvelle base de données ou en ouvrir une existante.

3. **Cliquez sur le lien** Sur mon ordinateur **dans la section Modèles du volet Office.**

La fenêtre Modèle apparaît.

4. **Cliquez sur l'onglet Base de données.**

Une liste d'Assistants Modèle de base de données apparaît (Figure 4.3). Si aucun des modèles ne correspond à ce dont vous avez besoin, sélectionnez Modèles sur Microsoft.com, dans le gestionnaire des tâches Nouveau fichier pour en obtenir d'autres.

Pour créer une base de données manuellement, sélectionnez Base de données vide dans le Gestionnaire des tâches. Access vous demande de donner un nom à la base. Et voilà, une base de données vide attend vos instructions. Lisez la section "Créer des bases de données d'un coup de baguette magique" pour savoir comment ajouter des tables dans cette base de données vide.

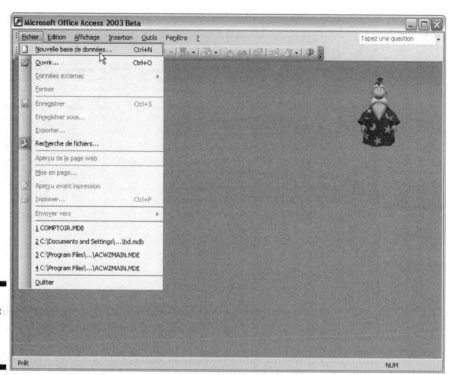

Figure 4.2
Il suffit d'un clic
pour créer une
base de
données !

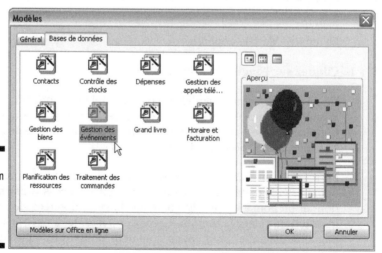

Figure 4.3
Sélectionnez l'un
des modèles
pour créer une
base de don-
nées.

5. Parcourez la liste des modèles jusqu'à ce que vous trouviez celui qui correspond le mieux à ce que vous voulez faire, puis double-cliquez dessus.

Quel que soit votre choix, la boîte de dialogue Fichier de la nouvelle base de données apparaît.

6. Saisissez un nom pour cette base de données, puis cliquez sur Créer (Figure 4.4).

Figure 4.4
Saisissez un nom pour votre base, puis cliquez sur Créer. Vous êtes sur le bon chemin !

Pour stocker votre base de données ailleurs que dans l'emplacement par défaut (généralement le dossier Mes documents), sélectionnez un autre dossier en cliquant sur la flèche orientée vers le bas à côté de Enregistrer sous, et parcourez le répertoire.

Éventuellement, une boîte de dialogue apparaît pour vous demander si vous voulez remplacer un fichier existant (Access vous indique qu'une base de données existante sur votre disque dur porte le même nom). Si vous ne le saviez pas, cliquez sur Non et choisissez un autre nom pour votre nouvelle base de données. Par contre, si vous voulez remplacer l'ancienne base de données par la nouvelle, cliquez sur Oui.

7. Lisez la courte description dans la fenêtre, et cliquez sur Suivant.

Access affiche une liste de tables. Pour chacune d'elles, il fournit une liste des champs que vous pouvez inclure dans votre base de données (Figure 4.5). La partie gauche montre toutes les tables. La partie droite montre les champs de la table sélectionnée. Une marque de cochage apparaît à côté de chaque champ visible dans la table.

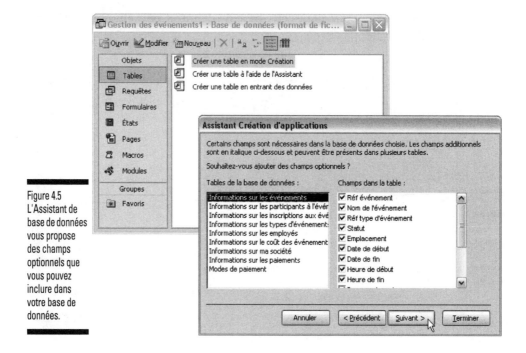

Figure 4.5
L'Assistant de base de données vous propose des champs optionnels que vous pouvez inclure dans votre base de données.

Si vous désirez que l'assistant termine la construction de la base de données, cliquez sur le bouton Terminer au lieu de Suivant. Cela donne à l'assistant le feu vert pour créer automatiquement votre base de données. Utilisez cette option lors de vos deux premiers essais de travail avec l'assistant. Cela fait gagner du temps et produit un résultat agréable. Vous pourrez toujours changer les champs et autres options plus tard, grâce aux outils de conception d'Access.

8. **Si vous voulez ajouter ou supprimer des champs standard dans la base de données construite par l'Assistant, faites-le en cliquant dans les cases à cocher des champs. Pour voir les champs d'une autre table, cliquez sur le nom de la table. Puis cliquez sur Suivant.**

Habituellement, on en reste aux champs suggérés par Access. Pour ajouter des champs à ceux proposés par l'assistant, laissez ce dernier terminer les étapes, puis passez la table en mode création. Pour en savoir plus, voyez le Chapitre 9.

Félicitations, voilà qui achève la partie la plus difficile de la construction de votre base de données avec l'assistant. À partir de là, tout est facile. Après avoir cliqué sur le bouton Suivant, Access vous propose des styles de présentation.

9. **Cliquez sur le style visuel qui répond le mieux à vos besoins, puis cliquez sur Suivant.**

À moins d'avoir un impérieux besoin de visuels époustouflants, restez-en à la présentation standard. Les autres présentations sont agréables mais la plupart ralentissent le chargement de la base de données. Si vous *devez* ajouter quelque diversité, essayez par exemple les options Sumi ou Grès. Une fois la présentation choisie, Access suggère des options de présentation des états.

10. **Choisissez (au moins) le style de vos états, et cliquez sur Suivant.**

D'un simple clic, vous voyez quelles sont les options disponibles. Je n'ai aucun conseil à vous donner, choisissez simplement quelque chose qui vous plaît.

11. **Nommez votre chef-d'œuvre et cliquez sur Suivant.**

Le charmant Assistant vous propose son propre nom, mais libre à vous de taper le nom que vous avez choisi dans la boîte en haut de la fenêtre.

Pour ajouter une image à vos états, cochez l'option Je voudrais inclure une image sur tous les états, puis cliquez sur le bouton Image pour choisir celle qui correspond le mieux aux états de votre base de données.

12. **Cliquez sur Fin pour construire la base de données.**

L'Assistant se dandine pendant un certain temps et vous indique les mises à jour pendant toute la procédure (Figure 4.6). Lorsqu'il a terminé, l'assistant vous demande des informations supplémentaires, comme le nom de votre entreprise, votre adresse, etc.

L'Assistant de base de données termine le travail en créant un écran de menu général (Figure 4.7).

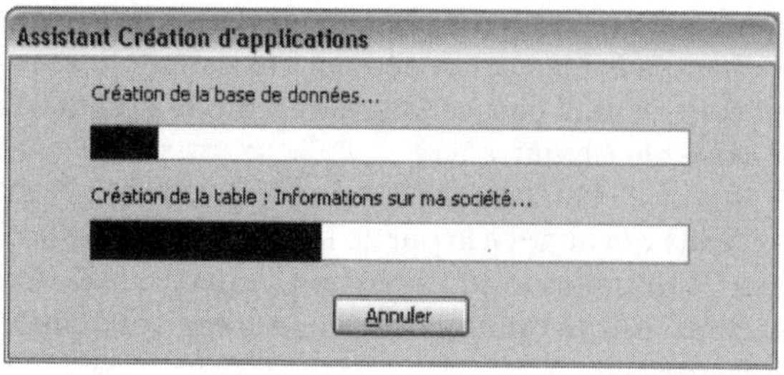

Figure 4.6
L'Assistant Base
de données en
plein rush.

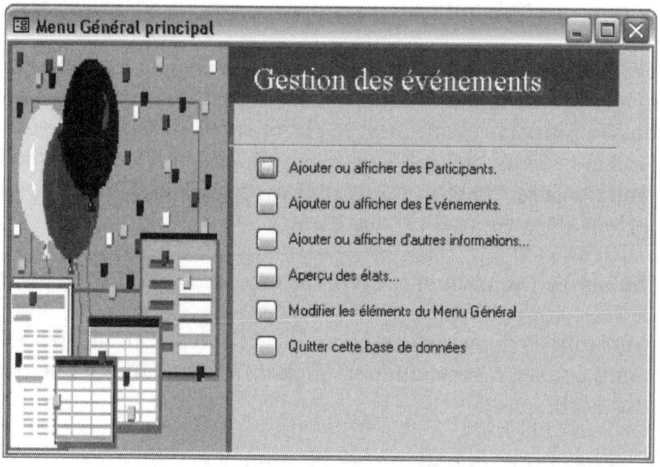

Figure 4.7
Access affiche
fièrement la nou-
velle base de
données que
vous avez cons-
truite.

La base de données est à présent prête. Passez aux Chapitres 6 et 7 pour savoir comment entrer les données, personnaliser vos tables, et maîtriser l'ensemble.

Créer des tables d'un coup de baguette magique

Ajouter une nouvelle table dans une base de données existante est une tâche facile. Pour cela, l'Assistant Table met à votre disposition toute une gamme de champs prédéfinis. De plus, il procède à toute la création des tables en coulisse, de telle sorte que vous n'avez plus qu'à vous concentrer sur le plus important.

Avec l'Assistant Table, vous ne *construisez* pas vraiment une table, vous *l'assemblez*. Il comporte tout un ensemble d'éléments qu'il vous suffit de choisir.

L'approche d'assemblage est pratique si vous êtes complètement novice en matière de construction de tables. Au lieu de vous attarder sur des détails comme le type et la taille d'un champ, vous vous consacrez à des choses plus importantes comme le nom et le propos. Après avoir construit quelques tables, vous ne ferez sans doute plus appel à l'Assistant. Vous n'en aurez plus besoin, car vous saurez exactement quel type de champ vous voulez et comment faire.

Sans plus attendre, voici comment faire appel à l'Assistant pour construire une table :

1. **Sélectionnez Fichier/Ouvrir, ou cliquez sur le bouton Ouvrir dans la barre d'outils, pour ouvrir le fichier de base de données qui a besoin d'une nouvelle table.**

   La base de données apparaît à l'écran.

2. **Cliquez sur l'onglet Table, à gauche de la fenêtre Base de données, puis double-cliquez sur Créer une table en utilisant l'Assistant pour commencer la procédure.**

   Si tout se passe bien, la boîte de dialogue de l'Assistant Table apparaît (Figure 4.8). Si une autre fenêtre apparaît, fermez-la et répétez cette étape.

Figure 4.8 L'Assistant Table vous propose de construire quelques tables et champs.

3. **Cliquez sur un exemple de table pour afficher les champs disponibles.**

La liste des exemples de tables est quelque peu confuse. Ils ne sont pas classés dans un ordre particulier, ce qui vous oblige à faire défiler toute la liste pour trouver ce qui vous convient. Un peu de patience !

L'Assistant Table vous propose toute sorte de champs prédéfinis à assembler dans une table.

4. Double-cliquez sur les champs que vous comptez intégrer dans la table.

Le nom du champ apparaît dans la rubrique Champs de la nouvelle colonne de ma table.

Sélectionnez les champs dans leur ordre d'apparition dans la nouvelle table.

- Si tous les champs d'une table vous plaisent, cliquez sur le bouton >> pour copier l'ensemble des champs de cette table.

- Pour supprimer un champ que vous avez choisi par mégarde, cliquez sur le nom du champ, puis sur le bouton <.

- Pour supprimer tous les champs et repartir de zéro, cliquez sur le bouton <<.

- Si le nom d'un champ ne vous plaît pas, cliquez sur ce nom, puis sur Renommer le champ. Saisissez le nom dans la boîte de dialogue et cliquez sur OK pour valider la modification. Facile, non ?

5. Répétez l'étape 4 jusqu'à ce que la table soit remplie de champs (Figure 4.9). Cliquez sur Suivant pour continuer à construire la table.

À l'écran, les informations sur les champs disparaissent lorsque l'Assistant vous pose des questions générales sur la table.

6. Nommez la table et cliquez sur Suivant.

Laissez tels quels les paramètres de la clé primaire. Vous vous en occuperez plus tard. (Reportez-vous au Chapitre 5.) Access vous présente une liste d'autres tables de la base de données et vous demande si elles ont un rapport avec la nouvelle table (Figure 4.10). Access est particulièrement nul dans ses suppositions, aussi lisez cette liste avec attention.

7. Si l'Assistant Table a fait une mauvaise supposition :

a. **Cliquez sur le bouton Relations.**

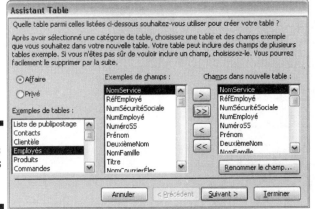

Figure 4.9
Sélectionnez les
champs pour les
intégrer dans
votre table.

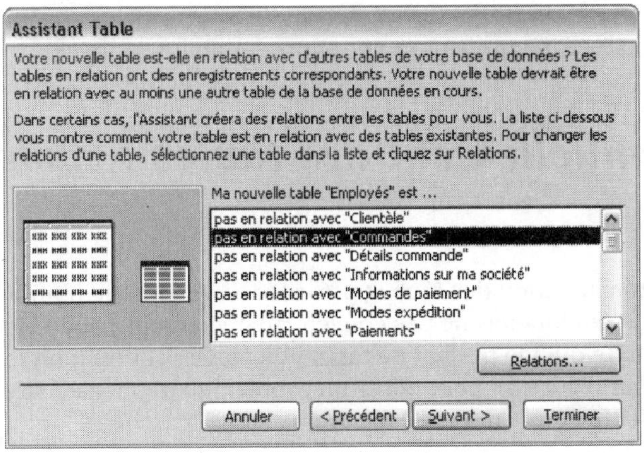

Figure 4.10
L'Assistant Table
vous indique tou-
tes les tables
existantes.
Access vous
demande si elles
ont un rapport
avec la nouvelle
table.

La boîte de dialogue Relations apparaît (Figure 4.11).

b. Cochez une des trois options de la boîte de dialogue Relations.

À la Figure 4.11, j'indique que pour chaque enregistrement dans la
table Employés il peut y avoir plusieurs enregistrements dans la
table Commandes. (Le Chapitre 5 traite plus en détail les relations
entre les tables. Lisez-le si vous êtes un peu perdu sur les us et
coutumes des tables reliées.)

c. Cliquez sur OK.

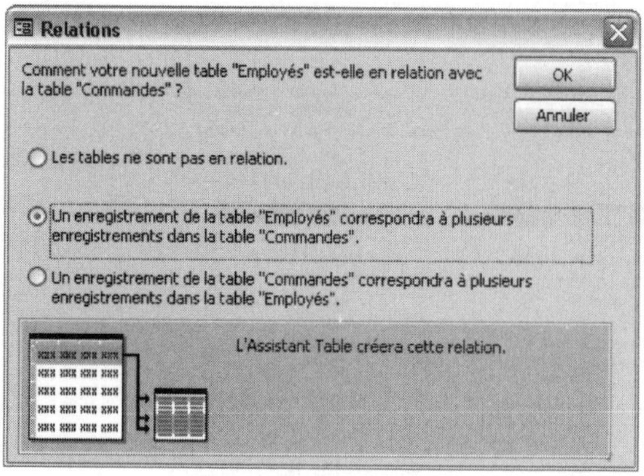

Relations

Comment votre nouvelle table "Employés" est-elle en relation avec la table "Commandes" ?

OK

Annuler

○ Les tables ne sont pas en relation.

⊙ Un enregistrement de la table "Employés" correspondra à plusieurs enregistrements dans la table "Commandes".

○ Un enregistrement de la table "Commandes" correspondra à plusieurs enregistrements dans la table "Employés".

L'Assistant Table créera cette relation.

Figure 4.11
Indiquez à
Access les rela-
tions entre vos
tables dans la
boîte de dialogue
Relations.

8. **Cliquez sur Fin pour terminer la construction de la nouvelle table.**

   Vous pouvez maintenant remplir votre table de données.

Construire manuellement des tables : comme au temps jadis

Même si l'automatisation des tâches présente en général de nombreux avantages, elle peut quelquefois ne pas convenir. Par exemple, j'aime bien le gadget
très automatique qui me permet de taper des mains, et hop mon téléviseur
s'éteint. Ce tour d'adresse peut poser un problème lorsque j'écoute ma
chanson préférée et que mon téléviseur se met en marche...

De même, l'Assistant Table facilite de prime abord votre tâche, mais bientôt
vous en saurez plus que lui. Si vous êtes prêt à vivre votre indépendance,
Access propose une méthode facile pour construire manuellement les tables.

En fait, il existe deux méthodes pour construire une table sans recourir à
l'Assistant Table :

✔ Le mode feuille de données affiche une feuille de données vide. Il vous
suffit de saisir vos données. Access examine vos entrées et attribue des
types de champs en fonction des données qu'il voit.

Seul problème : Access fait régulièrement des erreurs de compréhen-
sion des données, vous laissant régler manuellement les types de
champs. Bref, si vous devez créer quelque chose de plus compliqué

Quelques exemples de tables

Je vous présente ici quelques-uns des exemples de tables les plus utiles que sait créer l'Assistant Table. De nombreux exemples peuvent être reliés pour former des bases de données relationnelles. Par exemple, "Appels", "Contacts", "Type de contacts" et "A faire" fonctionnent ensemble sur un seul système. Ne vous embêtez pas à les tester tous avec l'Assistant Table ! Utilisez plutôt l'Assistant de base de données, c'est plus facile !

✔ **Contacts** : Table très bien conçue pour les informations sur les clients. Stocke tous les détails sur vos clients.

✔ **Clientèle** : Vous l'avez deviné ! Liste des informations sur les clients. Complétée par un champ Adresse électronique.

✔ **Employés** : Solide table sur les informations relatives aux employés. C'est un bon exemple de détails que vous pouvez inclure dans une seule table.

✔ **Evénements** : Idéal pour les organisateurs de réunions ou les entraîneurs qui peuvent inscrire toutes les informations sur leur propre salle.

✔ **Liste de publipostage** : Informations générales (nom, adresse, etc.) pour organiser des colloques.

✔ **Commandes** : Suivi des données sur la commande d'un client.

✔ **Détails commande** : Traite toutes les lignes d'un article à chaque commande.

✔ **Produits** : Informations générales sur les produits d'un catalogue et d'un magasin.

✔ **Réservations** : Traite les réservations et les acomptes versés.

✔ **Compte rendu d'entretien** : Parfait exemple de table qui gère le service d'appels d'une entreprise.

✔ **Tâches** : Suivi des tâches à effectuer.

qu'une simple table, n'utilisez pas le mode feuille de données. Certes, c'est bien, mais vous irez au-delà des ennuis. Mieux vaut recourir au mode Création.

✔ Le mode Création est la méthode par excellence utilisée par les techniciens pour construire des bases de données. Dans ce mode, vous contrôlez totalement les champs des nouvelles tables. Mais pas de panique si l'écran vous semble compliqué, suivez les étapes et tout ira bien.

Pour créer des tables manuellement, suivez les étapes ci-après :

1. **Sélectionnez Fichier/Ouvrir dans le menu principal, puis double-cliquez sur la base de données qui doit recevoir une nouvelle table.**

   Le fichier de la base de données apparaît à l'écran.

   Dans le monde d'Access, les tables sont contenues dans des bases de données. Si vous ne disposez pas encore d'un fichier de base de données, commencez par en créer un à l'aide de la commande Fichier/Nouveau.

2. **Cliquez sur le bouton Tables, à gauche de la fenêtre Bases de donnée, puis double-cliquez sur Créer Table, dans Mode Création.**

   Access affiche un formulaire de création de base vide qui ressemble à celui de la Figure 4.12.

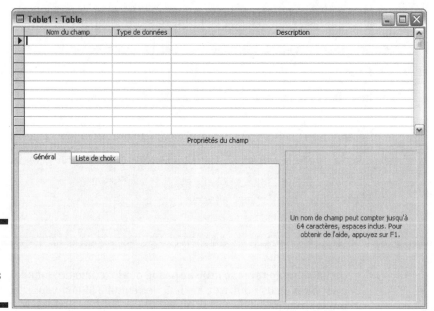

Figure 4.12
En mode Création, une table vide attend vos instructions.

3. **Saisissez le nom du champ et appuyez sur la touche Tabulation.**

   Le curseur passe à la colonne Type de données.

4. **Cliquez sur la flèche orientée vers le bas pour obtenir la liste des types de champs disponibles. Cliquez sur le type de champ voulu (Figure 4.13), puis appuyez sur la touche Tabulation pour continuer.**

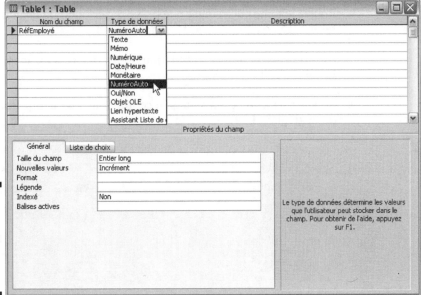

Figure 4.13
Vous pouvez sélectionner tous les types de champs (données) disponibles.

(En appuyant sur la première lettre du type de champ, vous allez directement dessus. Par exemple, positionnez-vous sur la colonne Type de données et appuyez sur la touche "A" pour passer directement à l'entrée "NuméroAuto".)

Lorsque vous choisissez un type de champ, la portion inférieure de la fenêtre affiche de nouvelles options au-dessous des onglets Général et Liste de choix. Ignorez tout cela pour l'instant. Ces éléments servent à personnaliser et à automatiser la manière dont fonctionnent les champs. Le Chapitre 7 explore ce sujet en profondeur.

Si vous créez un champ Texte, vous allez sans doute devoir préciser sa taille (la taille par défaut est 50, ce qui est beaucoup). Cliquez dans la boîte Taille du champ, dans le coin supérieur gauche de l'écran, avant de vous positionner, puis saisissez la taille du champ.

5. **Appuyez sur Tabulation pour placer le pointeur dans le champ Description.**

6. **Saisissez une description concise et intelligible du contenu du champ.**

Cette étape est vraiment très importante ! La description apparaît dans la barre d'état, en bas de l'écran : c'est un texte d'aide automatique. Prenez le temps de rédiger une brève description du champ. Cela permettra de comprendre plus facilement l'utilisation de ce champ.

7. **Appuyez sur la touche Tabulation pour faire revenir le curseur dans la colonne Nom du champ.**

8. **Répétez les Etapes 3 à 5 jusqu'à ce que tous les champs soient mis en place (Figure 4.14).**

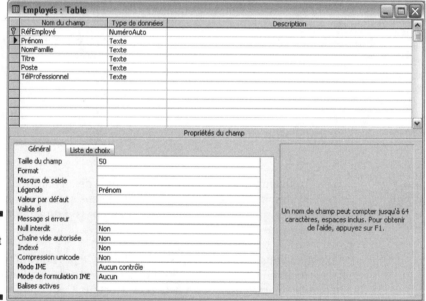

Figure 4.14
Les champs sont en place, il est temps de les tester !

Ouf, enfin terminé ! Votre nouvelle table est prête à l'emploi !

9. **Sélectionnez Fichier/Enregistrer pour sauvegarder votre nouvelle table sur le disque dur, ou cliquez sur le bouton Enregistrer dans la barre d'outil.**

10. **Dans la boîte de dialogue Enregistrer, saisissez le nom de la table et appuyez sur la touche Entrée.**

    Access peut vous envoyer un message du type : "Il n'y a pas de clé primaire définie." Autrement dit, votre table ne sera pas automatique-ment classée dans l'ordre. Cliquez sur Oui dans la boîte de dialogue pour créer une clé primaire, et passez au Chapitre 5 pour obtenir de plus amples informations sur les clés des champs.

11. **Bravo ! Vous avez créé une nouvelle table !**

    Pas mal pour un travail sans automatisation ! Félicitations !

Chapitre 5

Relations, clés et index

Chaque année, c'est pareil, on vous demande d'en faire plus en moins de temps, de travailler plus vite sans travailler plus dur. Pas de problème, relevons ce défi ! Pourquoi faire de telles considérations dans ce livre ? Parce que ce chapitre vous apporte, du moins en partie, des solutions.

Vous devez en faire plus en un minimum de temps ? Jetez un œil à la fonctionnalité d'index d'Access. Cette fonctionnalité dissipera vos questions et vos doutes, et vos cheveux resteront plaqués sur votre tête. Une foule de données en double envahissent vos tables ? Résolvez ce problème par une clé primaire. Une clé primaire vous assure que tous les enregistrements apparaissent une seule (et unique) fois dans les tables.

Qu'en est-il des bases de données relationnelles ? Vos tables ont-elles une réelle relation ou ont-elles simplement passé un certain temps ensemble ? Grâce au merveilleux outil Relations d'Access, vos tables fonctionnent bien mieux les unes avec les autres. Naturellement, entreprendre avec succès des relations n'est pas plus facile avec les tables qu'avec les êtres humains. Mais, grâce aux trucs et astuces de ce chapitre, vous obtiendrez la carte du joker des données en peu de temps !

Les joies (et la nécessité) de la clé primaire

La clé primaire d'une table est un champ spécifique. Il suffit de créer pour chaque table une clé primaire. Pourquoi ?

✔ Elle organise vos données en identifiant de manière unique chaque enregistrement. Par exemple, dans une table Clients, le Numéro de client est la clé primaire : le client 1 a une clé primaire, le client 2 en a une, etc.

✔ Les informaticiens s'arracheront les cheveux si vous ne le faites pas !

Vous devez apprendre quelques règles sur la clé primaire avant de vous lancer dans sa création :

✔ Une table ne peut avoir qu'une seule clé primaire.

Une table peut avoir plusieurs index.

✔ Access indexe automatiquement le champ de la clé primaire (c'est pourquoi une clé primaire accélère le travail d'une base de données). Je traite bien plus en détail les index dans la section "Indexer votre méthode pour la gloire, la fortune et des requêtes plus rapides", plus loin dans ce chapitre.

✔ Si vous créez une nouvelle table sans clé primaire, Access vous demande automatiquement si vous voulez en ajouter une.

Si vous répondez Oui, le programme s'empresse de créer un champ NuméroAuto au début de la table, et il le paramètre en tant que clé primaire. Si le premier champ est du type NuméroAuto, Access l'assigne en tant que clé primaire sans ajouter un autre champ dans la table.

✔ Dans la plupart des cas, la clé primaire est un unique champ, mais dans des circonstances très particulières, deux champs ou plus peuvent partager cette fonction. L'appellation technique de ce type est *clé multichamp*. Et celle supertechnique est *clé composite*.

✔ Vous ne pouvez pas utiliser les types de champs Mémo, Objet OLE ou Lien hypertexte dans une clé primaire.

✔ Même si vous pouvez utiliser le champ Oui/Non dans une clé primaire, vous ne pouvez avoir que deux enregistrements (Oui et Non) dans ce type de table.

✔ La clé primaire trie automatiquement les enregistrements dans la table. Cela permet de garder une table bien classée et claire.

✔ Access ne s'intéresse pas à l'emplacement du champ de la clé primaire lors de la création de la table. La clé peut être le premier champ, le dernier ou se tenir au centre. C'est à vous de choisir. Toutefois, je vous conseille de placer le champ de la clé en premier dans une table. Prenez-en l'habitude (vous me remercierez plus tard).

✔ Toutes les clés primaires doivent avoir un nom, tout comme un champ en a un. Ne soyez pas surpris si Access nomme automatiquement les clés primaires... Clé Primaire.

Pour nommer un champ de clé primaire, suivez les étapes ci-après :

1. **Ouvrez la table en mode Création.**

   Si vous ne maîtrisez pas cette étape, vous serez sans doute un peu perdu avec la clé primaire. De même, si vous n'avez pas tout à fait compris les Chapitres 1 à 4, vous n'êtes pas prêt pour aborder la clé primaire.

2. **Cliquez du bouton droit de la souris à côté du champ que vous avez sélectionné en tant que clé primaire.**

   L'un de ces superbes menus déroulants apparaît. Pour bien sélectionner le champ d'une clé primaire, lisez l'encadré suivant.

3. **Sélectionnez Clé Primaire dans le menu (Figure 5.1).**

   Un petit symbole en forme de clé apparaît dans le bouton. La clé primaire est paramétrée !

Les secrets d'une bonne relation

Les bases de données *relationnelles* décomposent les données en deux tables ou plus. Access utilise un champ lié, dit *clé étrangère*, qui relie les tables entre elles. Par exemple, une table peut contenir les nom et adresse des clients et une autre table le suivi des paiements des clients. Les informations relatives au crédit sont reliées à l'adresse du client avec un champ lié, lequel peut être par exemple un numéro de client. Voici quelques règles générales à retenir pour relier les tables :

✔ En général, le champ lié est la clé primaire d'une table, mais il est le champ dénominateur commun à rechercher dans une autre table. Par

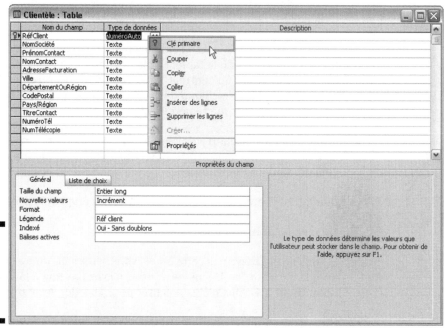

Figure 5.1
La clé primaire
est créée (à la
grande joie des
enregistre-
ments).

exemple, la table client est sans doute classée par numéros de clients ;
par conséquent, les données de crédit sont classées par numéros de
paiements.

✔ Les tables n'entament pas par magie des relations les unes avec les
autres simplement parce qu'elles sont enfermées dans le même fichier
de base de données. Vous devez définir les relations avec Access, et lui
traite les détails. Reportez-vous à la section suivante pour obtenir de
plus amples informations sur la définition des relations sous Access.

Les champs de liaison doivent avoir les mêmes types de données.

Lorsque vous reliez deux tables, elles forment l'une des quatre relations possibles. Bien que je frôle la technique, Access aime employer les quatre appellations suivantes, aussi prenez quelques minutes pour les apprendre :

✔ Les *relations un à un* lient un enregistrement de la première table avec un
seul enregistrement dans la seconde table.

Les relations un à un sont très simples, mais rares. Les tables ayant une
relation un à un sont souvent combinées dans une seule table.

Le choix du champ adéquat est la clé du problème !

Qu'est-ce qu'une bonne clé primaire ? Comment trouver la meilleure ? Bonnes questions. En fait, ce sont les deux questions à se poser sur la clé primaire.

Le principal critère est tout d'abord le caractère unique du champ de la clé. Les valeurs de ce champ doivent être uniques. Access ne tolère pas de valeurs en double. Chaque entrée dans le ou les champs de la clé doit être unique. Si vous devez créer des tables à l'avenir, gravez-vous cette phrase dans la tête "Pensez unique".

Une fois le mot unique gravé dans votre tête, recherchez un champ de la clé naturelle dans votre table. Avez-vous un champ qui contient une valeur toujours unique ? Y a-t-il des champs de types Numéro client, Unité de stockage, ID du véhicule (ou tout autre) qui sont différents dans chaque enregistrement ?

Si vous avez une clé naturelle, super ! Utilisez-la ! Si vous n'en avez pas, créez un champ unique en ajoutant un champ NuméroAuto dans votre table. Ce type de champ insère automatiquement un nouveau numéro unique dans chaque enregistrement de la table. NuméroAuto fait même le suivi des numéros que vous supprimez, si bien qu'Access ne les utilisera pas. Mieux encore, Access se charge de tous les détails. Vous n'avez pas à vous préoccuper de la programmation ou de toute autre tâche qui ferait fonctionner le programme.

✔ Les *relations un à plusieurs* lient un enregistrement de la première table avec *plusieurs* enregistrements dans la seconde.

Un client peut effectuer plusieurs achats dans un magasin, aussi l'enregistrement du client est lié aux enregistrements des ventes dans la table de transaction.

✔ Les *relations plusieurs à un* lient *plusieurs* enregistrements de la première table avec *un* enregistrement dans la seconde.

Les relations plusieurs à un sont exactement l'inverse d'une relation un à plusieurs.

✔ Les *relations plusieurs à plusieurs* lient plusieurs enregistrements d'une table avec plusieurs enregistrements dans une autre table. Elles ne sont pas conseillées. En fait, la base de données ne vous permet même pas de créer de telles relations. Pour en savoir plus sur les problèmes (et solutions) des relations de tables plusieurs-à-plusieurs, consultez l'encadré "Relations plusieurs-à-plusieurs".

Relations plusieurs-à-plusieurs

Bien que séduisantes et semblant utiles, les relations plusieurs-à-plusieurs entre tables ne fonctionnent tout simplement pas. Au lieu de résoudre certains problèmes particuliers de stockage, ces relations posent réellement de nombreuses difficultés. Si la conformation de votre base de données semble réclamer une relation plusieurs-à-plusieurs entre quelques tables, résolvez le problème à l'aide d'une table de jonction.

La *table de jonction* se comporte comme un mélange d'agent de circulation et de médiateur entre les deux tables. Pour remplir ce rôle, la table de jonction requiert une relation un-vers-plusieurs avec *les deux* tables à relier.

Prenons l'exemple d'une base de données pour un centre de formation. La table Étudiants contient la liste de tous les participants du centre, classés par IDÉtudiant, et la table Cours contient les détails concernant chaque cours proposé, classés par IDCours. Chaque étudiant assiste à plusieurs cours, et chaque cours s'adresse à plusieurs étudiants. Tiens donc, une relation plusieurs-à-plusieurs !

Le problème se résout en ajoutant une table de liaison, une troisième table nommée Planning. La clé primaire pour chaque enregistrement de la table Planning contient un champ IDÉtudiant et un champ IDCours, représentant un étudiant dans un cours. Cela confère à la table Planning une relation un-vers-plusieurs avec les deux tables Étudiants et Cours. En interrogeant la table Planning en même temps que les tables Étudiants et Cours, le centre de formation trouve rapidement quels étudiants suivent tel cours (à un IDCours correspondent plusieurs IDÉtudiant) et quels cours suit chaque étudiant (un IDÉtudiant, plusieurs IDCours). La table de liaison résout en douceur le problème des relations plusieurs-à-plusieurs.

Relier des tables avec le constructeur de relation

Les systèmes de liaison des tables d'Access sont très visuels. Sous Access, vous pouvez visualiser les tables, tracer des lignes et poursuivre votre travail. Avouons-le, relier les tables est en fait très amusant. Retenez bien ces trois conditions :

✔ Vous pouvez relier des tables uniquement si elles sont dans la même base de données.

✔ Vous pouvez également relier des requêtes aux tables, mais c'est assez rare.

✔ Vous devez indiquer spécifiquement à Access comment sont reliées les tables. Mais vous ne pouvez pas le dire d'un trait, relier les tables est une procédure à suivre dans les règles (un peu comme les danses de salon).

Prêt à mettre en relation vos tables ? Voici comment procéder :

1. **Dans la fenêtre base de données, sélectionnez Outils/Relations ou cliquez sur le bouton Relations dans la barre d'outils.**

   La fenêtre Relations apparaît, sans doute vide.

   Si des tables sont déjà listées dans la fenêtre, une personne (ou l'assistant) a déjà défini des relations dans cette base de données. Si vous êtes dans une entreprise, arrêtez-vous et demandez à votre entourage des informations avant de faire des erreurs.

2. **Sélectionnez Relations/Afficher table, ou cliquez sur le bouton Afficher table dans la barre d'outils, ou encore cliquez du bouton droit de la souris et sélectionnez Afficher table.**

   La boîte de dialogue Afficher table apparaît à l'écran, listant les tables de ce fichier.

3. **Cliquez sur la première table qui sera impliquée dans cette relation, puis cliquez sur Ajouter.**

   Une petite fenêtre contenant les champs de cette table apparaît dans la fenêtre Relations.

4. **Répétez la procédure avec les autres tables que vous voulez relier.**

   Dès que vous ajoutez une table, une petite fenêtre apparaît pour chacune d'entre elles, listant les champs contenus dans chaque table. Vous pouvez voir ces fenêtres à côté de la boîte de dialogue Afficher table (Figure 5.2).

5. **Cliquez sur Fermer une fois que vous avez terminé d'ajouter des tables.**

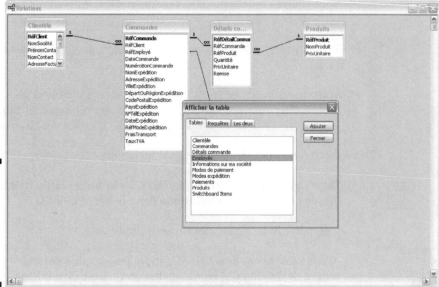

Figure 5.2
Utilisez la boîte
de dialogue
Afficher la table
pour ajouter des
tables dans la
fenêtre
Relations.

Avec les tables mentionnées dans la fenêtre, vous êtes prêt à entamer des relations !

6. **Choisissez les deux tables que vous allez relier.**

   Dans une relation un à plusieurs, l'une des tables est le parent, et les autres les enfants. Dans le parent, le champ lié sera la clé primaire.

   Sous Access, vous devez voir les deux champs liés à l'écran avant d'entreprendre toute relation.

7. **Placez le curseur de la souris sur le champ que vous voulez lier dans la table parent (qui sera la clé primaire de cette table) et maintenez appuyé le bouton gauche de la souris.**

   Mais *rien* ne se produit. Rien du tout. Aucun changement n'est visible à l'écran avant l'étape suivante. J'imagine que les programmeurs d'Access ont ainsi procédé pour nous faire cogiter.

8. **Tout en continuant de maintenir appuyé le bouton gauche de la souris, glissez la souris d'un champ lié vers l'autre.**

Le curseur se transforme en rectangle. Lorsque le rectangle est sur un champ lié, relâchez le bouton de la souris. Une boîte de dialogue indiquant les détails sur la relation à venir apparaît (Figure 5.3).

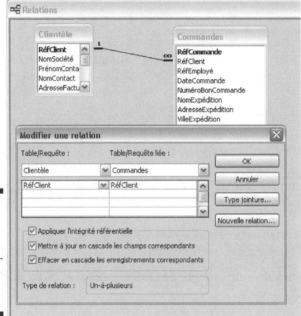

Figure 5.3
Un peu comme une cérémonie prénuptiale, Editer relations définit comment les deux tables seront reliées.

A ce stade, Access est délicat à manier. Vous devez placer la pointe du curseur de la souris à droite du champ que vous reliez. A la Figure 5.3, j'ai glissé le ClientID de la table Client sur le ClientID de la table Articles.

9. **Cochez Appliquer l'intégrité référentielle pour valider la relation entre ces deux tables.**

Sous réserve de valider l'option Appliquer l'intégrité référentielle, Access garantit que les données que vous placez dans le champ primaire d'une table correspondront bien aux données dans l'autre table.

10. **Cliquez sur Créer après vous être assuré que les noms de la table et du champ sont corrects dans la boîte de dialogue (Figure 5.4).**

Une ligne vous indique que les tables sont reliées. Si vous avez coché Appliquer l'intégrité référentielle, Access met "1" à côté du parent, et le

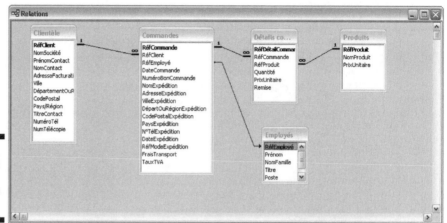

Figure 5.4
Les Clients sont
le parent, et les
Commandes les
enfants.

signe "infini" à côté du ou des enfants dans la relation, ce qui symbolise une relation un à plusieurs.

Si les noms des tables et des champs listés dans la boîte de dialogue ne sont pas corrects, cliquez sur Annuler et reprenez les étapes 6 à 8.

11. **Pour relier un autre couple de tables, recommencez à partir de l'étape 3.**

Si vous le faites, la fenêtre Relations vous paraîtra quelque peu désordonnée (car vous voyez beaucoup de lignes de relations se croiser). Pour y remédier, placez le curseur de la souris sur la barre de titre et cliquez-posez la fenêtre Table sur une autre partie de l'écran. Il est classique (bien que pas toujours possible) d'afficher les parents au-dessus des enfants.

Indexer pour la gloire, la fortune et des requêtes plus rapides

J'ai un chouette truc à vous confier. Mon truc accélère vos requêtes, trie d'un coup et empêche de faire des enregistrements doublons. Plutôt cool, non ? Etes-vous intéressé ?

Le secret de la vitesse, c'est l'index. Un index de table sous Access fonctionne comme l'index d'un livre. Son utilisation est bien plus rapide que parcourir un document page après page dans l'espoir de retrouver le bon passage.

Un index Access est donc comme l'index d'un livre, mais au lieu de citer les numéros de pages, l'index traque les numéros des enregistrements. Lorsque vous triez ou recherchez une table en utilisant un champ indexé, l'index effectue le gros du travail. C'est pourquoi les index accélèrent étonnamment les tris et les requêtes – l'index fait entrer la requête zéro d'une information sans examiner minutieusement toute la table pour la trouver.

Voici quelques remarques sur les index :

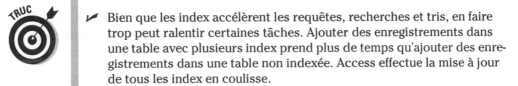

✔ Chaque champ d'une table peut être indexé à condition que les types de ses fichiers ne soient pas : Lien hypertexte, Mémo ou Objet OLE.

✔ Comme la clé primaire, un index doit avoir un nom unique différent du nom du fichier.

✔ Bien que les index accélèrent les requêtes, recherches et tris, en faire trop peut ralentir certaines tâches. Ajouter des enregistrements dans une table avec plusieurs index prend plus de temps qu'ajouter des enregistrements dans une table non indexée. Access effectue la mise à jour de tous les index en coulisse.

✔ Les index *autorisent ou non* les doublons. A vous de choisir. Générale-ment, j'autorise les enregistrements en double, à l'exception des champs de clé primaire. Access indexe toujours les clés primaires avec l'état Non dupliqué. Après tout, vous ne voulez pas que deux clients aient le même numéro client. Le paramètre Non dupliqué indique à Access de vérifier que deux enregistrements n'ont pas la même valeur dans le champ indexé.

✔ Pour lister les index d'une table, ouvrez le mode Création et cliquez sur le bouton Index dans la barre d'outils.

Les programmeurs de Microsoft ont fait de la création d'un index une opéra-tion très facile. Voici comment procéder :

1. **La table étant ouverte en mode Création, cliquez sur le nom du champ que vous voulez indexer.**

   Le curseur de la souris se trouve dans le nom du champ.

2. **Cliquez sur la boîte Indexé, dans l'onglet Général de Propriétés Champ.**

   Le curseur passe dans la boîte Indexé. Une flèche orientée vers le bas apparaît en bas à droite de la boîte.

Si l'affichage Indexé n'a pas d'entrée, ce type de champ particulier ne peut pas être indexé. Vous ne pouvez pas indexer des champs de types Lien hypertexte, Mémo ou Objets OLE.

3. **Cliquez sur la flèche orientée vers le bas, en bas de la boîte, pour lister les options d'indexage.**

   Une liste d'options d'indexage apparaît.

4. **Sélectionnez l'index dans la liste.**

   En général, cliquez sur Oui (Duplication OK). Pour des cas particuliers, comme un champ ayant une unique valeur (tel que Numéro client dans la table Client), cliquez sur Oui (Pas de duplication).

5. **Cliquez sur le bouton Enregistrer dans la barre d'outil, ou sélectionnez Fichier/Enregistrer pour valider la modification de façon permanente.**

   En fonction de la taille de votre table, la création de l'index peut prendre un petit moment. Ne soyez donc pas surpris si vous attendez un peu avant qu'Access ait terminé sa tâche.

Pour supprimer un index, effectuez les étapes précédentes. A l'étape 4, cochez Non dans le menu déroulant. Access supprime l'index du champ.

Chapitre 6

Nouvelles données, vieilles données et données à maintenir

La maintenance constitue une part substantielle de tout travail de conservation sur cette planète. Que ce soit la maison, la voiture, le matériel hi-fi, la télévision, les enfants, les animaux de compagnie, les garder en bon état de fonctionnement coûte plus cher que vous ne le pensiez au moment de l'achat.

Les données n'échappent pas à cette règle. Grâce aux outils d'Access, la maintenance de données est facile, sans problème et coûte moins cher que prévu. En fait, conserver vos données jusqu'à une certaine date est l'un des principaux objectifs de ce programme.

Ce chapitre est consacré à l'entretien des bases des données : ajouter de nouveaux enregistrements, supprimer les anciens, régler les pannes. Pour la maintenance des tables (comme ajouter de nouvelles colonnes, renommer des champs, etc.), reportez-vous au Chapitre 9.

Déposer vos tables dans un atelier numérique

Puisque les enregistrements sont rassemblés dans des tables, vous devez ouvrir une table avant de vous attaquer aux enregistrements. De même, les tables sont rassemblées dans des bases de données. Les bases de données ne s'occupent que d'elles-mêmes ; vous pouvez les trouver dans un dossier, sur une disquette ou sur un disque en réseau.

Bref, la première étape de la maintenance des bases de données, tables et enregistrements revient à simplement ouvrir une base de données. Vous pouvez le faire de différentes manières, mais dans le fond ces méthodes sont similaires.

Lorsque vous ouvrez Access, le programme affiche le Gestionnaire de tâches (Figure 6.1) qui vous permet de créer une nouvelle base de données, rouvrir celle sur laquelle vous venez de travailler ou la fermer pour passer à une autre base. Chaque action est présentée comme un hyperlien. La liste suivante décrit ce que vous pouvez faire avec le Gestionnaire des tâches :

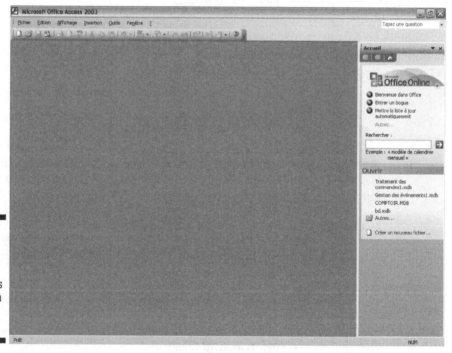

Figure 6.1
Lorsque vous ouvrez Access, le Gestionnaire des tâches vous accueille, prêt à exécuter vos ordres.

✔ Pour ouvrir l'une des bases de données mentionnées, il suffit de cliquer dessus.

Access ouvre automatique la base de données.

✔ Si la base de données que vous voulez ouvrir n'est pas mentionnée, cliquez sur l'option Autres fichiers pour faire apparaître la boîte de dialogue Ouvrir.

La boîte de dialogue vous donne accès à tous les fichiers des tables situés dans un dossier.

✔ Comment ? La base de données recherchée n'est toujours pas mentionnée ? Dans ce cas, lisez l'encadré de ce chapitre pour connaître les fonctionnalités de recherche d'un fichier.

✔ Si vous êtes d'humeur à créer une nouvelle table, reportez-vous au Chapitre 4.

Ces remarques sont justes si Access est prêt à l'emploi ; l'est-il vraiment ? Il vous suffit de cliquer du bouton droit de la souris sur la barre d'outils et de sélectionner Gestionnaire des tâches, ou d'utiliser la séquence suivante pour ouvrir une base de données comme au temps jadis :

1. **Sélectionnez Fichier/Ouvrir ou cliquez sur le bouton Ouvrir dans la barre d'outils.**

   La boîte de dialogue apparaît à l'écran (Figure 6.2).

2. **Parcourez la liste pour retrouver la base de données que vous recherchez.**

   Si la base de données n'est pas affichée dans cette liste, elle doit être dans un autre dossier ou sur un autre lecteur, voire sur votre réseau. Pour la trouver, cliquez sur la flèche orientée vers le bas dans la boîte Rechercher (en haut de la boîte de dialogue Ouvrir). Dans la liste des lecteurs locaux et en réseau, cliquez sur le lecteur dans lequel vous allez effectuer votre recherche. Access affiche la liste de toutes les données et dossiers dans le dossier courant.

Pour faciliter réellement votre travail, ajoutez quelques raccourcis dans la liste Favoris. Incluez les zones du réseau les plus utilisées, les répertoires de votre disque dur ou, dans la mesure du possible, l'espace de stockage des fichiers Access.

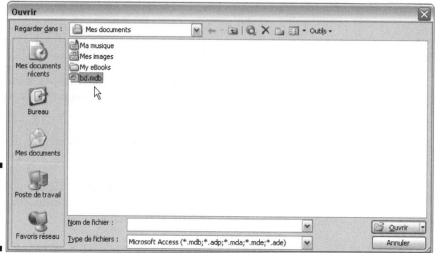

Figure 6.2
La base de don-
nées dont
j'attendais l'affi-
chage.

3. Lorsque vous avez trouvé la base de données, ouvrez-la en double-cliquant dessus.

Le fichier de la base de données s'ouvre (Figure 6.3).

Cette fenêtre représente un fichier de base de données normal bien organisé. Je suppose dans le reste de ce chapitre que votre base de données a le même comportement.

Un écran de présentation (connu sous le nom de Menu général) peut apparaître à la place de cette boîte de dialogue. Access vous indique que votre base de données contient un programme personnalisé ou qu'elle a été créée avec l'Assistant de base de données. Vous devez sans doute avoir un formulaire spécifique qui vous permet de réagir en fonction des informations contenues dans votre base de données.

4. Si elle n'est pas déjà sélectionnée, cliquez sur le bouton Table en dessous de la barre Objets.

La barre Objets du bouton Table liste les tables contenues dans votre base de données.

5. Double-cliquez sur la table que vous comptez éditer.

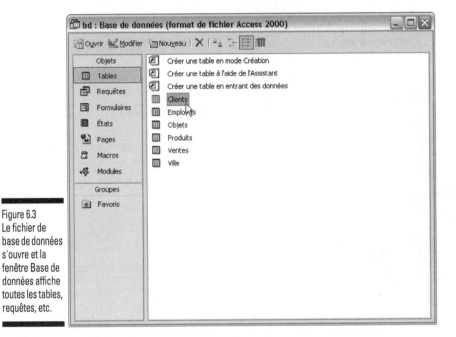

Figure 6.3
Le fichier de
base de données
s'ouvre et la
fenêtre Base de
données affiche
toutes les tables,
requêtes, etc.

Ajouter un ingrédient dans cette sauce

Certaines tâches sont bien plus énervantes que découvrir que vous avez
oublié quelque chose (et c'est toujours un gros truc !) après avoir amoureuse-
ment organisé les bagages dans la voiture au moment du départ en vacances.
Un véritable cauchemar. Dans l'univers numérique d'Access, l'ajout d'un seul
ou d'une centaine d'articles supplémentaires dans votre base de données est
facile.

En fait, ajouter un autre enregistrement dans une table s'effectue en deux
étapes. Les instructions suivantes partent du principe que vous avez ouvert un
fichier de base de données et sélectionné la table sur laquelle vous allez
travailler. (Si vous ne l'avez pas fait, suivez les instructions de la section précédente.) Voici comment ajouter un nouvel enregistrement dans votre table :

1. **Sélectionnez Insertion/Nouvel enregistrement, ou cliquez sur le
   bouton Nouvel enregistrement en bas de la fenêtre Feuille de
   données.**

Access ouvre un enregistrement vide dans votre table et positionne le curseur de la souris dans le premier champ de cet enregistrement (Figure 6.4).

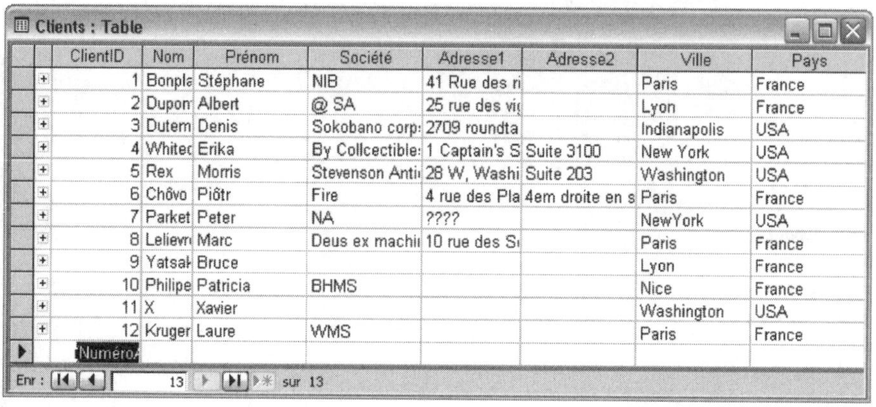

		ClientID	Nom	Prénom	Société	Adresse1	Adresse2	Ville	Pays
	+	1	Bonpla	Stéphane	NIB	41 Rue des ri		Paris	France
	+	2	Dupon	Albert	@ SA	25 rue des vi		Lyon	France
	+	3	Dutem	Denis	Sokobano corp	2709 roundta		Indianapolis	USA
	+	4	Whited	Erika	By Collcectible	1 Captain's S	Suite 3100	New York	USA
	+	5	Rex	Morris	Stevenson Anti	28 W, Washi	Suite 203	Washington	USA
	+	6	Chôvo	Piôtr	Fire	4 rue des Pla	4em droite en s	Paris	France
	+	7	Parket	Peter	NA	????		NewYork	USA
	+	8	Lelievr	Marc	Deus ex machi	10 rue des S		Paris	France
	+	9	Yatsal	Bruce				Lyon	France
	+	10	Philipe	Patricia	BHMS			Nice	France
	+	11	X	Xavier				Washington	USA
	+	12	Kruger	Laure	WMS			Paris	France
▶		(Numéro							

Clients : Table

Enr : 13 sur 13

Figure 6.4
Un nouvel enregistrement est prêt à être rempli.

Dans de nombreuses bases de données, ce premier champ est de type NuméroAuto, car il convient parfaitement pour attribuer un numéro de client unique, des numéros de parties ou toute sorte de numérotation. Il est donc normal qu'ici s'insère un champ NuméroAuto. Ce champ ne commence à fonctionner qu'à l'étape suivante, lorsque NuméroAuto y insère automatiquement le numéro séquentiel d'élément suivant.

Les précédentes versions d'Access affichaient "Auto Numérotation" dans la première colonne. Access n'affiche rien du tout. Lorsque vous faites une entrée dans la colonne suivante, le numéro apparaît comme par magie.

2. Tapez vos informations.

Si le premier champ est de type NuméroAuto, appuyez sur la touche Tabulation, et commencez votre saisie dans le deuxième champ. Aussitôt, le champ NuméroAuto génère un nouveau numéro et l'affiche dans le champ (Figure 6.5).

Si le champ NuméroAuto a sauté un numéro, lorsqu'il a créé l'entrée de votre nouvel enregistrement, c'est sans doute que vous avez saisi des données (ou du moins commencé), puis les avez supprimées.

3. Après avoir entré l'enregistrement, votre travail est terminé.

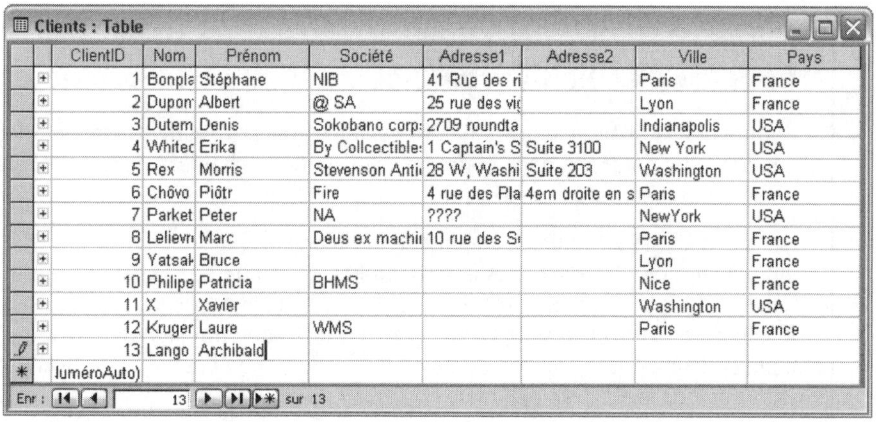

		ClientID	Nom	Prénom	Société	Adresse1	Adresse2	Ville	Pays
	+	1	Bonpla	Stéphane	NIB	41 Rue des ri		Paris	France
	+	2	Dupon	Albert	@ SA	25 rue des vi		Lyon	France
	+	3	Dutem	Denis	Sokobano corp	2709 roundta		Indianapolis	USA
	+	4	Whited	Erika	By Collcectible	1 Captain's S	Suite 3100	New York	USA
	+	5	Rex	Morris	Stevenson Anti	28 W, Washi	Suite 203	Washington	USA
	+	6	Chôvo	Piôtr	Fire	4 rue des Pla	4em droite en s	Paris	France
	+	7	Parket	Peter	NA	????		NewYork	USA
	+	8	Lelievr	Marc	Deus ex machir	10 rue des S		Paris	France
	+	9	Yatsak	Bruce				Lyon	France
	+	10	Philipe	Patricia	BHMS			Nice	France
	+	11	X	Xavier				Washington	USA
	+	12	Kruger	Laure	WMS			Paris	France
⌀	+	13	Lango	Archibald					
*		(uméroAuto)							

Enr : I◄ ◄   13   ► ►I ►* sur 13

Figure 6.5
L'enregistre-
ment est quasi
entré, Access a
déjà généré
l'entrée Numé-
roAuto.

Comme Access enregistre automatiquement l'enregistrement pendant la
saisie, vous n'avez plus besoin de le faire !

Si vous ne voulez plus de ce nouvel enregistrement, sélectionnez
Edition/Supprimer l'enregistrement enregistré, ou appuyez sur les
touches Ctrl+Z et répondez Oui pour confirmer la suppression. Si le
menu Supprimer n'est pas disponible, cliquez sur l'enregistrement que
vous venez d'ajouter et sélectionnez Edition/Supprimer l'enregistrement. Cliquez ensuite sur Oui pour valider la suppression.

Modifier le contenu d'un enregistrement existant

Après avoir entré toutes vos informations dans une table, vous pouvez y effectuer facilement des modifications. En fait, l'édition de vos données est si facile
que c'est à la fois une bonne et une mauvaise chose.

Si vous parcourez une table, soyez prudent ! Access ne vous avertit pas des
modifications d'un enregistrement avant sa sauvegarde, même si les modifications sont faites par mégarde. (Si j'avais été l'un de ces concepteurs, j'aurais
fait un grand mea-culpa concernant la manière dont cette "fonctionnalité"
d'Access effectue régulièrement des sauvegardes sur ce qui est important.)

Pour effectuer des modifications dans un enregistrement, parcourez la table
jusqu'à localiser l'enregistrement en question. Cliquez dans le champ que vous
allez modifier ; le curseur de la souris apparaît dans ce champ.

Retrouver les fichiers cachés

Retrouver des fichiers de base de données n'est pas toujours très facile. Mais pas de panique, une personne chez Microsoft a inventé une manière de trouver ces fichiers manquants, même s'ils se cachent !

Dans la boîte de dialogue Ouvrir, cliquez sur l'onglet Outils en haut à droite et choisissez Rechercher. Il existe plusieurs manières de rechercher votre base de données volatile. Dans la figure ci-après, l'onglet Paramètres avancés est sélectionné, indiquez à Access ce que vous recherchez. Les résultats sont affichés en bas. Il me suffit de double-cliquer sur la base de données ou de cliquer du bouton droit de la souris pour faire apparaître d'autres options.

Si vous avez la souris IntelliMouse de Microsoft, utilisez sa roulette (ascenseur) pour parcourir rapidement la table. Vous gagnerez un temps fou avec cette petite invention. Au Chapitre 8, je vous explique comment parcourir vos données avec la grande roue de Microsoft : la souris IntelliMouse.

En fonction des modifications que vous allez effectuer dans un champ, procédez comme suit :

✔ Pour remplacer tout le champ, appuyez sur la touche F2 pour surligner les données, puis saisissez les nouvelles informations. La nouvelle saisie remplace l'ancienne.

✔ Pour réparer une partie des données d'un champ, cliquez dans le champ, puis utilisez les flèches pour positionner exactement le curseur de la souris sur ce que vous allez modifier. Appuyez sur la touche Retour pour déplacer les caractères vers la gauche du curseur. Appuyez sur Supprimer pour les déplacer vers la droite. Insérez les nouveaux caractères en les tapant.

✔ Si vous êtes dans un champ de type Date/heure et que vous vouliez insérer la date du jour, appuyez sur les touches Ctrl+; (point-virgule). Pour insérer l'heure courante, appuyez sur les touches Ctrl+: (deux-points).

Une fois que vous avez modifié l'enregistrement, appuyez sur Entrée pour enregistrer les modifications. Si vous avez changé d'avis et souhaitez restaurer les anciennes données, appuyez sur la touche Esc ou sur la combinaison Ctrl+Z pour annuler cette édition.

N'appuyez sur la touche Entrée que si vous êtes absolument sûr des modifications que vous faites. Une fois le document enregistré, les anciennes données sont détruites et vous ne pouvez pas revenir en arrière !

Se débarrasser des enregistrements indésirables

Ne culpabilisez pas en vous débarrassant des fichiers indésirables. Il est temps de vous en séparer, faites-le vite et bien. Voici comment :

1. **La table étant ouverte, cliquez du bouton droit de la souris sur le bouton à gauche de l'enregistrement que vous allez supprimer.**

Un menu déroulant apparaît.

Vérifiez bien que vous cliquez sur le bon enregistrement avant de passer à l'étape suivante ! S'en rendre compte maintenant est beaucoup moins grave que de le découvrir plus tard.

2. **Sélectionnez Supprimer enregistrement dans le menu déroulant.**

   Access a un effet d'écran très cool en engloutissant visuellement l'ancien enregistrement. Mais, il ne le fait pas encore ! Il affiche une boîte de dialogue vous demandant de confirmer la suppression.

3. **Cliquez sur Oui pour supprimer définitivement l'enregistrement, ou sur Non si vous avez changé d'avis.**

   Si vous n'êtes pas vraiment sûr, cliquez sur Non et réfléchissez deux fois avant de recommencer la procédure.

Access peut vous indiquer qu'il n'est pas possible de supprimer l'enregistrement. Vous travaillez peut-être sur une table qui est reliée à une autre, et l'enregistrement que vous voulez supprimer peut contenir des enregistrements enfants de l'autre table. Si vous voulez toujours le supprimer, vous devez d'abord supprimer les enregistrements enfants, ou les éditer de telle sorte qu'ils ne soient plus liés à l'enregistrement à supprimer. Si vous ne comprenez rien aux relations entre les tables, reportez-vous au Chapitre 5.

Récupérer des données à partir d'une très très mauvaise édition

Je n'ai que trois conseils à vous donner pour récupérer les morceaux d'une mauvaise édition. Malheureusement, ce n'est pas un élixir qui restaure par un coup de baguette magique vos données. En voici les grandes lignes :

- Vous pouvez récupérer à partir d'une addition ou d'une édition avec la commande Supprimer.

  Malheureusement, il n'y a pas de suppression à supprimer !

- Vérifiez par deux fois toutes les modifications que vous avez effectuées avant de les enregistrer.

  Si les modifications sont importantes, vérifiez-les par trois fois. Si vous êtes sûr de vous, appuyez sur la touche Entrée et modifiez la table. Si vous n'êtes pas sûr, n'enregistrez pas les modifications. Posez-vous des questions, et libre à vous d'éditer l'enregistrement.

- Conservez une sauvegarde qui vous permettra de retrouver facilement les données manquantes.

Les bonnes sauvegardes ne sont pas des substituts. Si vous faites une bonne sauvegarde, les risques de perte des données sont réduits, votre chef vous accorde une promotion, votre conjoint vous jure un amour éternel et vous pouvez même gagner au loto !

Chapitre 7

Formats, masques et validation de vos tables

Les scientifiques donnent de longues explications incroyablement détaillées pour clarifier leurs propres pensées, mais ma réflexion est bien plus simple. Si vous voyez des dragons dans les jeux d'aventure des enfants ou que vous êtes émerveillé par l'éclosion des fleurs, vous réfléchissez.

Une chose est sûre : les tables d'Access ne pensent pas. Si la lecture de ce chapitre vous donne des visions cauchemardesques, rassurez-vous, cela n'arrivera pas.

Ce chapitre vous explique comment cibler et empêcher de mauvaises données d'entrer dans votre table. Il est consacré à trois outils différents : les formats, les masques et les règles de validation. Vous allez apprendre à utiliser ces trois outils qui semblent, certes, très techniques.

Où effectuer une modification ?

Avant toute chose, vous devez savoir où effectuer les modifications d'une table. Fort heureusement, ces trois options sont au même endroit : l'onglet Général, en mode Création.

Effectuez les étapes suivantes pour passer votre table en mode Création, puis lisez la section de ce chapitre consacrée à l'application d'un format, au masque de saisie ou à la validation d'un champ dans une table :

1. **Ouvrez le fichier de base de données et cliquez sur la table que vous allez modifier. Cliquez sur le bouton Création, ou cliquez du bouton droit de la souris sur la table, et sélectionnez Mode Création (Figure 7.1).**

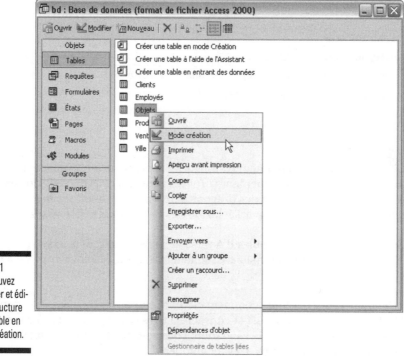

Figure 7.1
Vous pouvez visualiser et éditer la structure d'une table en mode Création.

La table passe en mode Création, exposant ses points faibles au monde.

Si la table est déjà visible dans la fenêtre Feuille de données, il vous suffit de cliquer sur le bouton Création, tout à gauche de la barre d'outils, pour passer en mode Création.

2. **Cliquez sur le nom du champ dans lequel vous allez travailler.**

L'onglet Général, dans la section Propriétés du champ (en bas de la fenêtre), affiche les détails du champ courant (Figure 7.2). Vous êtes prêt à effectuer votre tâche.

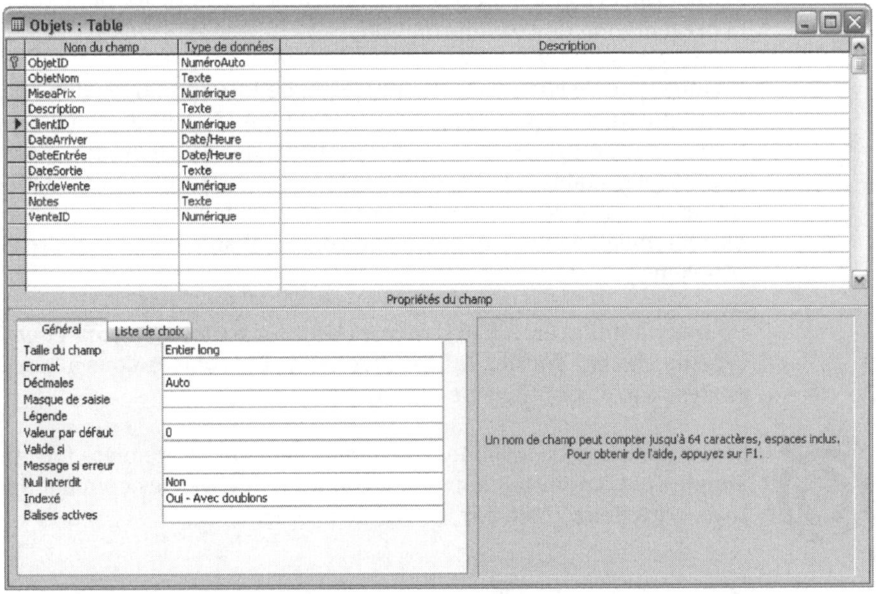

Nom du champ	Type de données	Description
ObjetID	NuméroAuto	
ObjetNom	Texte	
MiseaPrix	Numérique	
Description	Texte	
ClientID	Numérique	
DateArriver	Date/Heure	
DateEntrée	Date/Heure	
DateSortie	Texte	
PrixdeVente	Numérique	
Notes	Texte	
VenteID	Numérique	

Propriétés du champ

Général — Liste de choix

Taille du champ	Entier long
Format	
Décimales	Auto
Masque de saisie	
Légende	
Valeur par défaut	0
Valide si	
Message si erreur	
Null interdit	Non
Indexé	Oui - Avec doublons
Balises actives	

Un nom de champ peut compter jusqu'à 64 caractères, espaces inclus. Pour obtenir de l'aide, appuyez sur F1.

Figure 7.2
Modifier le
champ ClientID.

3. **Cliquez dans la boîte appropriée de la section Propriétés du champ (en bas de la fenêtre) et entrez les modifications.**

Format, Masque de saisie et règle de validation ont chacun une boîte. (Texte de validation a également une boîte, mais je n'en parle que plus loin dans ce chapitre ; pour l'instant elle reste un mystère.)

4. **Répétez l'étape 2 si vous voulez modifier d'autres champs.**

5. **Quand Access vous demande d'enregistrer vos modifications, cliquez sur Oui, puis fermez la table.**

L'utilisation des formats, masques et autres validations demande à être développée, néanmoins ces étapes constituent un bon point de départ quel que soit l'outil que vous utilisiez. Les sections suivantes vous présentent plus en détail chacun de ces outils.

Formater pour mieux visualiser

Les formats ne servent qu'à modifier la façon dont vous voyez les données à l'écran. Peu importe comment les données sont stockées dans la table. Même si les formats n'affichent pas directement les erreurs, ils facilitent grandement la présentation de vos informations.

Chaque type de champ a son propre jeu de formats. Soyez donc particulièrement attentif au type champ avec lequel vous travaillez. Si vous appliquez un format inapproprié à un champ, vos efforts auront été inutiles et vous serez frustré (et certains aspects de l'informatique sont suffisamment inutiles et frustrants pour que vous n'en rajoutiez pas). Vos données ne s'afficheront pas correctement, à moins que vous ne vouliez absolument résoudre ce laborieux problème.

Pour éviter toute erreur, je structure les informations à formater en fonction du type du champ. Vérifiez le type du champ, et reportez-vous à la section qui correspond aux options de formatage.

Si la commande de formatage ne fonctionne pas la première fois, vérifiez simplement à nouveau le type de champ et revoyez les commandes de formatage. Vous finirez bien par trouver le problème.

Les champs Texte et Mémo

Il existe quatre manières de formater des champs Texte et Mémo :

- ✔ Le *signe supérieur (>)* fait apparaître tout le texte contenu dans un champ en majuscules, sans tenir compte de la manière dont le texte a été saisi. Pour utiliser cette option, saisissez le symbole > dans la boîte de texte Format.

  Même si Access stocke les données *telles qu'elles ont été entrées*, celles-ci apparaissent uniquement en majuscules.

- ✔ Le *signe inférieur (<)* fait exactement l'inverse du symbole supérieur. Il fait apparaître tout le texte contenu dans un champ en minuscules.

Appliquez ce format en saisissant le symbole < dans la boîte de texte Format.

Si vous saisissez des données en majuscules et en minuscules, Access affiche les données en minuscules. Tout comme avec le symbole >, seul l'affichage est modifié, les données sont toujours stockées en minuscules et majuscules.

✔ L'*arobase (@)* permet d'afficher un caractère ou un espace dans le champ. Si la donnée de ce champ est plus petite que le format, Access ajoute des espaces supplémentaires. Par exemple, si un champ utilise @@@@@@ comme format et que la donnée du champ ne contient que trois caractères (comme *Tom*), Access affiche trois espaces, puis la donnée. Si la donnée du champ contient quatre caractères, le format commencera par deux espaces.

✔ Le *signe "et commercial" (&)* est le format par défaut. Il "affiche un caractère s'il y en a un à afficher ; sinon, il n'affiche rien". Vous pouvez l'utiliser pour créer des masques spécifiques. Par exemple, le masque "&-&&-&&-&&&-&&&-&&" peut être utilisé pour un champ de numéro de Sécurité sociale. Si vous entrez 2726238521120, l'affichage sera "2 72 69 385 211 20".

Vous pouvez insérer ce symbole pour chaque caractère contenu dans le champ, contrairement aux signes inférieur et supérieur, où un champ ne peut en contenir qu'un.

Les champs Numérique et Monétaire

Le charmant personnel de Microsoft s'est chargé de tout : il a construit les six formats les plus courants dans un menu déroulant, à droite de la section texte Format. Pour paramétrer un champ Numérique ou Monétaire, cliquez dans Format, puis sur la flèche orientée vers le bas, à côté de la section. La Figure 7.3 représente le menu déroulant.

Chaque nom de format donné est situé à gauche du menu. L'autre côté vous présente des exemples de formats. Voici un rapide aperçu des choix les plus courants :

✔ **Nombre général** : C'est le format par défaut d'Access. Il affiche tout ce que vous saisissez dans le champ sans effectuer aucun ajustement.

✔ **Monétaire** : Ce format permet de faire d'un simple champ Numérique un champ pour les devises. Il affiche les données avec deux décimales, et

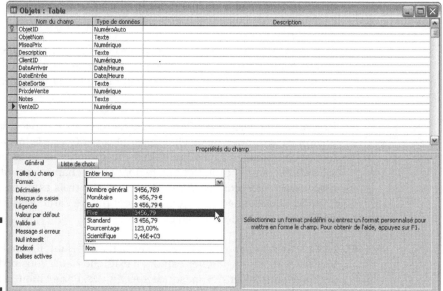

Figure 7.3
Choisissez un format de chiffre dans la liste.

Access à la rescousse !

Voici un truc de pro très utile. Lorsque vous entrez des données, vous sautez quelquefois un champ Texte, car vous n'avez pas les informations sous la main. Ne serait-ce pas merveilleux si Access enregistrait automatiquement ce champ comme étant vide et vous rappellerait plus tard de le remplir ?

Access peut créer un tel format texte personnalisé, vous n'avez même pas besoin de baguette magique. Voici comment faire : saisissez @ ; "Inconnu" [Rouge" dans la section texte du Format.

Cette notation particulière affiche le mot Inconnu en rouge si le champ ne contient aucune valeur. Vous devez saisir la commande exactement comme dans cet exemple (guillemets, crochets, etc.), sinon cela ne marche pas. Vous pouvez choisir un mot autre que Inconnu – la commande ne s'intéresse absolument pas à ce qu'il y a entre les guillemets.

met des zéros à la place des décimales s'il n'y en a pas. Le format Monétaire ajoute également le signe de la devise approprié en fonction des
Paramètres régionaux du Panneau de contrôle Windows.

✔ **Euro** : Identique au format Monétaire, à l'exception qu'il utilise le
symbole euro (€).

✔ **Fixe** : Ce format verrouille les données d'un champ dans le nombre
décimal spécifique. Par défaut, ce format prend deux chiffres après la
virgule. Pour spécifier un nombre de chiffres différent après la virgule,
utilisez le paramètre Décimal en dessous du paramètre Format.

✔ **Standard** : Identique au format Fixe, mais il ajoute une centaine de sépa-
rateurs. Ajustez le nombre de chiffres après la virgule avec le paramètre
Décimal.

✔ **Pourcentage** : Ce format fait passer un nombre décimal comme 0,97 en
pourcentage (97 %).

N'oubliez pas de saisir la valeur décimale (0,97 au lieu de 97). Sinon,
Access affiche un étrange pourcentage ! Si votre commande affiche
0,00 % ou 1,00 %, passez au paragraphe suivant.

✔ **Scientifique :** Si votre table doit accueillir des nombres tellement grands
que vous ne pouvez les stocker qu'en notation scientifique, utilisez ce
format. Il affiche un nombre comme 38 000 sous la forme 3,8E+04 (qui,
j'en suis sûr, représente probablement quelque chose pour certaines
personnes !).

Si vos entrées s'arrondissent automatiquement et affichent un zéro après la
virgule, passez le paramètre Taille du champ (juste en dessous de Format) de
Entier à Unique. Ce paramètre indique à Access de prendre en compte les
valeurs décimales du nombre. Par défaut, Access arrondit un entier lors de la
saisie.

Les champs Date/Heure

A l'instar des options de formatage Numérique et Monétaire, les champs Date/
Heure disposent d'un ensemble de formats. Cliquez dans la section texte
Format, puis sur la flèche orientée vers le bas, à droite. Le menu de la Figure 7.4
s'affiche alors.

Les noms des options sont suffisamment clairs. Toutefois, tenez compte de ces
deux remarques :

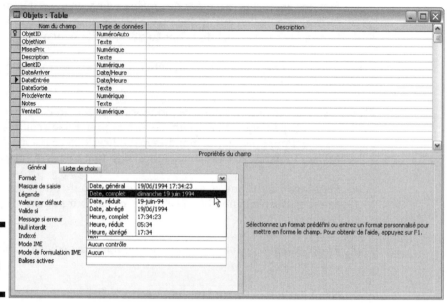

Figure 7.4
Un format pour
chaque date, et
une date pour...

✔ Si vous utilisez l'un des grands formats, tels que Date générale ou Date longue, assurez-vous que la colonne de la feuille de donnée est suffisamment large pour afficher toute la date. Par ailleurs, une date dans sa totalité n'a pas vraiment de sens, car une grande partie n'est pas mentionnée.

✔ Si vous êtes plusieurs à utiliser la base de données, choisissez le format qui donne le plus de renseignements, et non celui qui en donne le moins.

Pour ma part, je préfère le format Date moyenne, car il indique le mois et le jour. Des dates comme 3/7/99 peuvent prêter à confusion, car dans d'autres pays on les interprète différemment.

Les champs Oui/Non

Vous disposez dans ce champ de trois options. Vous avez en fait un choix de formats prédéfinis assez restreint (Figure 7.5). Par défaut, les champs Oui/Non sont paramétrés aux formats Oui/Non. Testez les autres options, notamment si elles sont bien plus significatives que Oui et Non dans vos tables.

Pour afficher vos propres choix à la place de Oui et Non, vous devez saisir un format personnalisé. Cette procédure fonctionne exactement comme le format

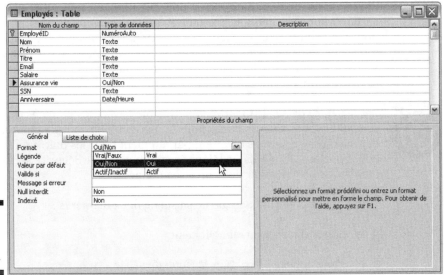

Figure 7.5
Les choix de ce
format sont
assez restreints.

texte personnalisé susmentionné dans ce chapitre. Par exemple, prenons "En
stock"[Vert" ; "COMMANDER" [Rouge". Si un article est disponible, le texte "En
stock" apparaît en vert, sinon "COMMANDER" apparaît dans un rouge brillant.
Remplacez mes mots par les vôtres, car Access ne tient pas compte du contenu
des guillemets. Vérifiez que le Contrôle d'affichage, en dessous de l'onglet
Boucle (à côté de l'onglet Général), est dans Case texte, sinon vous devez
cocher les options dans votre champ.

Qu'est-ce qu'une donnée masquée ?

Les masques de saisie (quel drôle de nom !) sont des filtres qui vous permettent de n'entrer que certaines données dans un champ. Lorsqu'ils vont de paire
avec des validations (dont je parle plus loin), les champs contenus dans votre
table sont très bien protégés contre les mauvaises informations.

Un masque de saisie est une simple série de caractères qui indique à Access
quelles sont les données prévues dans tel champ. Si un champ ne doit contenir
que des chiffres, et pas de lettres, un masque de saisie s'en charge. Il peut
également effectuer la tâche inverse et faire des combinaisons. Les masques de
saisie sont stockés dans la zone Masque de saisie de l'onglet Général du
champ.

Plus de la moitié des champs d'une table Access ont leur propre masque de saisie. Avant d'en créer un, vous devez savoir exactement quel type de données doit contenir le champ. La création d'un masque qui n'autorise que des lettres dans un champ n'est pas franchement une bonne idée si vous devez stocker des adresses. Examinez bien vos données avant de vous engager dans la création de masques de saisie.

Les masques de saisie fonctionnent très bien avec des données *courtes* et *compatibles*. Les valeurs numériques et les combinaisons de chiffres/lettres des masques de saisie s'adaptent parfaitement pour les unités de stockage, codes postaux, numéros de téléphone et numéros de Sécurité sociale. Vous êtes sûr de ne pas saisir de mauvaises données.

Vous pouvez créer un masque de saisie de deux manières :

- Saisir le masque manuellement.

- Faire appel à l'Assistant Masque de saisie.

  L'Assistant Masque de saisie n'est pas terrible : il ne sait que créer des masques pour des champs Texte et Date. Mais il propose quelques options. Pour créer un masque de saisie plus élaboré, je vous conseille de le faire manuellement.

Utiliser l'Assistant Masque de saisie

L'Assistant Masque de saisie est d'une grande utilité pour des numéros de téléphone, de Sécurité sociale, des codes postaux ou des champs Date/Heure. En dehors de ces champs, l'Assistant Masque de saisie est sans intérêt. Ne faites donc appel à ses services que pour des champs de type Texte.

Pour utiliser les services de l'Assistant, suivez les étapes ci-après :

1. **Le fichier de base de données étant ouvert, cliquez sur la table dans laquelle vous allez travailler, puis sur Création.**

   La table passe en mode Création.

2. **Cliquez sur le nom du champ que vous voulez ajuster.**

   L'onglet Général, dans la section Propriétés du champ (en bas de la fenêtre), affiche les détails sur ce champ.

3. **Cliquez sur l'option Masque de saisie.**

Le curseur apparaît dans la boîte Masque de saisie. À droite de l'option, un petit bouton formé de trois points apparaît. C'est le bouton Construire qui intervient à l'étape suivante.

4. Cliquez sur le bouton Construire, à droite de la boîte Masque de saisie.

L'Assistant apparaît, vous proposant un choix de masques de saisie (Figure 7.6).

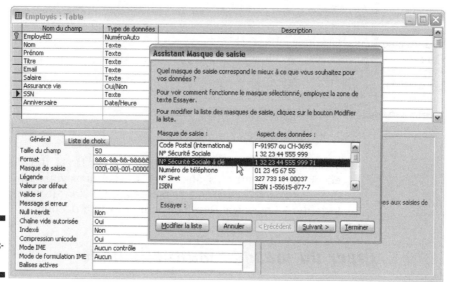

Figure 7.6
L'Assistant Masque de saisie.

Vous ne pouvez utiliser l'Assistant qu'avec les champs Texte et Date.

5. Parcourez la liste de masques de saisie disponibles. Cliquez sur celui que vous avez choisi, puis sur Suivant.

6. Pour vérifier que le masque fait exactement ce que vous recherchez, cliquez sur Tester, en bas de la boîte de dialogue. Une fois fait, cliquez sur Terminer pour utiliser le masque dans le champ.

Le masque que vous avez choisi apparaît dans la zone Masque de saisie, dans l'écran Création table (Figure 7.7).

Si vous cliquez sur Suivant au lieu de Fin, l'Assistant vous propose toute une gamme de choix de stockage des caractères. Il veut savoir si vous

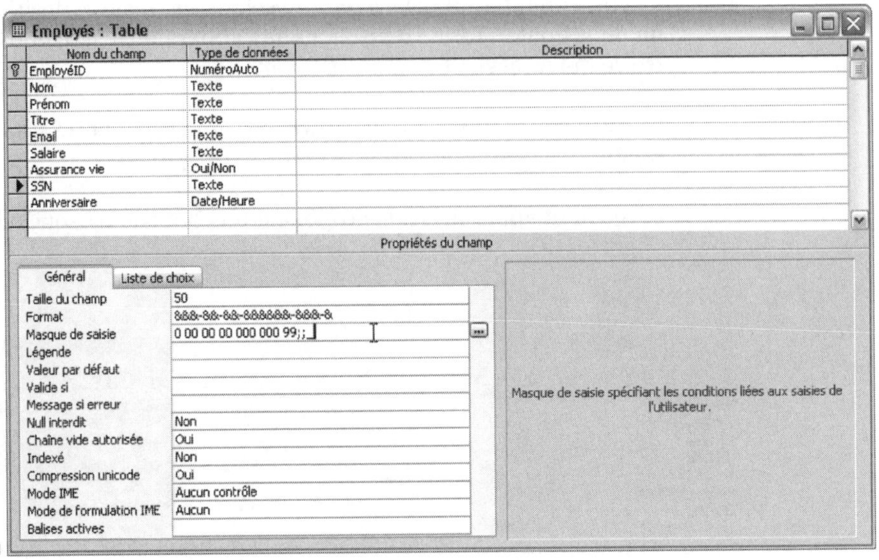

Figure 7.7
L'Assistant Masque de saisie se charge de tout.

souhaitez que le masque de saisie affiche des tirets, des slashes ou encore des parenthèses, afin de les stocker dans votre table avec les données saisies. Le paramètre par défaut est Non ; je vous conseille de le garder. Cliquez sur Terminer pour clore la procédure.

Créer un masque manuellement

Certaines tâches sont plus gratifiantes si vous les exécutez vous-même. La construction manuelle d'un masque de saisie peut vous procurer ce sentiment d'accomplissement. Le problème est que la construction d'un masque de saisie est terriblement compliquée, mais un masque semble toujours compliqué. Néanmoins, une fois que vous aurez bien compris la manœuvre, construire un masque de saisie puissant vous paraîtra facile.

Les étapes suivantes, ainsi que les informations fournies au Tableau 7.1, vous guideront dans le processus.

Pour concevoir et utiliser un masque de saisie, suivez les étapes ci-après :

1. **Ecrivez sur un morceau de papier un exemple de donnée que le masque de saisie est supposé laisser passer dans la table.**

Tableau 7.1 : Codes de masque de saisie.

Type de caractères	Code obligatoire	Code facultatif
Chiffres uniquement (de 0 à 9)	0(zéro)	9
Chiffres et signes +/-	(non disponible)	# (signe dollar)
Lettres uniquement (de A à Z)	L	? (point d'interrogation)
Lettres ou chiffres uniquement	A	A (doit être en minuscule)
Caractère de toute sorte ou espace	& (signe "et commercial")	C

Si les informations que vous stockez diffèrent légèrement (comme la partie numérique qui termine une combinaison lettre/chiffre ou chiffre/lettre), incluez des exemples de ces diverses possibilités afin que le masque de saisie les accepte toutes.

2. Faites une courte description des données, en incluant les éléments obligatoires et les éléments facultatifs.

Si votre exemple a une partie numérique qui ressemble à 728816ABC7, écrivez les six chiffres, les trois lettres et le dernier chiffre. Toutes ces parties sont importantes. N'oubliez pas d'autoriser les variantes, au besoin. La différence entre un chiffre et une lettre peut être critique.

Access utilise différents codes pour les données obligatoires et facultatives ; vous devez donc connaître la différence entre :

- Une information obligatoire qui doit être saisie dans le champ (comme un numéro de téléphone).

- Une information facultative qui est une simple option (comme un indicatif ou l'extension d'un numéro).

3. Entrez le masque de saisie dans Access en fonction des codes du Tableau 7.1.

Puisque vous savez exactement quelles sont les données que vous stockez – chiffres, lettres, ou l'un ou l'autre ; si elles sont obligatoires ou facultatives ; de combien de caractères vous avez besoin – travailler directement dans la table et créer le masque est facile.

Ce masque utilise à la fois la barre oblique inverse (backslash) et les guillemets pour mettre entre parenthèses le code et un espace entre l'indicatif et le numéro de téléphone :

- Pour inclure un tiret, un slash ou des parenthèses dans votre masque, placez une barre oblique inverse (\), ou backslash, devant lui.

- Pour inclure plusieurs caractères, mettez-les entre parenthèses. Par exemple, le masque d'un numéro de téléphone avec l'indicatif est !\ (0039)"0000\-0000.

4. **Si votre champ contient des lettres et que vous vouliez qu'elles soient toujours en majuscules, ajoutez le signe supérieur (>) au début de votre masque.**

Pour les mettre en minuscules, utilisez le signe inférieur (<).

5. **Cochez l'option Masque de saisie.**

Le curseur de la souris se trouve dans la section texte, prêt à agir.

6. **Créez avec soin votre masque de saisie dans la zone Masque de saisie de Propriétés du champ (Figure 7.8).**

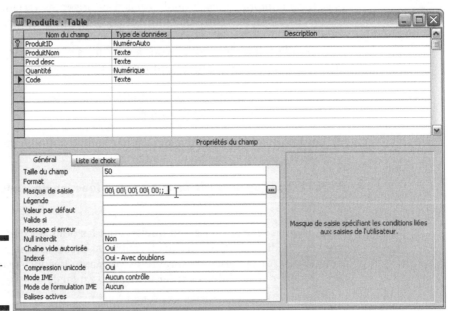

Figure 7.8
Mettre un masque dans le champ Code.

Ne vous inquiétez pas si votre masque semble être la version texte de Frankenstein. La beauté est une option dans l'univers de la technologie !

7. **A la fin du masque, ajoutez ;;_ (deux points-virgules et un underscore).**

Ces trois caractères indiquent à Access d'afficher un underscore (_) là où apparaîtra chaque lettre. Cette étape n'est pas obligatoire, mais à mon humble avis, les masques de saisie prennent tout leur sens avec cette option.

8. **Cliquez sur le bouton Mode Feuille de données dans la barre d'outils pour vérifier votre travail.**

Essayez de saisir quelque chose dans le champ maintenant masqué. Le masque de saisie devrait empêcher l'entrée d'une valeur incorrecte. S'il ne le fait pas, repassez en mode Création (cliquez sur le bouton Mode Création, à gauche de la barre d'outils) et faites quelques corrections.

Si vous ajoutez un masque dans une table existante, le masque ne trouvera pas les données incorrectes qui sont déjà dans la table. Vous devez cliquer sur chaque entrée dans le champ masqué (ce qui signifie cliquer dans ce champ sur chaque enregistrement de la table) pour le vérifier. Si une valeur est incorrecte, Access vous le dit, mais pas si vous ne cliquez pas.

Validations : l'Alcootest numérique

Votre troisième arme dans la guerre contre les mauvaises données est la validation. Grâce à la validation, Access teste les données entrantes pour vérifier qu'elles correspondent à ce que vous voulez dans cette table. Si la donnée n'est pas bonne, un message d'erreur s'affiche et vous devez recommencer.

A l'instar des autres options présentées dans ce chapitre, les validations sont stockées dans l'onglet Général de la zone Propriétés du champ. Deux espaces leur sont dédiés :

✔ **Les règles de validation** : Les règles sont en fait les validations en elles-mêmes.

✔ **Texte de validation** : Le texte est un message d'erreur qu'Access doit afficher si une donnée viole la règle de validation.

Le point d'exclamation : il faut le connaître pour l'aimer !

Bien connaître le point d'exclamation m'a demandé un certain temps. Après tout, mes masques de saisie vivaient très bien sans lui. Même les explications du fichier d'aide en ligne d'Access ne m'ont pas fait changer d'avis.

Lorsque j'ai travaillé sur un exemple de numéro de téléphone, j'ai finalement compris la fonction du point d'exclamation et son utilité. Il indique à Access de remplir un champ à partir de la droite, et non de la gauche. Bien que cela doive vous sembler relativement insignifiant, ce point est d'importance. Laissez-moi vous expliquer pourquoi.

Dans l'exemple du numéro de téléphone, l'indicatif est facultatif, mais le numéro en lui-même est obligatoire. Si je ne mets pas de point d'exclamation dans le masque de saisie, Access me laisse sauter l'indicatif et saisir le numéro de téléphone dans l'espace réservé à cet effet. Tout paraissait bien jusqu'à ce que j'appuie sur la touche Entrée. Le numéro que j'avais saisi était le suivant (0146) – 368386. Oui, ce n'est pas vraiment ce que j'avais imaginé. En fait, Access a rempli le masque à partir de la gauche, en commençant par les numéros facultatifs, à savoir l'indicatif (numéros que je n'avais pas saisis !).

En ajoutant le point d'exclamation dans le masque de saisie, Access prend ma donnée et remplit le masque à partir de la droite. Cette fois, le numéro de téléphone apparaît à l'écran comme prévu : ()01-46 36 83 86.

Le point d'exclamation peut être mis un peu partout dans le masque de saisie, mais prenez l'habitude de le placer soit au début, soit à la fin. Je vous conseille d'en faire le premier caractère d'un masque, tout simplement pour ne pas l'oublier.

Les validations fonctionnent mieux avec des champs Numérique, Monétaire et Date. Vous pouvez créer une validation pour un champ Texte, mais cela devient vite très compliqué. Le Tableau 7.2 contient toutes les validations prêtes à l'emploi qui correspondent aux besoins les plus courants. Elles sont classées par types de champs. Vous trouverez ainsi facilement les règles de validation qui correspondent le mieux à vos besoins.

J'ai inclus divers exemples pour vous montrer la puissance des opérateurs logiques utilisés par les validations. Libre à vous de créer des combinaisons et des correspondances avec ces opérateurs. Testez-les pour voir ce que vous pouvez en faire !

Tableau 7.2 : Validations.

Type de champ	Règle de validation	Définition
Numérique	>0	Doit être supérieur à zéro
Numérique	<>0	Ne peut pas être zéro
Numérique	>0 AND <100	Doit être compris entre 0 et 100, non inclus
Numérique	>=0 AND <=100	Doit être compris entre 0 et 100, inclus
Numérique	<=0 OR >=100	Doit être inférieur à 0 ou supérieur à 100, inclus
Date	>=Date ()	Date du jour ou postérieure
Date	>= Date () OR IS Null	Date du jour, ou postérieure, ou vide
Date	<Date ()	Date antérieure à celle du jour
Date	>=#1/1/90# AND <=Date ()	Entre le 1er janvier 1990 et aujourd'hui (inclus)

✔ Lorsque vous utilisez AND, n'oubliez pas que les deux critères de la règle de validation doivent valoir True pour qu'elle soit validée.

✔ Avec OR, un seul critère de la règle doit valoir True pour qu'elle soit validée.

✔ Soyez particulièrement attentif aux exemples de combinaisons <= et >=.

Il peut arriver facilement que l'une ne vaille pas True (comme <=0 AND >=100 !).

Chapitre 8

Présentation des feuilles de données

Dans ce chapitre :

▶ Parcourir les feuilles de données.

▶ Ajuster la largeur des colonnes et la hauteur des lignes.

▶ Relooker une feuille de données.

▶ Changer l'arrière-plan.

Avoir des feuilles de données qui ressemblent et agissent exactement comme les autres feuilles de données est particulièrement ennuyeux. Où est la créativité dans tout ça ? Le droit à la différence ? La vie, la liberté et le goût du risque ?

Heureusement, Access est un programme de base de données. Et les bases de données ne sont généralement pas connues comme faisant partie de la vie, mais ce n'est pas une raison pour sombrer dans la monotonie. Ce chapitre vous présente les outils mis à votre disposition pour métamorphoser vos tristes feuilles de données en une superbe présentation facile à parcourir.

Les pages suivantes sont consacrées aux trucs et astuces pour les feuilles de données, à savoir que faire des informations contenues dans une feuille de données.

Là-bas, ici, ailleurs

Lorsqu'une table apparaît dans la fenêtre Feuille de données, Access présente une fenêtre des données. Cette fenêtre affiche un certain nombre de lignes et colonnes, mais (à moins que votre table ne soit minuscule) c'est loin d'être l'apothéose. Pour mieux voir, vous devez vous déplacer dans la table, et donc déplacer la fenêtre.

Access propose plusieurs méthodes de parcours d'une feuille de données. Le choix de la méthode dépend en fait de ce que vous voulez faire :

✔ **Passer d'un champ à l'autre** : Utilisez les touches en forme de flèche orientée à droite et à gauche, ou cliquez avec la souris sur l'une des flèches de la barre de défilement horizontale.

✔ **Se déplacer entre les enregistrements** : Essayez avec les flèches haut et bas du clavier. Si vous préférez utiliser la souris, cliquez sur la flèche du bas dans la barre de défilement verticale.

✔ **Afficher une nouvelle page de données** : Les touches PgHaut et PgBas sont très pratiques (en fonction de votre clavier elles peuvent être appelées Page Haut, Page Bas) :

- PgHaut et PgBas permettent de défiler à la verticale dans votre feuille de données.

- Ctrl+PgHaut et Ctrl+PgBas permettent de défiler à l'horizontale.

Cliquer sur la barre de défilement revient au même.

Le Tableau 8.1 présente les différents raccourcis clavier. Entre le précédent mouvement via les touches du clavier et la table suivante, vous savez maintenant comment vous déplacer dans une feuille de données Access.

Tableau 8.1 : Se déplacer dans une table.

Raccourci clavier ou touche	Fonction
Ctrl+End	Passe au dernier champ du dernier enregistrement de la table
Ctrl+Home	Passe au premier champ du premier enregistrement de la table
Ctrl+PgBas	Fait défiler l'écran vers la droite
Crtl+PgHaut	Fait défiler l'écran vers la gauche
↓	Descend un enregistrement dans la table

Tableau 8.1 : Se déplacer dans une table. (*suite*)

Raccourci clavier ou touche	Fonction
End	Passe au dernier champ dans l'enregistrement courant
Home	Passe au premier champ dans l'enregistrement courant
Barre de défilement horizontale	Permet de défiler vers la droite ou la gauche de la fenêtre, en une fois, dans la table
Roulette de la souris IntelliMouse	Tournez la roulette pour faire défiler à partir du haut ou du bas, trois enregistrements à la fois, dans la table (seulement possible avec une souris IntelliMouse et le logiciel du pilote)
Le bouton de la roulette (ascenseur) IntelliMouse	Appuyez sur le bouton de la roulette comme sur un bouton classique ; il se métamorphose en une superflèche. Vous pouvez faire défiler une ligne ou une colonne à la fois dans la table (seulement possible avec la souris IntelliMouse et le logiciel du pilote)
←	Se déplace d'un champ vers la gauche dans l'enregistrement courant
PgBas	Fait défiler l'écran vers le bas
PgHaut	Fait défiler l'écran vers le haut
→	Se déplace d'un champ dans l'enregistrement courant
↑	Se déplace jusqu'à un enregistrement dans la table
Barre de défilement verticale	Fait défiler vers le haut ou vers le bas, une fenêtre à la fois, dans la table

Mieux visualiser vos données (ou les masquer)

De prime abord, vos feuilles de données semblent assez banales (Figure 8.1). Pour leur donner un nouvel éclat, vous pouvez modifier la largeur des colonnes ou la hauteur des lignes, classer les colonnes ou encore en verrouiller une alors que les autres tournent autour d'elle. Vous pouvez même faire disparaître momentanément des colonnes !

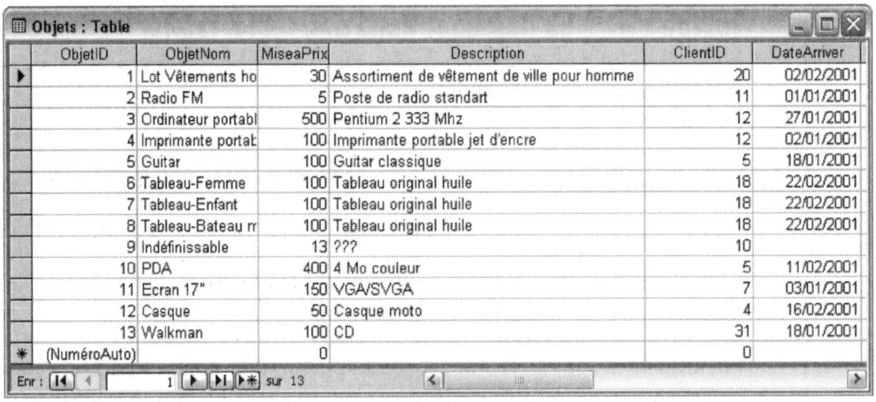

Objets : Table					
ObjetID	ObjetNom	MiseaPrix	Description	ClientID	DateArriver
1	Lot Vêtements ho	30	Assortiment de vêtement de ville pour homme	20	02/02/2001
2	Radio FM	5	Poste de radio standart	11	01/01/2001
3	Ordinateur portabl	500	Pentium 2 333 Mhz	12	27/01/2001
4	Imprimante portat	100	Imprimante portable jet d'encre	12	02/01/2001
5	Guitar	100	Guitar classique	5	18/01/2001
6	Tableau-Femme	100	Tableau original huile	18	22/02/2001
7	Tableau-Enfant	100	Tableau original huile	18	22/02/2001
8	Tableau-Bateau m	100	Tableau original huile	18	22/02/2001
9	Indéfinissable	13	???	10	
10	PDA	400	4 Mo couleur	5	11/02/2001
11	Ecran 17"	150	VGA/SVGA	7	03/01/2001
12	Casque	50	Casque moto	4	16/02/2001
13	Walkman	100	CD	31	18/01/2001
(NuméroAuto)		0		0	

Enr : |◄| ◄ 1 ► ►| ►* sur 13

Figure 8.1
Access vous
présente vos
données par
lignes (enregis-
trements) et par
colonnes
(champs).

Les sections suivantes présentent les diverses manières de modifier l'aspect de vos données. Vous pouvez utiliser une option (comme Modifier la largeur d'une colonne) ou plusieurs. Chaque ajustement est indépendant de l'autre. En outre, ces modifications n'affectent en rien vos données actuelles, elles présentent autrement les données à l'écran.

La plupart des commandes fonctionnent avec la souris, mais certaines d'entre elles sont sur la barre du menu. Si une commande se trouve dans les deux endroits, elle fonctionne de façon identique.

Une fois tous ces ajustements effectués, assurez-vous de bien indiquer à Access d'enregistrer les modifications de formatage de la table, sinon tout votre travail sera bel et bien perdu. Pour cela, sélectionnez Fichier/Enregistrer ou fermez la fenêtre. Si les modifications ne sont pas enregistrées avant la fermeture de la fenêtre, Access vous invite automatiquement à le faire.

Modifier la largeur d'une colonne

Même si Access est très intelligent, il a quelque problème pour définir la largeur d'une colonne. En réalité, il se contente de doter et de paramétrer à l'identique la largeur de toutes les colonnes, vous laissant avec des colonnes trop larges ou trop étroites.

Le paramétrage de la nouvelle largeur d'une colonne est une opération courte. Voici comment faire :

1. **En mode Création, placez le curseur de la souris sur la barre verticale à droite du nom du champ.**

Le curseur se transforme en barre avec des flèches de part et d'autre.

2. **Cliquez dessus et maintenez appuyé le bouton gauche de la souris tout en déplaçant celle-ci (Figure 8.2).**

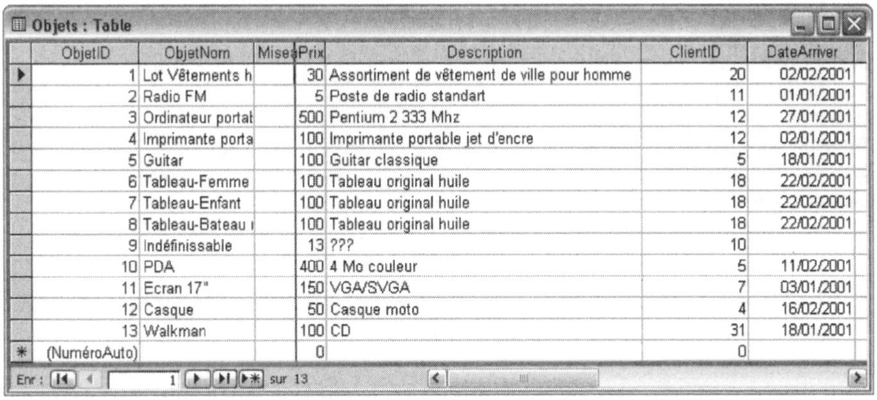

Figure 8.2
Vous pouvez redéfinir la taille de vos colonnes en fonction de vos besoins.

	ObjetID	ObjetNom	Mise à Prix	Description	ClientID	DateArriver
▶	1	Lot Vêtements h	30	Assortiment de vêtement de ville pour homme	20	02/02/2001
	2	Radio FM	5	Poste de radio standart	11	01/01/2001
	3	Ordinateur portat	500	Pentium 2 333 Mhz	12	27/01/2001
	4	Imprimante porta	100	Imprimante portable jet d'encre	12	02/01/2001
	5	Guitar	100	Guitar classique	5	18/01/2001
	6	Tableau-Femme	100	Tableau original huile	18	22/02/2001
	7	Tableau-Enfant	100	Tableau original huile	18	22/02/2001
	8	Tableau-Bateau	100	Tableau original huile	18	22/02/2001
	9	Indéfinissable	13	???	10	
	10	PDA	400	4 Mo couleur	5	11/02/2001
	11	Ecran 17"	150	VGA/SVGA	7	03/01/2001
	12	Casque	50	Casque moto	4	16/02/2001
	13	Walkman	100	CD	31	18/01/2001
*	(NuméroAuto)		0		0	

Objets : Table

Enr : ◄◄ ◄ 1 ► ►► ►* sur 13

Le changement de la largeur du champ est intuitif :

- Pour élargir la colonne, déplacez la souris vers la droite.

- Pour réduire la largeur de la colonne, déplacez la souris vers la gauche.

3. **Relâchez le bouton de la souris lorsque la largeur de la colonne vous convient.**

La colonne est verrouillée dans sa nouvelle taille (Figure 8.3).

Modifier la hauteur des lignes

Access est un peu plus doué dans le calibrage des lignes que celui des colonnes. Il laisse suffisamment d'espace pour séparer les lignes lorsqu'une foule d'informations s'affichent à l'écran.

Mais Access a encore des progrès à faire, car vous ne pouvez pas visualiser toutes les données dans les champs les plus larges d'une table. La modification de la hauteur des lignes règle ce problème en affichant plus de données dans chaque champ.

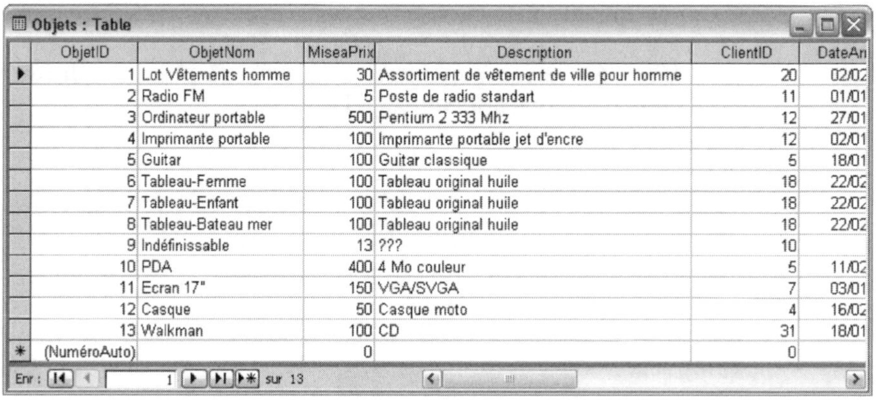

Figure 8.3
La colonne
ObjetNom a été
redimensionnée
afin d'en affi-
cher tout le con-
tenu.

Comme pour modifier la largeur des colonnes, ajuster la hauteur d'une ligne ne demande que deux clics de souris :

1. **En mode Création, placez le curseur de la souris à l'extrême gauche de la fenêtre, sur la ligne de séparation entre deux lignes dans votre tableur (Figure 8.4).**

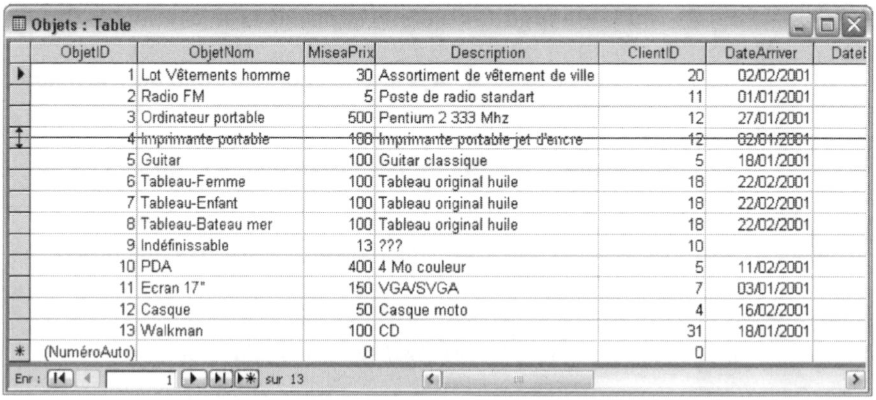

Figure 8.4
Vous pouvez
modifier la hau-
teur des lignes
de la feuille de
données.

Le curseur de la souris se métamorphose en une barre horizontale contenant des flèches clignotantes.

2. **Cliquez et maintenez appuyé le bouton gauche de la souris. Déplacez ensuite la souris pour modifier la hauteur de la ligne.**

Modifiez la hauteur de la ligne comme suit :

- Déplacez la souris vers le bas pour agrandir la ligne.

- Déplacez la souris vers le haut pour réduire la ligne et compresser vos données.

3. **Relâchez le bouton de la souris lorsque la hauteur vous convient.**

Access affiche la table avec la nouvelle hauteur des colonnes (Figure 8.5).

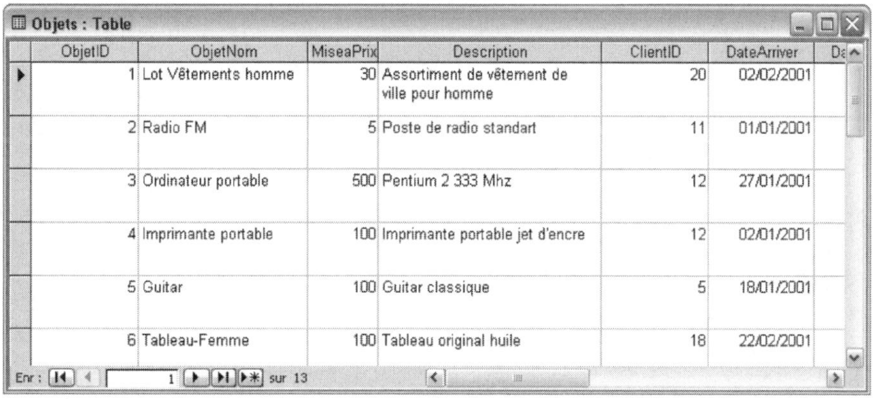

Figure 8.5
Le champ Description est maintenant assez grand.

Réorganiser les colonnes

Lorsque vous composez votre table, vous placez délibérément tel champ après l'autre. Dans la majeure partie des cas, vos données correspondent à ce qui est affiché à l'écran. Mais, quelquefois, vous devez modifier votre système.

Pour déplacer un champ dans la feuille de données, effectuez les étapes suivantes :

1. **Cliquez sur le nom du champ que vous allez déplacer. Puis cliquez et maintenez appuyé le bouton gauche de la souris.**

La colonne s'assombrit et le curseur de la souris se métamorphose en une flèche dotée d'une petite boîte en bas du curseur (Figure 8.6).

2. **Faites glisser la colonne vers son nouvel emplacement.**

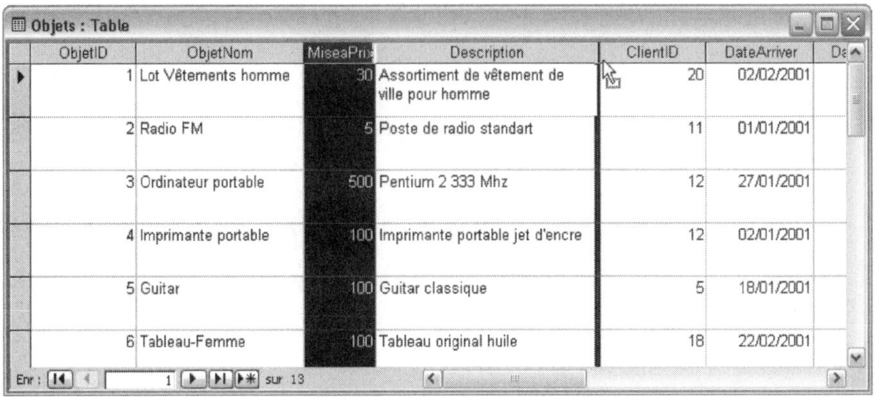

ObjetID	ObjetNom	MiseaPrix	Description	ClientID	DateArriver
1	Lot Vêtements homme	30	Assortiment de vêtement de ville pour homme	20	02/02/2001
2	Radio FM	5	Poste de radio standart	11	01/01/2001
3	Ordinateur portable	500	Pentium 2 333 Mhz	12	27/01/2001
4	Imprimante portable	100	Imprimante portable jet d'encre	12	02/01/2001
5	Guitar	100	Guitar classique	5	18/01/2001
6	Tableau-Femme	100	Tableau original huile	18	22/02/2001

Figure 8.6 Déplacer MiseaPrix vers son nouvel emplacement.

Lorsque vous déplacez la souris, une barre sombre se déplace entre les colonnes. Vous voyez ainsi où se trouve la colonne lorsque vous relâchez le bouton de la souris.

Si par mégarde vous relâchez le bouton avant l'apparition de la barre sombre, Access ne déplace pas la colonne. Dans ce cas, recommencez à partir de l'étape 1.

3. **Lorsque la colonne est en place, relâchez le bouton de la souris.**

   La colonne, les données, tout est déplacé correctement (Figure 8.7).

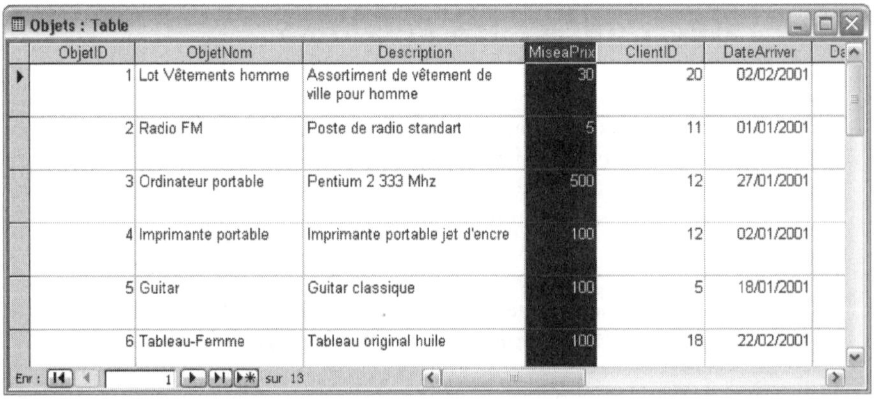

ObjetID	ObjetNom	Description	MiseaPrix	ClientID	DateArriver
1	Lot Vêtements homme	Assortiment de vêtement de ville pour homme	30	20	02/02/2001
2	Radio FM	Poste de radio standart	5	11	01/01/2001
3	Ordinateur portable	Pentium 2 333 Mhz	500	12	27/01/2001
4	Imprimante portable	Imprimante portable jet d'encre	100	12	02/01/2001
5	Guitar	Guitar classique	100	5	18/01/2001
6	Tableau-Femme	Tableau original huile	100	18	22/02/2001

Figure 8.7 Le champ MiseaPrix se trouve maintenant entre les champs Description et ClientID.

Masquer une colonne

Masquer une colonne fait partie de ces fonctionnalités qui ne présentent aucun intérêt tant que vous n'en avez pas besoin. Si vous souhaitez dissimuler temporairement une colonne donnée, il suffit de la masquer. La donnée est toujours dans la table, mais elle n'apparaît pas à l'écran. Plutôt cool, non ?

Pour masquer une colonne, effectuez les étapes ci-après :

1. **En mode Création, cliquez du bouton droit de la souris sur le nom de la colonne à masquer.**

   Toute la colonne s'assombrit et un menu déroulant apparaît.

2. **Sélectionnez Cacher colonnes dans le menu (Figure 8.8).**

   Et hop ! La colonne a disparu !

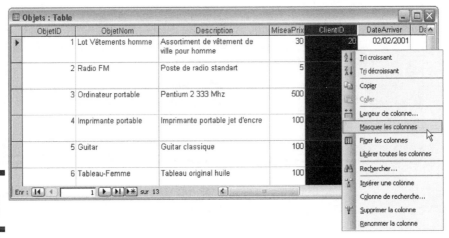

Figure 8.8
Je ne veux plus
voir le ClientID !

Pour masquer plusieurs colonnes en même temps, cliquez et faites glissez le curseur sur les noms des colonnes que vous allez masquer. Sélectionnez Format/Masquer colonnes.

Si vous voulez faire réapparaître les colonnes temporairement indisponibles, effectuez ce qui suit :

1. **Sélectionnez Format/Afficher colonne.**

Faire des modifications en mode Feuille de données = danger !

Déplacer ou masquer des colonnes, modifier leur largeur, ajuster la hauteur des lignes sont tous des paramétrages innocents qui vous simplifient la vie.

Mais le problème se corse lorsqu'on évoque Renommer, Insérer, Rechercher ou Supprimer une colonne. Ces options apparaissent dans le menu déroulant après avoir cliqué du bouton droit. Elles modifient en fait la structure de votre table, aussi prenez votre temps et ouvrez bien les yeux !

- ✔ Renommer une colonne : Change le nom d'un champ.

- ✔ Insérer une colonne : Ajoute une nouvelle colonne dans la feuille de données, laquelle la transforme en un nouveau champ de la table.

- ✔ Rechercher une colonne : Lance l'option Liste de choix et vous permet d'insérer une colonne pour une donnée qui se trouve dans une autre table.

- ✔ Supprimer une colonne : Sans commentaire. (Rappelez-vous qu'Access annule seulement la dernière action que vous avez faite. Ne supprimez rien tant que vous ne savez pas s'il s'agit de la bonne colonne.)

Vous allez modifier la structure de la table avec ces options. Reportez-vous au Chapitre 9 qui décrit plus en détail ces options et explique comment les utiliser. (C'est important.)

Une boîte de dialogue déroulante apparaît avec tous les champs de la table. Les champs cochés sont affichés.

2. **Cochez les cases à côté des colonnes que vous voulez faire réapparaître à l'écran (Figure 8.9), puis cliquez sur Fermer.**

En fonction du nombre de champs dans la liste, vous pouvez parcourir celle-ci pour retrouver tous les champs.

3. **Cliquez sur Fermer.**

Figure 8.9
Je peux utiliser
Afficher colon-
nes pour mas-
quer et afficher
les colonnes en
sélectionnant
celles que je
veux voir !

Geler une colonne

Si vous avez plusieurs champs dans une table, ils n'apparaissent pas tous dans la fenêtre. Lorsque vous parcourez d'un bout à l'autre la table, les champs apparaissent d'un côté et disparaissent de l'autre. Alors que faire si vous voulez voir une colonne d'un côté tandis que vous regardez les champs de l'autre ?

La solution consiste à *geler* la colonne. Cette action verrouille une colonne dans le côté gauche de la fenêtre afin que vous puissiez la voir malgré les allées et venues dans la table. Naturellement, l'option Dégeler l'accompagne ! Vous ne voulez pas que vos tables prennent froid...

Voici comment geler une colonne :

1. **Cliquez du bouton droit de la souris sur le nom de la colonne que vous allez geler.**

   La colonne s'assombrit et un menu déroulant apparaît.

2. **Sélectionnez Geler la colonne.**

   La colonne est maintenant verrouillée. Vous pouvez faire des allées et venues dans votre table sans impunité.

Si vous voulez geler plusieurs colonnes, suivez les étapes ci-après :

1. **Sélectionnez les colonnes en maintenant appuyée la touche Shift.**

L'ensemble des colonnes que vous allez geler se forme.

2. **Cliquez sur le nom de la première colonne, maintenez appuyée la touche Shift, puis cliquez sur le nom de la dernière colonne pour surligner toutes les colonnes entre.**

3. **Après avoir surligné toutes les colonnes, sélectionnez Format/Geler colonnes dans la barre du menu.**

Toutes les colonnes surlignées sont immédiatement gelées.

Si vous voulez "dégeler" les colonnes, sélectionnez Format/Dégeler toutes les colonnes.

Choisir la police

Access affiche votre table dans une police basique et commerciale. Ce n'est pas vraiment la police que vous aurez choisie. Vous pouvez contrôler la police, le style et la couleur de vos données.

Ces paramètres s'appliquent à toute la table, et non à une ligne ou une colonne particulières.

Pour modifier la police, le style, la couleur de votre table, suivez les étapes ci-après :

1. **En mode Feuille de données, sélectionnez Format/Police.**

La boîte de dialogue Police apparaît à l'écran.

2. **Faites votre choix dans la liste Police, à gauche de la boîte de dialogue.**

Access vous présente un exemple dans la fenêtre de droite.

Choisissez une police TrueType. Ces polices affichent un double T.

3. **Cliquez sur le style de police voulu dans la liste Style de Police.**

Certaines polices n'ont pas toutes les options de style courantes (normal, gras, italique, gras italique).

4. **Pour sélectionner une autre taille, cliquez sur un chiffre dans la liste Taille.**

Si vous utilisez une police d'impression (celles avec le dessin d'une imprimante en regard), le choix des tailles est restreint.

5. **Si vous voulez modifier la couleur, cliquez sur la flèche à côté de Couleur, et choisissez celle qui vous convient dans le menu déroulant.**

6. **Cliquez sur OK pour appliquer votre sélection.**

Donner un style 3D à vos données

Cette dernière touche est purement esthétique. Access vous propose deux options de 3D pour vos feuilles de données. Pour transformer vos feuilles de données en chef-d'œuvre, suivez ces étapes :

1. **Sélectionnez Format/Feuille de données dans la barre du menu.**

La boîte de dialogue Formater feuille de données apparaît à l'écran.

2. **Pour un effet 3D, cochez l'un des boutons radio Surélevé ou Enfoncé dans la section Effet cellule.**

La boîte des exemples vous présente votre choix (je préfère Surélevé).

Si vous ne voulez pas qu'une grille encombre votre feuille de données, laissez Effet cellule à Plat, et décochez l'option Afficher Grille.

3. **Cliquez sur OK.**

La feuille de données se modifie en fonction de votre choix.

À moins que vous ne soyez particulièrement doué pour la combinaison des couleurs, laissez tels quels les paramètres de couleur. Je préfère laisser Access s'en charger.

Chapitre 9

Remodéliser les tables : faites-le vous-même !

Remodéliser fait partie de la vie, du moins si vous êtes propriétaire de votre maison. Un coup de peinture ici, un nouveau mur là, et bientôt votre nid se transforme en véritable chantier, car les travaux n'en finissent jamais.

En revanche, c'est totalement différent pour mes bases de données. Je suis une sorte de Bob Vila numérique ayant tout organisé et mis à jour. Lorsque je modifie une table, je le fait d'un trait. Ma femme parle de mon aversion pour tout ce qui relève des travaux manuels, mais, en réalité, les outils fournis par Access se chargent de ces tâches. (En outre, je suis définitivement fâché avec les marteaux.)

Que vous ajoutiez un champ, en supprimiez un ancien ou effectuiez de subtiles modifications dans vos tables et donc dans vos données, ce chapitre vous guide au travers de toute cette procédure. Lisez bien la première section de ce chapitre avant de vous attaquer à toute opération sérieuse. Quelques pièges vous attendent au détour et j'espère pouvoir vous les éviter.

Faites vos modifications en mode Création, dans lequel vous contrôlez totalement les opérations. Même si vous pouvez opérer en mode Feuille de données (notamment concernant l'ajout et la suppression de toutes les colonnes d'une table), je vous déconseille cette approche. Une modification effectuée en mode Feuille de données tourne très vite au vinaigre si une erreur se produit.

Ce chapitre peut être dangereux pour la conception de vos tables

Jusqu'à présent, je vous ai présenté les diverses fonctionnalités d'Access avec une certaine désinvolture, mais *maintenant* les choses se corsent.

Pour garder ce ton désinvolte dans ce chapitre, je voulais commencer par de beaux pictogrammes comme "Ne pas mettre la main" qu'on trouve près des cages des lions. Mais mon éditeur m'a suggéré d'utiliser l'icône Attention. Face à un tel compromis (et comme trouver un bon éditeur est très difficile de nos jours), j'ai accepté.

Lisez attentivement ce chapitre. Vous allez bricoler l'infrastructure de tout le système de votre base de données. Une erreur (notamment une suppression) peut vous faire arracher les cheveux, causer une immense frustration, et corrompre vos données.

Insérer un nouveau champ

Quel que soit votre projet, vous pouvez oublier d'inclure un champ lors de la conception de votre table. Ou bien, une fois la table bien rodée, vous découvrez que des données qui n'étaient pas prévues ont besoin d'avoir leur propre champ. Quoi qu'il en soit, Access ne fait pas grand cas de l'ajout d'un nouveau champ.

L'insertion d'un nouveau champ dans une table prend un certain temps. Avant de commencer un tel projet, vérifiez que vous disposez de toutes les informations suivantes. Armez-vous d'une feuille de papier et d'un stylo, et notez :

- ✔ Des exemples types des données contenues dans les champs.

- ✔ Le type de champ (texte, numérique, oui/non, etc.).

- ✔ La taille requise du champ pour contenir les données.

✔ Comment faire appel à un champ ?

✔ Où s'intègrent les champs dans la conception de la table ?

NOTE TECHNIQUE

Est-ce une colonne ou un champ ?

La réponse à cette cornélienne question – à savoir est-ce une colonne ou un champ – est les deux. Dans le jargon d'Access, les colonnes et les champs désignent la même chose. Lorsque vous insérez une colonne dans une table en mode Création, vous ajoutez en réalité un nouveau champ dans chaque enregistrement. Si vous construisez un champ en mode Création, vous créez une nouvelle colonne dans la Feuille de données. Quoi que vous fassiez, vous aurez le même résultat.

Alors en quoi un champ diffère-t-il d'une colonne ? Il diffère lorsque vous éditez les données dans un enregistrement particulier. Si vous changez le code postal d'une personne dans une table Adresse, vous n'allez pas changer toute la colonne. Vous allez changer une valeur de ce champ dans cet enregistrement.

Voici comment définir ces deux termes sans ambiguïté :

✔ Quand Access parle de colonnes, il désigne un certain champ dans tous les enregistrements d'une table.

✔ Quand il se réfère à un champ, il désigne une donnée dans l'une des parties d'un enregistrement particulier.

Une fois ces informations prises en compte, vous pouvez créer un nouveau champ en mode Création. Pour cela, suivez les étapes ci-après :

1. **Le fichier de la base de données étant ouvert, cliquez du bouton droit de la souris sur la table dans laquelle vous allez travailler, puis sélectionnez Mode Création dans le menu déroulant.**

La structure de la table apparaît en mode Création.

2. **Surlignez les lignes où vous allez insérer votre nouveau champ en cliquant sur le bouton Ligne, à gauche de la colonne Nom du champ.**

Certaines tâches paraissent évidentes une fois qu'on les a vues, mais elles sont difficiles à expliquer ; cette étape n'échappe pas à cette règle. Jetez un œil à la Figure 9.1.

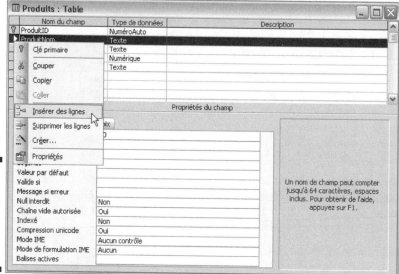

Figure 9.1
Cliquez sur le bouton à gauche (à la pointe de la flèche) pour sélectionner toute la ligne.

3. Sélectionnez Insérer des lignes dans le menu principal.

Access insère directement une superbe ligne vide. Les autres lignes se déplacent pour faire de la place à la nouvelle venue.

Ne vous inquiétez pas pour vos données ! Access se charge du travail ! L'insertion d'une nouvelle ligne ne fait pas de mal à la table. En revanche, supprimer une ligne... (Reportez-vous à la section suivante.)

4. Cliquez dans la zone Nom du champ de la nouvelle ligne, puis saisissez le nom de votre nouveau champ.

Le nom du champ apparaît dans la zone texte.

5. Appuyez sur la touche Tabulation pour accéder à la colonne Type de données. Cliquez sur la flèche orientée vers le bas et sélectionnez le type de données du champ dans la liste déroulante (Figure 9.2).

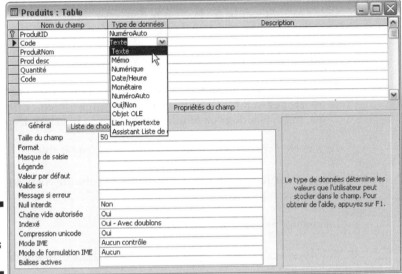

Figure 9.2
Sélectionnez le
type de données
dans la liste.

Si vous n'êtes pas sûr du type de données de ce champ, relisez le
Chapitre 4.

6. **Appuyez sur la touche Tabulation pour accéder à la zone Description.
Tapez une courte description du contenu du champ.**

Même si cette étape est facultative, je vous conseille fortement de
l'exécuter. Croyez-moi sur parole !

7. **Enregistrez les modifications à l'aide de la commande Fichier/Enre-
gistrer, ou cliquez sur le bouton Enregistrer dans la barre d'outils.**

Adieu champ (et toutes ses données) !

Les temps changent, et vos besoins en stockage de données aussi. Lorsque l'un
de vos champs est périmé, supprimez-le. Mais se débarrasser d'un champ
sous-entend faire table rase de toutes les données qu'il contient. Vous le saviez
sans doute déjà, mais ce point est suffisamment important pour que vous
teniez compte des remarques suivantes :

✔ La suppression d'un champ efface toutes les données contenues dans ce
champ. Faites très attention !

> ✔ Si une donnée de la table est très importante, faites une copie de sauve-
> garde avant de détruire le champ. Sauvegarder les données avant de
> supprimer est toujours plus facile.

Voici comment supprimer un champ dans votre table :

1. **Le fichier de base de données étant ouvert, cliquez du bouton droit de
   la souris sur la table dans laquelle vous allez effectuer des modifications, puis sélectionnez Mode Création dans le menu déroulant.**

   La fenêtre Création apparaît à l'écran, avec votre table.

2. **Cliquez sur le bouton gris à gauche de la colonne Nom du champ que
   vous allez supprimer.**

   Le champ incriminé est surligné.

3. **Sélectionnez Edition/Supprimer les ligne dans le menu principal.**

   Une boîte de dialogue apparaît vous demandant si vous voulez vraiment
   supprimer cette ligne (Figure 9.3). Si le Compagnon Office est activé, il
   présente une version bien plus sympathique de cette boîte de dialogue,
   mais la question reste la même.

Figure 9.3
Access vous
avertit que la
suppression
concerne plu-
sieurs champs.

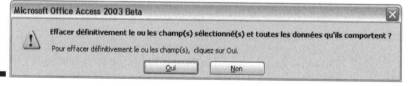

4. **Cliquez sur Oui pour supprimer le champ. Sur Non si vous avez
   changé d'avis.**

   Si après avoir supprimé le champ vous avez des regrets, appuyez immédiatement sur les touches Ctrl+Z, ou sélectionnez Edition/Annuler
   Supprimer (Figure 9.4). Votre champ refait immédiatement surface.

5. **Enregistrez cette suppression de manière permanente en sélectionnant Fichier/Enregistrer ou en cliquant sur le bouton Enregistrer dans
   la barre d'outils.**

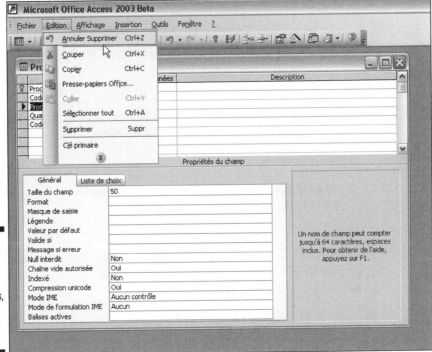

Figure 9.4
Si vous avez changé d'avis sur la suppression des champs, Annuler suppression les fait réapparaître.

Le mot-clé de cette étape est *définitive* : vous *ne pouvez pas l'annuler.*

Un champ ayant un autre nom a toujours le même contenu

Access ne s'occupe pas des noms des champs d'une table. Certes, il impose quelques règles techniques sur le nom légal d'un champ, mais d'un point de vue éditorial, il vous laisse le choix. Les noms des champs sont un élément humain, après tout.

Access propose deux méthodes pour modifier le nom d'un champ :

- ✔ Retaper le nom du champ en mode Création (la méthode *officielle*, selon les puristes en informatique).

- ✔ Cliquer du bouton droit de la souris sur le nom du champ, en mode Feuille de données (la méthode intuitive).

Je vous les présente dans les deux sections suivantes.

Changer le nom d'un champ en mode Création

Voici comment changer le nom d'un champ en mode Création :

1. **Cliquez du bouton droit de la souris sur la table que vous allez modifier, puis sélectionnez Mode Création dans le menu déroulant.**

   La table apparaît.

2. **Cliquez sur le champ que vous allez renommer, puis appuyez sur la touche F2 pour le surligner (Figure 9.5).**

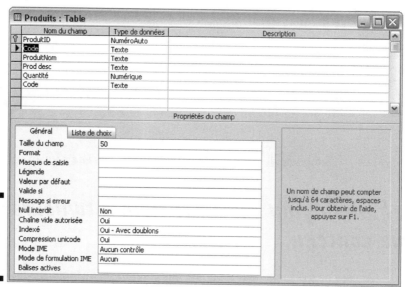

Figure 9.5
Le nom du champ est surligné, prêt à être changé.

Le nom du champ clignote, se préparant pour l'étape suivante.

3. **Saisissez le nouveau nom de ce champ.**

   Comme le nom du champ est surligné avant la saisie, Access réécrit automatiquement le nouveau nom sur l'ancien.

4. **Enregistrez le nouveau nom à l'aide de la commande Fichier/Enregistrer, ou cliquez sur le bouton Enregistrer dans la barre d'outils.**

L'opération est terminée !

Changer le nom d'un champ en mode Feuille de données

Renommer un champ en mode Feuille de données demande à peu près le même nombre d'étapes, mais la plupart des utilisateurs pensent que cette méthode est plus facile. Procédez comme suit :

1. **Le fichier de base de données étant ouvert, double-cliquez sur la table dans laquelle vous allez effectuer des modifications.**

Surprise, la première étape est *différente* des autres !

La table apparaît à l'écran en mode Feuille de données.

2. **Cliquez du bouton droit de la souris sur le nom du champ concerné (en haut de la fenêtre feuille de données).**

La colonne est surlignée et un menu déroulant apparaît.

3. **Sélectionnez Renommer la colonne dans le menu déroulant (Figure 9.6).**

Le nom de la colonne clignote, prêt à être changé.

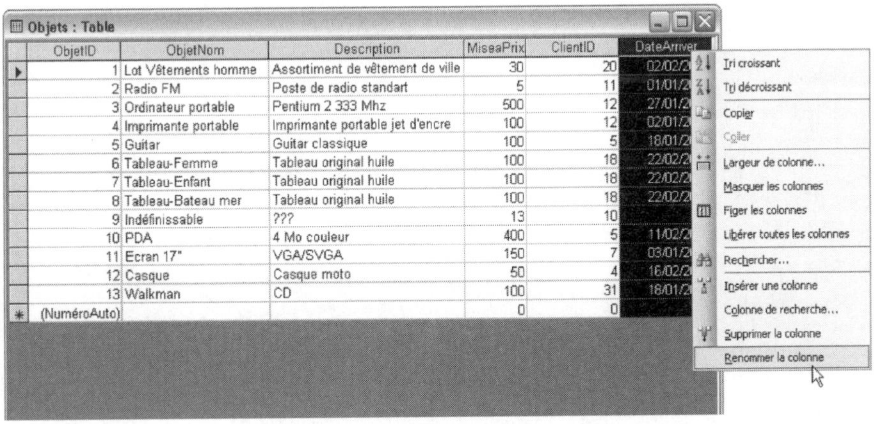

Figure 9.6
Cliquez du bouton droit de la souris sur une colonne et sélectionnez Renommer la colonne.

4. **Saisissez le nouveau nom, puis appuyez sur la touche Entrée.**

   Même si vous avez effectué la modification en mode Feuille de données, Access modifie en réalité la conception de la table.

5. **Pour enregistrer cette modification de manière permanente, cliquez sur Enregistrer dans la barre d'outils ou sélectionnez Fichier/Enregistrer.**

   Votre champ porte un nouveau nom.

   Félicitations ! Vous avez réussi !

Troisième partie
Trouvez les réponses à (presque) toutes vos questions

"Toute ma vie j'ai vendu du matériel et, contre toute attente, ce logiciel m'a rendu riche."

Dans cette partie...

Réunir vos informations sous forme électronique est une bonne chose. Cependant, si vous vous contentez de les empiler sur votre disque dur au lieu de les ranger dans un coin de votre bureau, vous n'y gagnerez pas grand-chose (hormis avoir fait un peu d'ordre dans le fatras qui composait votre bureau).

Au risque d'avoir l'air partial, Access peut vous apporter un vrai plus dans l'interaction avec vos données. Mais attention, ici, nous sommes dans un monde informatique, donc vous ne pouvez pas simplement dire que vous interagissez avec vos données ; dans le monde des bases de données, cela s'appelle exécuter une requête sur une table.

Bien que "exécuter une requête" semble plus efficace que "poser une question", le concept de base reste le même. Cette partie nous fera faire un survol complet du concept de "requête" ; nous commencerons par de simples questions, puis nous poursuivrons progressivement vers des recherches de plus en plus complexes dans la base.

Chapitre 10

Recherches rapides : rechercher, filtrer et trier

Dans ce chapitre :

▶ Utiliser la commande Rechercher.
▶ Trier votre base de données.
▶ Filtrer par sélection.
▶ Filtrer par formulaire.

Il n'est pas nécessaire que je sache à quoi vous sert votre base de données pour déduire qu'elle vous permet de stocker et d'organiser les informations dont vous avez régulièrement besoin. En effet, comment justifier tout le temps passé, les chocs (sans parler de tous ces cheveux arrachés) si ces bases de données ne permettaient pas d'aller un peu plus loin qu'avec une simple feuille de papier et un stylo ? Quelque chose comme la capacité de retrouver en un clin d'œil, parmi une montagne de données, l'information exacte que vous souhaitez obtenir.

Bénies soient les commandes Rechercher, Trier et Filtrer ! Grâce à elles, Access retrouve et réorganise le contenu de vos tables bien plus rapidement. Lorsque vous souhaitez obtenir une réponse à une question simple, ces commandes vous aident réellement. Ce chapitre traite de ces trois commandes, en commençant par la plus rapide, "Rechercher", en passant par la plus pratique "Trier", pour finir par la plus flexible, "Filtrer".

Les commandes Rechercher, Trier, Filtrer permettent d'obtenir aussi bien des réponses à de *simples* questions (du type : "Qui sont nos clients à

Tombouctou ?") qu'à des questions plus complexes (comme "Combien de personnes à Paris ont acheté des pulls en laine l'année dernière ?"). Ces deux exemples sont transformés en requêtes par Access. Nous aborderons en détail les requêtes au Chapitre 11.

Rechercher des informations dans vos tables

Lorsqu'il s'agit de retrouver un enregistrement immédiatement, et que créer une requête est hors de question, Access propose une méthode "vite fait, bien fait" pour retrouver vos données parmi vos tables et vos formulaires ; j'ai nommé la commande Rechercher.

Rechercher est disponible à la fois sur la barre d'outils et via le menu principal (sélectionnez Edition/Rechercher, ou pour ceux qui ne jurent que par le raccourci clavier, appuyez sur Ctrl+F).

Même si la commande Rechercher est pratique, connaître un ou deux petits trucs vous rendra plus efficace. Lorsque vous aurez pris connaissance des fonctionnalités de base de la commande Rechercher (traitée dans la prochaine section), reportez-vous à "Améliorer la vitesse et la qualité des réponses" pour affiner son utilisation.

Effectuer une première recherche

L'utilisation de la commande Rechercher est des plus simples :

1. **Ouvrez la table ou le formulaire dans lequel vous allez faire votre recherche.**

   Rechercher fonctionne en effet aussi bien avec des feuilles de données qu'avec des formulaires. Si vous souhaitez obtenir de plus amples informations sur les formulaires, reportez-vous au Chapitre 22.

2. **Cliquez sur le champ dans lequel vous allez effectuer la recherche.**

   La commande Rechercher effectue une recherche sur le champ courant dans tous les enregistrements de la table, aussi assurez-vous d'avoir choisi le bon champ avant de lancer cette commande.

3. **Lancez la commande Rechercher en cliquant sur le bouton de la barre d'outils (celui avec une petite loupe) ou en sélectionnant le menu Edition/Rechercher.**

La boîte de dialogue Rechercher-Remplacer apparaît.

4. **Tapez le texte que vous recherchez dans la boîte de texte "rechercher" (Figure 10.1).**

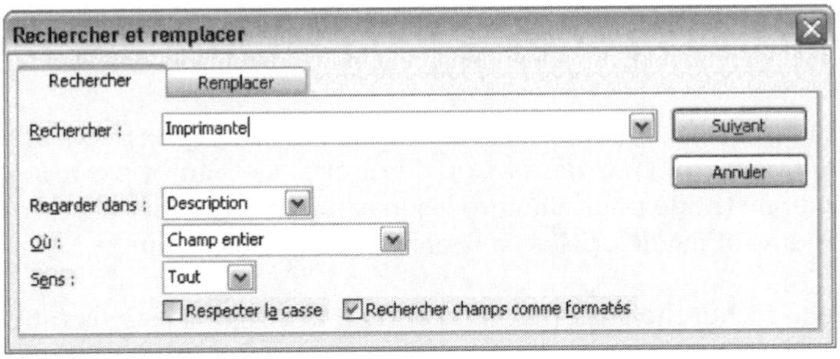

Figure 10.1
La boîte de dialogue Rechercher.

Prenez le temps de relire le texte que vous avez saisi. Access n'est pas encore assez intelligent pour comprendre que vous recherchez *héros* alors que vous avez tapé *zéros*.

5. **Cliquez sur Suivant pour commencer votre recherche.**

En un instant, la commande Rechercher va examiner vos enregistrements, placer le curseur sur la bonne ligne et surligner le texte correspondant à votre recherche.

Si Access ne trouve rien, une petite boîte de dialogue apparaîtra pour vous présenter toutes ses excuses. Dans ce cas :

- Cliquez sur OK pour fermer la boîte de dialogue.

- Assurez-vous d'avoir bien cliqué dans le bon champ et que votre texte est bien orthographié.

  Voyez aussi les options Rechercher spéciales présentées à la section suivante pour savoir si l'une d'elles ne fausse pas votre recherche.

- Cliquez de nouveau sur Suivant.

Si vous souhaitez affiner votre recherche en utilisant les options spéciales de la commande Rechercher, reportez-vous à la prochaine section.

Que se passe-t-il lorsqu'un enregistrement trouvé par Access n'est pas celui que vous recherchez ? Supposons que vous recherchiez le deuxième, le troisième ou le quarante-sixième François Dupont de votre table. Aucun problème, il vous suffit de cliquer sur le bouton Suivant pour obtenir le prochain Dupont dans la liste.

Améliorer la vitesse et la qualité des réponses

Quelquefois, indiquer une seule information dans la boîte Rechercher n'est pas suffisant. Vous obtenez tantôt trop de réponses et tantôt pas assez. La meilleure méthode pour éliminer les mauvaises correspondances est de fournir davantage de critères à la commande Rechercher.

Affiner la recherche vous permet d'obtenir des réponses plus rapides.

Access propose de nombreux outils pour affiner une recherche. Ouvrez la boîte de dialogue Rechercher en cliquant sur le bouton Rechercher de la barre d'outils, ou en sélectionnant le menu Edition/Rechercher. La liste suivante décrit la manière d'utiliser ces diverses options :

- **Regarder dans :** Par défaut, Access recherche uniquement des correspondances dans le champ sur lequel vous avec cliqué. Si vous voulez étendre la recherche à toute une table, sélectionnez *table* dans la liste "Rechercher dans" (Figure 10.2).

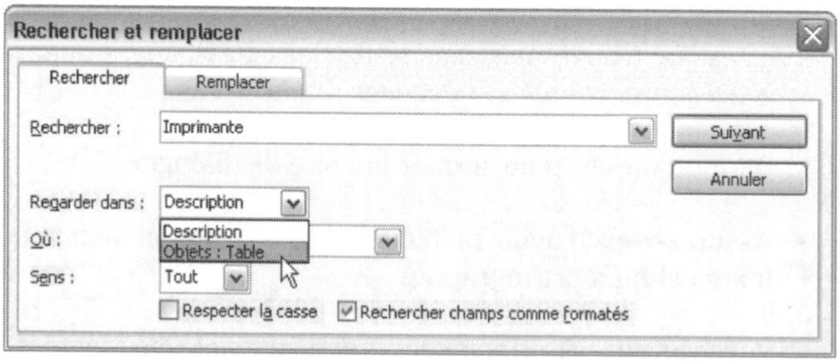

Figure 10.2
Pour rechercher dans une table, modifiez l'option Regarder dans.

- **Où :** Le paramétrage par défaut des options d'Access est quelquefois assez étrange. Ainsi, l'option Où est configurée pour rechercher un champ entier, ce qui signifie que vous ne retrouverez que les enregistrements qui correspondent exactement au texte que vous avez tapé. Autrement dit, rechercher le mot "sam" avec l'option Champ entier signifie que les champs contenant "Samuel" ou "Samantha" ne vous seront pas proposés. Changez ce paramètre en optant pour "N'importe où dans le champ" qui, comme son nom l'indique, vous retournera toutes les correspondances où qu'elles soient dans les champs (c'est-à-dire aussi bien "Samuel" que "Albert, François et Samantha"). Vous pouvez aussi opter pour "Début de champ" qui ne retournera que les correspondances en début de champ, telles que "Samuel" et "Samedi". Pour modifier ces paramètres, déroulez la liste accolée au texte "Où", et faites votre sélection (Figure 10.3).

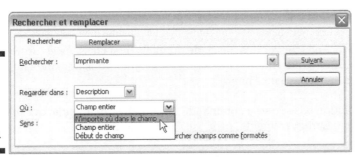

Figure 10.3
Effectuer une recherche à l'intérieur d'un champ en utilisant l'option Où.

✔ **Sens :** Si vous avez encore trop de correspondances, essayez de délimiter votre recherche à une partie de la table en utilisant l'option Sens. Sens indique à la commande Rechercher :

- De rechercher dans toute la table (paramètre par défaut).

- Ou bien de rechercher vers le Haut ou vers le Bas en partant de l'enregistrement courant.

Cliquer sur un enregistrement et indiquer à Access de rechercher vers le Bas limite votre recherche à la partie inférieure de la table.

✔ **Respecter la casse :** Cette option signifie que les éléments recherchés doivent correspondre exactement au texte que vous avez saisi. Autrement dit, vous ne retrouverez l'enregistrement "DuPonT" que si vous tapez DuPonT. Cette option est très utile lorsque vous recherchez des noms.

✔ **Rechercher champs comme formatés :** Indique à Access de rechercher une version formatée d'un champ à la place des données que vous avez entrées. Utilisez cette option pour la recherche de dates ou d'identifiants, ou n'importe quel autre champ ayant un formatage particulier. Pour activer cette option, cochez l'option correspondante. Attention, cette option ne fonctionne pas avec Respecter la case ; si cette dernière est cochée, Rechercher champs comme formatés est grisée. Dans ce cas, décochez Respecter la casse pour revenir à Rechercher champs comme formatés.

En règle générale, vous utiliserez rarement ces options. Mais elles sont indispensables lorsque vous recherchez des informations contenues dans des champs formatés.

Trier votre base

Il est rare de trouver des bases de données bien classées en ordre alphabétique. Aussi, que faire lorsque votre employeur vous demande un rapport trié et mis en forme dans l'heure ?

La solution passe par la commande Trier. Cette commande, qui se trouve dans le menu Enregistrements, propose deux options :

 ✔ **Tri croissant :** Trie vos enregistrements dans l'ordre alphabétique, de haut en bas. Ainsi, les enregistrements commençant par A se retrouvent au début de la liste et ceux commençant par Z à la fin.

 ✔ **Tri décroissant :** Fait exactement le contraire ; les enregistrements commençant par Z se retrouvent au début et ceux commençant par A à la fin.

Vous pouvez trier plusieurs colonnes à la fois de la façon suivante :

1. **Cliquez sur l'en-tête de la première colonne que vous allez trier.**

   La colonne est entièrement surlignée.

2. **Maintenez appuyée la touche Shift et cliquez sur l'en-tête de la dernière colonne que vous allez trier.**

   Toutes les colonnes, de la première à la dernière, sont surlignées.

3. **Choisissez soit Tri croissant, soit Tri décroissant.**

   Les tris sont toujours effectués de la gauche vers la droite. Autrement dit, vous ne pouvez pas trier le contenu de la quatrième colonne, puis celui de la troisième.

   Les colonnes sélectionnées doivent être contiguës.

Mais il faut bien qu'une commande simple et utile ait ses petites bizarreries. Lorsqu'elle rencontre des nombres à l'intérieur d'un champ texte (dans le cas d'une adresse, par exemple), cette commande traite ces nombres comme s'ils étaient des lettres. Le problème est que cela conduit à classer "10 rue Emile Zola" avant "4 allée des Vignes".

Filtrer des enregistrements ayant des points communs

Si vous devez visualiser un groupe d'enregistrements partageant les mêmes valeurs pour un champ donné – par exemple une ville particulière, un travail ou un type de livre particulier –, vous pouvez utiliser la commande Filtrer, spécifiquement conçue pour résoudre ce type de problème.

Filtrer se sert de vos critères pour afficher toutes les correspondances trouvées dans les enregistrements. C'est une sorte de requête instantanée qui vous dispense de tout le travail de mise au point.

La commande Filtrer se trouve dans le menu Enregistrement et sur la barre d'outils. Access propose cinq types de filtres :

- Filtrer pour
- Filtrer par sélection
- Filtrer par formulaire
- Filtrer hors sélection
- Filtre/Tri avancé

La section suivante aborde les quatre premières options ; pour obtenir des détails sur le fonctionnement de Filtre/Tri avancé, reportez-vous au Chapitre 11.

Les filtres fonctionnent avec les tables et les requêtes. Cependant, vous ne pouvez pas appliquer un filtre à un état. Filtrer un état est une opération totalement différente (et absolument pas drôle). La section suivante vous explique comment appliquer des filtres sur des tables, mais les opérations restent les mêmes pour les requêtes et les formulaires.

Filtrer pour

Filtrer pour vous permet de filtrer vos enregistrements afin que seuls soient affichés ceux qui correspondent parfaitement aux critères donnés. Voici, par exemple, la marche à suivre pour obtenir tous les enregistrements correspondant à une commande minimale de 30 euros :

1. **Cliquez du bouton droit sur la colonne Commande minimale.**

   Access affiche un menu déroulant (Figure 10.4).

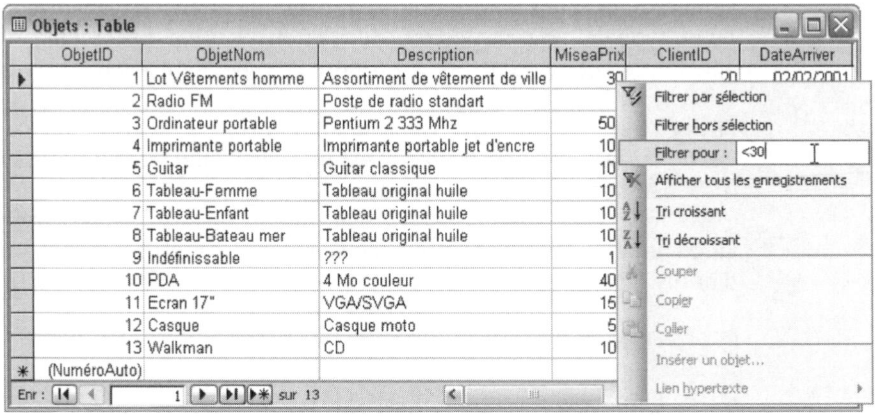

	ObjetID	ObjetNom	Description	MiseaPrix	ClientID	DateArriver
▶	1	Lot Vêtements homme	Assortiment de vêtement de ville	30	20	02/02/2001
	2	Radio FM	Poste de radio standart			
	3	Ordinateur portable	Pentium 2 333 Mhz	50		
	4	Imprimante portable	Imprimante portable jet d'encre	10		
	5	Guitar	Guitar classique	10		
	6	Tableau-Femme	Tableau original huile	10		
	7	Tableau-Enfant	Tableau original huile	10		
	8	Tableau-Bateau mer	Tableau original huile	10		
	9	Indéfinissable	???	1		
	10	PDA	4 Mo couleur	40		
	11	Ecran 17"	VGA/SVGA	15		
	12	Casque	Casque moto	5		
	13	Walkman	CD	10		
✳	(NuméroAuto)					

Menu contextuel :
- Filtrer par sélection
- Filtrer hors sélection
- Filtrer pour : <30
- Afficher tous les enregistrements
- Tri croissant
- Tri décroissant
- Couper
- Copier
- Coller
- Insérer un objet...
- Lien hypertexte

Enr : |◄ ◄ 1 ► ►| ►✳ sur 13

Figure 10.4
Filtrer pour à
l'œuvre.

2. **Entrez les critères de recherche pour le filtre.**

   Dans notre cas, "<30". Si vous indiquez uniquement "30" sans le symbole inférieur, Access supposera que vous voulez dire "=30".

3. **Appuyez sur la touche Entrée.**

   Access recherche dans la colonne sur laquelle vous avez cliqué et affiche seulement les enregistrements correspondant au critère donné.

4. **Pour afficher de nouveau tous les enregistrements, cliquez sur le bouton Supprimer le filtre dans la barre d'outils, ou cliquez du bouton droit sur le champ et choisissez Afficher tous les enregistrements dans le menu contextuel.**

   La totalité de la table, avec tous ses enregistrements, réapparaît.

Si vous cliquez du bouton droit sur une autre colonne et que vous exécutiez un autre Filtre pour, Access appliquera ce filtre uniquement sur les enregistrements courants.

Filtrer par sélection

La commande Filtrer par sélection est la plus facile à utiliser. Supposez que vous ayez trouvé un enregistrement qui corresponde à vos critères de recherche. L'utilisation de cette commande revient à choisir une personne dans la foule et à haranguer la foule avec un "qui l'aime le suit".

Supposez, par exemple, que vous souhaitiez rechercher tous les éléments d'une vente aux enchères dont la mise à prix est exactement de 30 euros. Vous pouvez dans ce cas utiliser la commande Filtrer par sélection de la façon suivante :

1. **Cliquez sur le champ contenant l'information que vous recherchez.**

    Dans ce cas, le champ "mise à prix".

2. **Faites défiler la liste jusqu'à ce que vous trouviez une mise à prix de 30 euros.**

3. **Cliquez sur la valeur que vous recherchez, puis cliquez sur le bouton Filtrer par sélection. Vous pouvez également cliquer du bouton droit et choisir Filtrer par sélection.**

    Access affiche immédiatement une table ne contenant que les articles dont la mise à prix est de 30 euros (Figure 10.5).

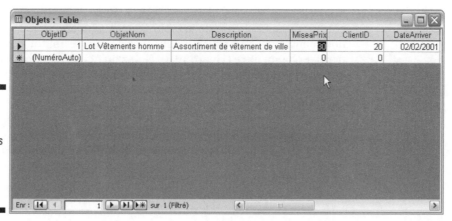

Figure 10.5
Access n'affiche que les enregistrements correspondant aux critères du filtre Filtrer par sélection.

4. **Cliquez sur le bouton Supprimer le filtre de la barre d'outils lorsque vous avez exécuté le filtre.**

Votre table, ou votre formulaire, revient à son état d'origine.

Il est malheureusement impossible de sauvegarder le résultat d'un filtre. Pour cela, il n'existe qu'un moyen qui passe par la création de requêtes (reportez-vous au Chapitre 11 pour de plus amples informations).

Filtrer par formulaire

Vous pouvez affiner une recherche en utilisant des filtres supplémentaires. Mais il existe un moyen bien plus simple pour y parvenir : la commande Filtrer par formulaire.

Filtrer par formulaire utilise plusieurs critères pour rechercher des enregistrements. (En fait, elle se rapproche d'une requête simple. Vous pouvez même enregistrer vos filtres par formulaires sous forme de requête.) Supposez, par exemple, que vous souhaitiez obtenir la liste de tous les clients de votre vente aux enchères résidant à Lyon ou à Nice. Vous pouvez pour cela réaliser deux opérations Filtrer par sélection, puis rechercher et noter les résultats de chacune des deux listes obtenues. Mais vous pouvez plus simplement faire tout cela en une seule étape, avec la commande Filtrer par formulaire.

Pour utiliser Filtrer par formulaire, suivez ces étapes :

1. **Sélectionnez Enregistrement/Filtrer/Filtrer par formulaire, ou cliquez sur le bouton Filtrer par formulaire dans la barre d'outils.**

Une réplique vide de votre table apparaît à l'écran (Figure 10.6).

Normalement, Access affiche un bouton avec une flèche vers le bas, à côté du premier champ de la table. Si vous avez appliqué auparavant une commande Filtrer sur la table, Access place le bouton fléché dans le dernier champ filtré (Figure 10.6). Notez qu'Access a automatiquement entré la valeur utilisée lors de l'exécution de la commande Filtrer précédente. (N'est-ce pas un logiciel merveilleux ? Pas de panique, vous n'êtes pas obligé de répondre.)

2. **Cliquez dans la colonne sur laquelle vous désirez filtrer (si elle est en dehors de l'écran, utilisez les barres de défilement pour la ramener en vue).**

La flèche vers le bas est alors placée dans la colonne où vous cliquez.

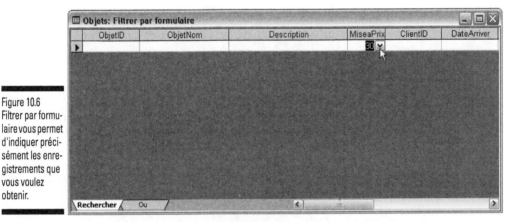

Figure 10.6
Filtrer par formulaire vous permet d'indiquer précisément les enregistrements que vous voulez obtenir.

3. **Cliquez sur la flèche pour ouvrir la liste déroulante contenant toutes les entrées de ce champ (Figure 10.7). Cliquez sur la valeur à employer dans ce filtre.**

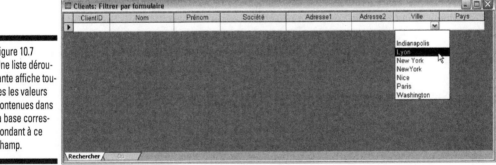

Figure 10.7
Une liste déroulante affiche toutes les valeurs contenues dans la base correspondant à ce champ.

Par exemple, si vous sélectionnez Lyon dans la liste déroulante d'un champ Ville, "Lyon" s'affiche dans la colonne Ville. Access ajoute automatiquement les guillemets (un détail de moins à gérer !)

4. **Pour ajouter une autre option de filtre, cliquez sur l'onglet "Ou" en bas à gauche de la table.**

Un second Filtre par formulaire apparaît vous permettant d'entrer un nouveau critère de recherche.

5. Cliquez sur la liste déroulante Ville pour l'ouvrir.

La liste déroulante réapparaît.

6. Cliquez sur une nouvelle entrée (Paris par exemple).

Répétez ces étapes autant de fois que nécessaire. En cliquant chaque fois sur l'onglet Ou, une nouvelle tabulation Ou apparaît. Vous pouvez ajouter ainsi autant de critères que vous le souhaitez (Figure 10.8).

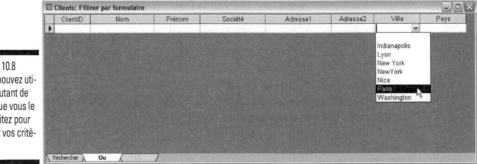

Figure 10.8
Vous pouvez utiliser autant de "Ou" que vous le souhaitez pour définir vos critères.

7. Lorsque vous avez sélectionné tous vos critères, cliquez sur le bouton Appliquer le filtre.

La Figure 10.9 affiche les résultats obtenus.

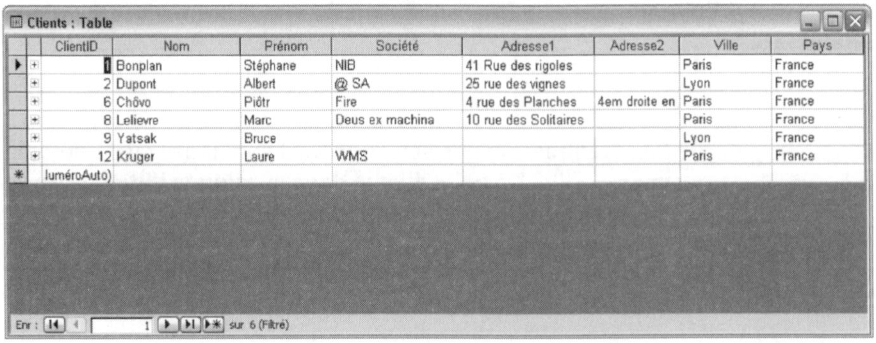

		ClientID	Nom	Prénom	Société	Adresse1	Adresse2	Ville	Pays
▶	+	1	Bonplan	Stéphane	NIB	41 Rue des rigoles		Paris	France
	+	2	Dupont	Albert	@ SA	25 rue des vignes		Lyon	France
	+	6	Chôvo	Piôtr	Fire	4 rue des Planches	4em droite en	Paris	France
	+	8	Lelievre	Marc	Deus ex machina	10 rue des Solitaires		Paris	France
	+	9	Yatsak	Bruce				Lyon	France
	+	12	Kruger	Laure	WMS			Paris	France
*		(uméroAuto)							

Figure 10.9
Access retrouve tous les clients demeurant à Lyon et à Paris.

Tenez compte de ces deux dernières remarques sur le filtre par formulaire :

✔ Avant de créer un filtre trop détaillé, n'oubliez pas que les requêtes fonctionnent mieux que les filtres lorsque les questions deviennent complexes (reportez-vous au Chapitre 11 pour en apprendre plus sur les requêtes).

✔ Pour convertir votre filtre en véritable requête, cliquez sur le bouton "Enregistrer en tant que requête" dans la barre d'outils. Access convertira alors votre filtre en requête et l'ajoutera dans la liste des requêtes de la base de données.

Lorsque vous n'aurez plus besoin de votre filtre, cliquez sur le bouton "Supprimer le filtre" dans la barre d'outils. Votre table retournera à son état d'origine.

Rattraper ses erreurs

Que faire lorsque vous rentrez un critère par erreur ? Aucun problème, le bouton "Effacer la grille" est là pour vous aider.

Lorsque vous cliquez sur le bouton Effacer la grille, Access vide toutes les entrées du Filtre par formulaire et affiche une nouvelle grille vide pour recommencer.

Si vous ne voulez supprimer qu'une seule tabulation, et non toute une grille, cliquez sur cette tabulation et sélectionnez Edition/Supprimer la tabulation.

Filtrer hors sélection

Filtrer hors sélection est l'inverse de Filtrer par sélection : cette option vous permet d'exclure certaines valeurs. Cela convient lorsque vous voulez rapidement masquer un lot d'enregistrements qui ont en commun un certain attribut (un code postal particulier, un département, un numéro de téléphone, etc.).

Voici comment mettre en œuvre Filtrer hors sélection :

1. **Recherchez dans la table la valeur à exclure.**

2. **Cliquez du bouton droit sur la valeur de votre choix et sélectionnez Filtrer hors sélection (Figure 10.10).**

Cliquez du bouton droit sur le champ contenant la valeur, comme lors de l'emploi de Filtrer par sélection.

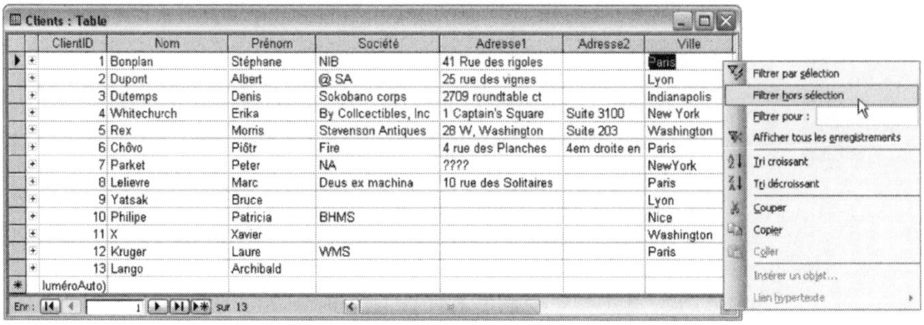

Figure 10.10
Je veux voir tous les enregistrements à l'exception de ceux concernant Paris.

3. Appuyez sur la touche Entrée.

Access affichera tous les enregistrements à l'exception de ceux dont le champ Ville contient Paris.

Chapitre 11

Posez une simple question, recevez 10 000 réponses

*U*ne personne infiniment plus intelligente que moi remarqua un jour que le plus intéressant dans la vie ne réside pas dans les réponses qui nous sont apportées, mais bel et bien dans les questions que nous nous posons sans cesse. D'une façon ou d'une autre, chacune de nos connaissances et chacun des éléments d'information résidant à l'intérieur de notre cerveau nous renvoient sans cesse à des questions.

En cela, les bases de données nous sont comparables. Collecter des informations dans une base de données n'est pas une tâche facile. Mais, le simple fait de collecter des données ne rend pas ces dernières plus simples d'accès. Rien ne sert en effet de disposer d'une version électronique des documents qui jonchent votre bureau si vous n'avez pas le moyen d'organiser ces documents entre eux. C'est exactement à cela que servent les bases de données. Elles fournissent le moyen d'organiser vos connaissances et permettent d'apporter des réponses à des questions s'y référant.

Access (et toutes les bases de données en général) emploie sa propre terminologie pour interroger une base de données. Access nomme ces questions des *requêtes*. Et, ce sont précisément ces requêtes que nous allons aborder au cours de ce chapitre.

Dans un premier temps, nous aborderons en douceur l'art de poser des questions relatives aux informations stockées dans une base de données. Puis, nous étudierons les bases des requêtes les plus simples d'Access (ces requêtes sont si simples que les programmeurs les ont nommées Filtre/Tri avancé, histoire de nous désorienter un peu). De là, nous pénétrerons dans la jungle des données où nous découvrirons la véritable puissance d'Access : les requêtes de sélection.

Ne vous inquiétez pas si vos premières requêtes produisent de curieux résultats. Il en est ainsi pour tout le monde (y compris moi-même). Les requêtes ne sont pas aisées à maîtriser, mais votre investissement sera très largement payé en retour. Aussi, prenez votre temps, soyez patient, et souvenez-vous que tous ceux qui ont expérimenté les requêtes avant vous ont connu les affres du "Hum ! Ça ne répond absolument pas à la question que j'ai posée."

Interroger les bases de données

De toutes les fonctionnalités présentes dans Access, c'est sans conteste les requêtes qui améliorent le plus votre rendement personnel. Les requêtes vont vous aider à donner du sens à toutes ces données que vous, vos collègues ou des milliers d'autres personnes ont servilement saisi au cours d'heures, de jours, de mois, d'années, de siècles même trop nombreux.

Tout comme les tables vous permettent d'organiser vos données en les classant bien en lignes et en colonnes, les requêtes vous permettent d'extraire de vos données les informations pertinentes dont vous avez besoin pour travailler.

Nous avons dit beaucoup de bien sur les requêtes, mais il nous reste encore à répondre à ceci : *qu'est-ce vraiment qu'une requête ?* Une *requête* est une question relative aux données résidentes dans une ou plusieurs des tables de votre base. Les requêtes sont capables de vous renvoyer des listes, de compter les enregistrements, et même de réaliser des opérations sur les données cachées dans les recoins de votre base.

Les requêtes peuvent extraire des informations telles que "le nombre de bobines de soie encore en stock" ou "l'influence de la météo sur les ventes de pizza à emporter".

Mais la magie des requêtes ne s'arrête pas là. Les requêtes avancées peuvent ajouter ou supprimer des enregistrements dans vos tables, réaliser des analyses statistiques... Et sans doute qu'avec le prochain plug-in de Microsoft elles sauront faire votre café.

Exécuter de simples requêtes avec Filtre/Tri avancé

De prime abord, vous devez légitimement penser qu'il est curieux, après avoir parlé si longuement des requêtes, que la première partie technique de ce chapitre aborde un filtre. Faites-moi confiance, cela fait partie de mon plan !

Les personnes qui ont créé Access savent bien que des recherches diverses requièrent différentes techniques. C'est pour cette raison qu'elles ont inclus deux outils de recherche dans leur logiciel : les filtres et les requêtes.

Les filtres, les outils les plus simples, ne peuvent retrouver que dans une seule table les données que vous recherchez. Si les filtres sont rapides, ils ne sont ni très puissants ni très souples. Ainsi, par exemple, les filtres sont très pratiques lorsque vous recherchez tous les enregistrements concernant des personnes résidant à Lyon. Reportez-vous au Chapitre 10 pour obtenir de plus amples informations sur l'utilisation, certes limitée, des filtres.

Les capacités des requêtes s'étendent bien au-delà de celles des filtres. Mais elles sont également bien plus complexes d'emploi. Tout comme un Airbus est plus complexe à prendre en main qu'une bicyclette, il est également capable de vous emmener bien plus loin que cette dernière ; cependant, vous n'avez pas vraiment besoin d'un Airbus pour aller acheter votre pain. Il en va de même pour les requêtes. Elles travaillent sur une ou plusieurs tables, vous permettent d'effectuer des recherches dans un ou plusieurs champs et même de sauvegarder le résultat d'une recherche en vue d'une future analyse.

Cependant, il existe un point de jonction entre le monde des filtres et celui des requêtes. Ce point passe par l'utilisation du Filtre/Tri avancé qui n'est en fait qu'une simple requête déguisée.

Comme son nom l'indique, la fonction Filtre/Tri avancé est plus puissante qu'un filtre commun. Sa création passe exactement par les mêmes étapes que celle d'une requête. Les résultats générés sont également comparables à ceux d'une simple requête.

Mais bien qu'il ait tous les atours d'une requête, Filtre/Tri avancé reste un filtre en son for intérieur. Il connaît donc les mêmes contraintes que ses pairs. Ces contraintes sont les suivantes :

✔ Filtre/Tri avancé ne fonctionne qu'avec une seule table ou un seul formulaire à la fois. Vous ne pouvez donc l'utiliser sur des tables liées.

✔ Vous ne pouvez poser avec un filtre que de simples questions.

Soyons honnêtes, les requêtes vont infiniment plus loin (c'est pourquoi une grande partie de ce livre est consacrée aux requêtes).

✔ Les filtres affichent toutes les colonnes de tous les enregistrements en correspondance dans votre table. Avec une requête, vous pouvez sélectionner les colonnes de votre choix. Si vous ne souhaitez pas obtenir une colonne particulière, retirez-la de la requête. Les filtres sont loin d'offrir de tels services.

Cependant, malgré ces contraintes, Filtre/Tri avancé vous permet de vous familiariser avec les requêtes.

Bien que cette partie n'aborde que l'application des filtres sur des tables, vous pouvez également filtrer une requête. Si vous vous interrogez sur l'intérêt d'une telle opération, sachez que certaines requêtes sont parfois longues à être exécutées. Supposons par exemple que vous exécutiez une requête complexe sur un rapport de vente. Vous regardez le résultat, et vous vous apercevez qu'il contient des informations pour toutes les villes de France alors que vous ne désiriez obtenir que celles relatives à Paris. Au lieu de modifier votre requête et de l'exécuter à nouveau, vous pouvez tout simplement y appliquer un filtre.

La fenêtre Filtre

La fenêtre Filtre est divisée en deux parties distinctes :

✔ La partie supérieure de cette fenêtre contient la *liste des champs* qui affiche tous les champs du formulaire ou de la table courante.

Ne vous préoccupez pas pour le moment de cette partie de la fenêtre, j'y reviendrai lorsque j'aborderai les véritables requêtes.

✔ La partie inférieure de l'écran contient une grille vide destinée à recevoir les détails de votre filtre.

Pour créer le filtre, il suffit de remplir les espaces de la grille dans la partie inférieure de la fenêtre (Figure 11.1). Au cours de cette opération, Access vous propose des menus déroulants. La partie suivante traite en détail de l'utilisation de cette grille.

Créer un Filtre/Requête

Voici les étapes à suivre :

1. **Ouvrez la table que vous allez interroger.**

   Avec un peu de chance, la table apparaît sous vos yeux.

   L'outil Filtre/Tri avancé fonctionne également avec les formulaires. Si vous êtes particulièrement téméraire (ou si vous travaillez habituellement avec des formulaires prêts à l'emploi), testez donc ce filtre. Un formulaire peut être filtré exactement comme une table.

2. **Définissez votre question et demandez-vous quels sont les champs impliqués.**

   Vous pouvez souhaiter obtenir la liste des produits en stock depuis plus de deux mois, celle des clients résidant à Lyon, Paris ou Nice, ou encore des recettes de cuisine réalisables en moins d'une heure et qui contiennent des épinards. Quoi que vous souhaitiez obtenir, demandez-vous toujours quelle est exactement votre question et quels sont les champs nécessaires.

   Ne vous inquiétez pas si votre question comprend plusieurs champs (comme dans l'exemple de recette de cuisine) ou plusieurs options (comme dans l'exemple du lieu de résidence des clients). Les filtres et les requêtes peuvent traiter plusieurs champs et plusieurs options à la fois.

3. **Sélectionnez Enregistrement/Filtres/Filtre/Tri avancé.**

   La fenêtre du filtre apparaît à l'écran, prête à exécuter vos ordres (Figure 11.1). Si avez déjà utilisé un filtre (de n'importe quel type) sur cette table, Access injecte les paramètres de ce filtre dans la nouvelle fenêtre. Dans le cas contraire, la fenêtre Filtre/Tri est vide.

   La fenêtre Filtre est en fait une fenêtre de requête simplifiée. Le filtre a l'aspect et le comportement d'une véritable requête. (J'aborde en détail les requêtes plus loin dans ce chapitre.)

4. **Cliquez sur la première case de la ligne, puis sur la flèche orientée vers le bas située en haut à droite de cette case.**

   Un menu déroulant contenant tous les champs de votre table apparaît.

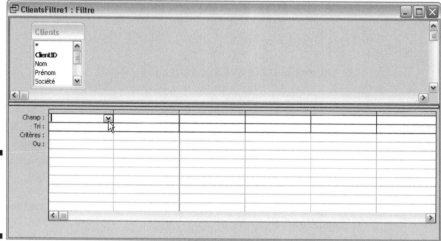

Figure 11.1
La fenêtre Filtre/
Tri avancé est
semblable à cel-
le des requêtes.

5. **Cliquez sur le premier champ que vous avez défini à l'étape 2.**

Access l'ajoute dans la case Champs de la grille.

6. **Pour trier le résultat du filtre avec ce champ particulier, cliquez sur la case Tri, puis sur la flèche orientée vers le bas. Sélectionnez ensuite Tri croissant ou Tri décroissant dans la liste déroulante.**

Si vous souhaitez voir les résultats dans l'ordre habituel de vos données, n'effectuez pas cette étape.

Tri *croissant* signifie trier, de la valeur la plus basse à la plus haute (par exemple, A, B, C...).

7. **Cliquez sur la case Critère, en dessous de votre champ. Entrez la question à laquelle devra répondre le filtre.**

Définir le critère est la partie la plus complexe et le pivot du processus de création d'une requête. Le critère correspond à votre question, traduite dans un langage qu'Access peut comprendre. Créer une requête avec les bons critères peut être une tâche ingrate ; le Tableau 11.1 vous propose une brève introduction pour vous aider à vous familiariser avec ce processus.

Rendez-vous au Chapitre 13 si vous souhaitez plonger immédiatement dans les abîmes de la logique booléenne (le langage des critères d'Access).

8. **Si votre question comprend plusieurs valeurs pour ce champ, cliquez sur la case Ou et tapez le nouveau critère.**

Ajoutez autant d'options Ou que vous voulez.

Tableau 11.1 : Opérateurs de comparaison de base.

Nom	Symbole	Signification	Exemple
Egale (aucun)		Affiche tous les enregistrements qui correspondent exactement à la valeur entrée.	Pour trouver tous les éléments correspondant au client 37, tapez 37 sur la ligne Critères.
Inférieur à	<	Liste toutes les valeurs inférieures à votre critère.	<30 dans le champ prix de vente fournit tous les prix de vente inférieurs à 30 (allant de moins l'infini à 29,99).
Supérieur à	>	Liste toutes les valeurs supérieures à votre critère.	>30 dans le champ prix de vente fournit tous les prix de vente supérieurs à 30 (allant de 30,01 à plus l'infini).
Supérieur ou égal à	>=	Fonctionne comme Supérieur à, excepté qu'il inclut toutes les valeurs qui correspondent exactement au critère.	>=30 trouve toutes les valeurs allant de 30 à plus l'infini.
Inférieur ou égal à	>=	Fonctionne comme Inférieur à, excepté qu'il inclut toutes les valeurs qui correspondent exactement au critère.	<=30 trouve toutes les valeurs allant de moins l'infini à 30.
Différent de	<>	Retrouve toutes les entrées qui ne correspondent pas au critère.	Si vous souhaitez obtenir la liste de tous les enregistrements qui ne contiennent pas 30, entrez <>30.

Si vous entrez un grand nombre de lignes Ou, votre première entrée risque de disparaître. Ne vous inquiétez pas, rien n'a disparu, Access a juste fait défiler la table. Cliquez sur la flèche orientée vers le haut dans la barre de défilement, vos premiers enregistrements réapparaîtront.

9. **Répétez les étapes 4 à 8 si votre question implique plusieurs champs.**

Lorsque tous vos critères sont définis, testez votre premier filtre.

10. **Pour exécuter le filtre, sélectionnez Filtre/Appliquer le filtre/Tri, ou cliquez sur le bouton Appliquer le filtre/Tri dans la barre d'outils.**

Après un certain temps de calcul, seuls les enregistrements correspondant à votre filtre sont affichés (Figure 11.2).

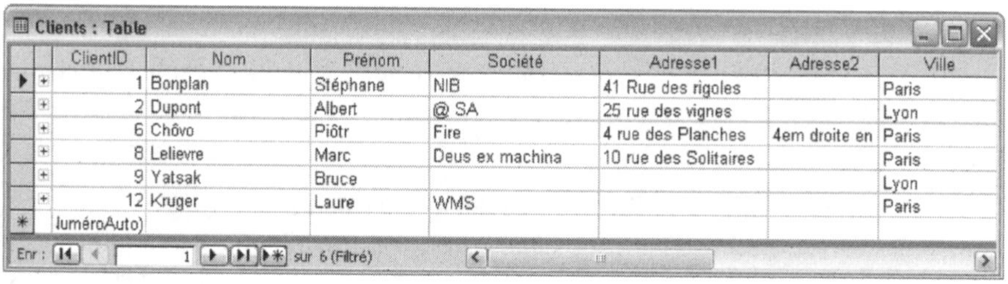

Figure 11.2
Les données filtrées apparaissent comme par magie !

		ClientID	Nom	Prénom	Société	Adresse1	Adresse2	Ville
▶	+	1	Bonplan	Stéphane	NIB	41 Rue des rigoles		Paris
	+	2	Dupont	Albert	@ SA	25 rue des vignes		Lyon
	+	6	Chôvo	Piôtr	Fire	4 rue des Planches	4em droite en	Paris
	+	8	Lelievre	Marc	Deus ex machina	10 rue des Solitaires		Paris
	+	9	Yatsak	Bruce				Lyon
	+	12	Kruger	Laure	WMS			Paris
*		(luméroAuto)						

Enr : |◀ ◀ 1 ▶ ▶| ▶* sur 6 (Filtré)

Pour revoir toutes les données, cliquez de nouveau sur le bouton Appliquer le filtre/Tri.

Si vous aimez tout particulièrement ce filtre, sauvegardez-le de la façon suivante :

1. **Cliquez sur le bouton Enregistrer en tant que requête, dans la barre d'outils (le dessin représentant une disquette avec un entonnoir).**

Access affiche une boîte de dialogue vous demandant sous quel nom enregistrer cette requête.

2. **Tapez un nom, puis cliquez sur OK.**

Access sauvegarde votre filtre et ajoute cette requête à celles déjà contenues dans la liste des requêtes de votre base de données.

Testez une véritable requête !

Vous pouvez quelquefois vous contenter d'une information rapide et simple. Cependant, lorsque vous avez besoin d'une analyse, les outils de requête d'Access vous facilitent grandement la tâche.

L'outil de création de requête le plus simple est l'outil de Sélection de requête. Comme son nom l'indique, la requête Sélection recherche les enregistrements de votre base de données correspondant à vos instructions.

Contrairement à l'autre outil que nous avons rencontré plus haut dans ce chapitre, la requête Sélection nous offre tout un panel d'options à la fois utiles et puissantes. Ces options sont les suivantes :

✔ Plusieurs tables par requête.

   Comme la requête Sélection est capable de gérer le côté relationnel d'Access, cette requête collecte des données dans plusieurs tables.

✔ N'affiche que les champs de votre choix.

   Les requêtes Sélection incluent le paramètre *Show* qui indique à Access quels sont les champs que vous souhaitez voir afficher.

✔ Classe, dans le résultat, les champs dans l'ordre de votre choix.

   Vous pouvez organiser les champs de réponse comme vous le souhaitez, sans altérer la table originale.

✔ N'affiche que le nombre de correspondances que vous souhaitez obtenir, grâce à l'option Top Value.

   Vous pouvez indiquer à Access, via l'option Top Value, que vous ne souhaitez obtenir que les 5, 36 ou 100 premiers enregistrements.

La section suivante aborde les bases de la construction d'une requête Sélection n'utilisant qu'une seule table. Les chapitres suivants traitent plus en détail les points mentionnés dans la liste précédente.

Construire une meilleure requête pour obtenir de meilleures réponses

Créer une requête Sélection s'apparente à rassembler des Filtre/Tri avancé. Cependant, avec ces requêtes vous pouvez jouer sur un nombre de paramètres bien plus important. Les étapes suivantes vous guident dans le processus de création :

1. **Ouvrez la base de données que vous allez interroger et cliquez sur le bouton Requêtes, à gauche de votre écran.**

   Access affiche la liste de toutes les requêtes existantes (en supposant qu'il en existe), ainsi que deux options destinées à la création de requêtes.

2. **Demandez-vous à quelle question vous souhaitez répondre avec votre requête, quels sont les champs impliqués, et quels sont les champs que vous voulez voir apparaître dans le résultat.**

   Puisque les requêtes Sélection vous permettent d'affiner vos questions, vous devez vous interroger plus avant pour les créer que ce n'était le cas avec le Filtre/Tri avancé. Cependant, les principales étapes restent les mêmes. Quels champs contiennent les données que vous désirez retrouver ? Quels sont les champs que vous voulez voir apparaître dans la réponse ? Pensez-y sérieusement car ce sont ces décisions qui donneront de la pertinence à vos requêtes.

3. **Double-cliquez sur Créer une requête en mode Création.**

   Vous obtenez deux nouvelles fenêtres à l'écran :

   - Un écran vide Requête sélection.

   - Une boîte de dialogue Afficher la table.

4. **Dans la boîte de dialogue Afficher la table, cliquez sur la table que vous allez utiliser, puis cliquez sur Ajouter. Cliquez enfin sur Fermer pour refermer la boîte de dialogue Afficher la table.**

   Access ajoute une petite fenêtre contenant la liste des champs de la Table dans la fenêtre Requête sélection.

5. **Sélectionnez le premier champ en cliquant sur la flèche orientée vers le bas dans la boîte Champ, puis cliquez sur le nom du champ dans la liste déroulante.**

   Access ajoute automatiquement le nom de la table dans la boîte Table. Ce champ sera affiché lors du résultat (l'option Affichée est automatiquement cochée).

   Vous pouvez également faire défiler la liste des champs dans la fenêtre de la table (dans la partie supérieure de la fenêtre Sélection), puis double-cliquer sur chacun des champs que vous désirez ajouter à la requête. (Cette méthode, comme nous le verrons dans les chapitres suivants, est plus pratique lorsqu'il s'agit de réaliser des requêtes fondées sur plusieurs tables.)

6. **Répétez l'étape 5 jusqu'à ce que tous les champs voulus soient affichés dans la grille de requête.**

   Nous sommes maintenant en mesure d'ajuster les options de tri.

7. **Pour trier le résultat de la requête selon un champ particulier, cliquez dans la case Tri de ce champ, puis sélectionnez Croissant ou Décroissant dans la liste déroulante.**

   Tout comme avec le Filtre/Tri avancé, vous pouvez trier les éléments du plus petit au plus grand ou du plus grand au plus petit.

   Si vous demandez à Access de trier selon plusieurs champs, ce dernier commence par le champ le plus à gauche de la grille de tri.

8. **Si vous ne souhaitez pas qu'un champ particulier apparaisse dans le résultat, décochez l'option Afficher correspondance à ce champ.**

9. **Tapez le critère de chacun des champs composant votre question.**

   Les requêtes Sélection utilisent les mêmes règles que le Filtre/Tri avancé, ce qui inclut toutes les opérations du Tableau 11.1. Si vous voulez ajouter plusieurs critères, utilisez les lignes Ou dans la grille de requête (Figure 11.3).

   Les requêtes Sélection supportent plus d'opérateurs que ceux cités dans le Tableau 11.1 ; reportez-vous au Chapitre 13 pour connaître tous les tours que M. Boole a dans son sac.

10. **Vérifiez tout une dernière fois, respirez un grand coup... et cliquez sur le bouton Exécuter.**

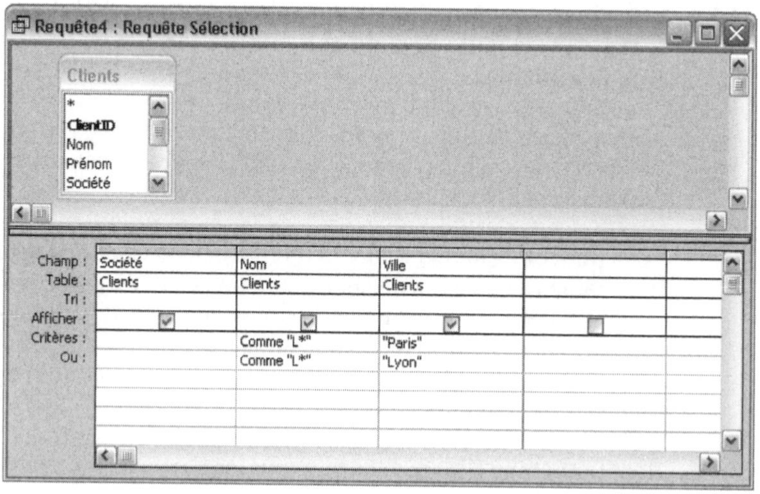

Figure 11.3
Je veux voir tous les clients dont le nom de famille commence par L et qui résident à Paris ou à Lyon.

Après quelques instants (ou peut-être un peu plus), le résultat de votre requête apparaît à l'écran (Figure 11.4).

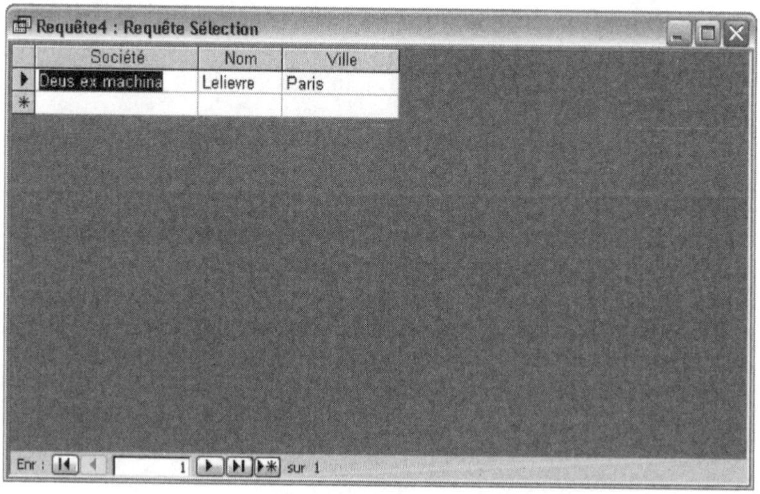

Figure 11.4
Et voici le résultat de la requête Sélection !

Si le résultat obtenu diffère de celui attendu (c'est souvent le cas avec les ordinateurs), vérifiez toutes les instructions de votre requête. Les problèmes les plus courants concernent souvent les opérateurs supérieur (>) ou inférieur (<) utilisés au lieu de supérieur ou égal (>=) ou inférieur ou égal (<=)... Il peut s'agir plus simplement d'une erreur de saisie dans le nom d'une ville ou d'un code postal.

Si cette requête Sélection vous convient, n'oubliez pas de la sauvegarder !

Imposez votre ordre

Access comprend des outils très utiles pour trier le résultat d'une requête. Seul petit problème : Access trie automatiquement les résultats de gauche à droite. Cela ne pose pas de problème si vous ne souhaitez qu'un seul tri. Cependant, si vous avez besoin de deux tris (par exemple selon le ClientID et l'ID produit), la colonne la plus à gauche de la requête est automatiquement la première triée.

Contrôler l'ordre de tri n'est pas une tâche difficile (bien que cela ne soit pas non plus totalement trivial). Comme Access trie les colonnes de gauche à droite, vous devez astucieusement déplacer les colonnes en fonction de l'ordre de tri qui vous intéresse.

Pour déplacer une colonne dans la grille, passez le curseur de la souris sur la petite boîte grise juste au-dessus du nom du champ. Puis, lorsque le curseur se métamorphose en une flèche orientée vers le bas, cliquez dessus. Toute la colonne est surlignée. Revenez sur la petite zone grise et faites glisser la colonne vers l'endroit de votre choix.

En plus de modifier l'ordre de tri de votre requête, ce petit truc change également l'ordre d'affichage des champs dans le résultat de la requête.

L'Assistant peut-il vous aider ?

En plus du Filtre/Tri avancé et de la requête Sélection, Access inclut un Assistant de création de requête simple. Si vous avez compris comment créer manuellement une requête Sélection, faire appel à l'Assistant Requête simple sera pour vous un jeu d'enfant. Comme tous les autres assistants d'Access, l'Assistant de requête simple va faire une grosse partie du travail à votre place. Mais vous devez néanmoins lui indiquer une ou deux choses. Si vous comptez faire appel aux services de l'Assistant Requête simple, suivez les étapes ci-après :

1. **Cliquez sur la commande Nouveau dans l'onglet Requête et choisissez Assistant de requête simple.**

La boîte de dialogue de l'Assistant de requête simple apparaît, vous demandant quels sont les champs à inclure dans votre requête (Figure 11.5).

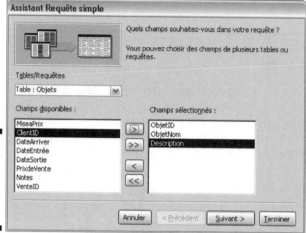

Figure 11.5
L'Assistant
Requête simple
vous guide dans
la création d'une
requête.

2. **Cliquez sur la flèche orientée vers le bas et sélectionnez les tables/ requêtes que vous allez utiliser dans votre requête.**

3. **Sélectionnez un champ dans la liste des champs de la table.**

✔ Pour déplacer un champ vers la case Champs sélectionnés, surlignez le champ de votre choix en cliquant dessus, puis cliquez sur le bouton >.

✔ Pour transférer tous les fichiers de la table vers la case Champs sélectionnés, cliquez sur le bouton >>.

✔ Si vous voulez supprimer un champ sélectionné, cliquez sur celui-ci dans la case Champs sélectionnés, puis cliquez sur le bouton <.

✔ Si vous voulez supprimer tous les champs de la case Champs sélectionnés, cliquez sur le bouton <<.

✔ Pour voir les champs d'une autre table ou requête, cliquez sur le bouton avec une flèche vers le bas dans la case Tables/Requêtes, puis choisissez la table ou requête dans la liste déroulante. La liste Champs disponibles présente les champs contenus.

4. Cliquez sur Suivant.

L'action menée ensuite par l'assistant varie selon que vous avez choisi des champs d'une seule ou de plusieurs tables. Si la requête comprend des champs de plusieurs tables ou requêtes, l'assistant affiche *habituellement* une boîte de dialogue avec des options de synthèse et de détails. Si votre requête exploite des champs d'une seule table (ou si l'assistant décide arbitrairement qu'il n'y a pas à proposer d'options de synthèse), nommer directement la requête.

Comment l'assistant choisit-il de proposer ou non des procédures comme la synthèse ? Bonne question. (Accrochez-vous, cela se corse !) La décision de l'assistant se fonde sur le premier champ ajouté à la requête, ainsi que les relations entre tables. Vous rappelez-vous de la notion de relation de table un-vers-plusieurs du Chapitre 5 ? C'est ici qu'elle entre en jeu. Si le *premier* champ dans la requête est le champ primaire d'une relation un-vers-plusieurs avec une autre table dans la requête, l'assistant propose de réaliser quelque synthèse pour vous. Si le premier champ dans la requête *n'est pas* cette clé spéciale utilisée dans la liaison un-vers-plusieurs, l'assistant n'opère pas de synthèse. Pour en savoir plus sur le monde des relations entre tables, revenez au Chapitre 5.

5. Si l'assistant propose les options de synthèse et de détails, faites vos jeux et cliquez sur Suivant.

Si vous désirez voir chaque champ de chaque enregistrement, choisissez Détail. Pour afficher une vue d'ensemble, avec totaux automatiques de tous les champs numériques appropriés employés dans votre requête, sélectionnez l'option Synthèse.

6. Saisissez le nom de votre requête (Figure 11.6).

L'option en bas de l'écran vous permet d'obtenir une aide sur la façon de structurer votre requête.

7. Si vous voulez modifier votre requête, vous pouvez le faire ici en sélectionnant Modifier la structure de la requête.

Cette option ajoute d'autres tâches à la nouvelle requête, telles que le tri ou les totaux.

8. Si vous êtes satisfait de votre travail, sélectionnez Ouvrir la requête pour afficher les informations.

Figure 11.6
Nommer une
requête.

Cette option exécute la requête et en présente le résultat dans une
feuille de données Access type. L'autre option, Modifier la structure de
la requête, vous replace en mode Création de la requête, pour pouvoir
apporter quelque retouches manuelles à la requête.

9. **Cliquez sur Terminer après avoir fait vos sélections. Vous obtenez le
   résultat de la requête.**

Chapitre 12

Rechercher dans plusieurs tables à la fois

Dans ce chapitre :

▷ Mettre au point une requête impliquant plusieurs tables.

▷ Utiliser l'aide des Assistants de requête.

▷ Créer des requêtes multitables en mode Création.

Interroger une seule table à la fois ne permet pas d'exploiter la puissance des bases de données relationnelles. En tant que membre du Relational Database Application Club of America, Access inclut les outils nécessaires pour réaliser des requêtes sur *plusieurs* tables. Ce chapitre aborde l'*utilisation* des assistants pour créer une requête impliquant plusieurs tables, et explique pour les férus de technologie comment y parvenir manuellement.

N'hésitez pas à faire appel aux assistants pour vous aider à réaliser une requête sur plusieurs tables. Ce n'est pas chose facile, rappelez-vous que des gens font des études supérieures pour comprendre les bases de données !

Quelques remarques générales sur l'emploi des requêtes multitables

Pour obtenir un résultat intéressant, vous devez assez souvent effectuer des recherches dans plusieurs tables (en fait, dans le monde de l'entreprise, c'est quasiment la règle). Heureusement, Access est une base de données relation-nelle, c'est-à-dire capable d'établir des *relations* entre différentes tables de votre base. Cette fonctionnalité vous permet donc de créer des requêtes sur deux tables ou plus et d'en extraire les informations utiles.

Dans la plupart des cas, une requête multitable est semblable à une requête sur une table unique. Il vous suffit simplement de relier les informations extraites de diverses tables, et le logiciel se charge du reste.

Access maintient des liens entre les tables de votre base de données. En général, vous (ou votre service informatique) construisez ces liens lors de la création de la base de données. En effet, lorsque vous organisez vos tables en créant des *champs clés* particuliers, vous préparez vos tables à l'utilisation des requêtes.

Les champs clés sont la colle qui lie les tables Access entre elles. Les requêtes utilisent ces liens pour faire correspondre les enregistrements d'une table avec leurs acolytes d'une autre table. Par exemple, à la Figure 12.1, les organisateurs de la vente aux enchères souhaitent garder une trace des objets vendus, aussi ils enregistrent chacun de ces objets dans une table appelée Objets. Mais ils veulent également garder une trace de leurs clients (les vendeurs), ne serait-ce que pour leur faire parvenir l'argent de la vente. Ils créent donc à cet effet une table appelée Clients. Comme chaque objet correspond à un vendeur (les clients de nos organisateurs de la vente aux enchères), la table Objets contient un champ ClientID qui indique la valeur correspondante à l'enregistrement unique d'un client dans la table Clients. Le champ ClientID de la table Objets nous permet donc pour un objet donné de connaître le client correspondant.

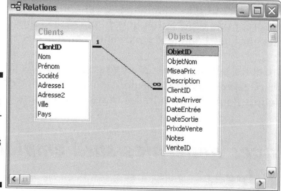

Figure 12.1
Pour utiliser des requêtes multita-bles, les tables doivent être liées afin de partager leurs données.

Le champ ClientID n'est pas le champ clé de la table Objets, car son but premier est de garder une trace des objets vendus. Pour la table Objets, c'est le champ clé appelé ID Objet qui est créé. Ce champ clé est unique et indispensable, car les organisateurs de la vente ne souhaitent évidemment pas vendre deux fois le même objet. Lorsque les organisateurs veulent obtenir plus d'informations sur le vendeur d'un objet, ils recherchent dans la table Objets la valeur du champ ClientID correspondant à l'objet sélectionné, puis ils recherchent dans la table Clients le client dont la valeur ClientID est égale à celle du champ ClientID de la table Objets. Le champ ClientID de la table Clients est unique, car nos organisateurs ne souhaitent pas avoir plusieurs enregistrements par client.

Avant de créer votre requête multitable, vous devez connaître les champs que les tables utilisent pour faire le lien entre leurs données. Dans le cas contraire, vous allez au-devant d'ennuis et vous risquez d'obtenir des résultats sans intérêt. Pour en appendre plus sur l'emploi de l'outil de relation d'Access, reportez-vous au Chapitre 5.

Faire appel aux services de l'Assistant Requête

Pour créer une requête multitable, effectuez ces étapes :

1. **Dans la fenêtre base de données, cliquez sur le bouton Requête, en dessous de la barre Objet située dans la partie gauche de la fenêtre.**

   La fenêtre affiche la liste de toutes les requêtes disponibles pour cette base de données.

2. **Double-cliquez sur Créer une requête à l'aide de l'Assistant pour exécuter l'Assistant Requête simple.**

   La fenêtre Assistant Requête simple apparaît. Ne soyez pas surpris si le contenu de la fenêtre vous est familier, il s'agit en effet de la même fenêtre que lorsque vous avez créé des requêtes sur une seule table.

3. **Cliquez sur la flèche orientée vers le bas, à côté de la boîte Tables/ Requêtes (Figure 12.2), puis cliquez sur le nom de la première table afin de l'inclure dans votre requête.**

   La liste des champs disponibles est modifiée ; elle affiche à présent les champs disponibles pour cette table (mais vous l'aviez sans doute déjà deviné).

Figure 12.2
Utilisez l'Assistant Requête simple pour effectuer des sélections dans plusieurs tables.

4. Double-cliquez sur tous les champs que vous allez inclure dans votre requête.

Si vous cliquez sur un mauvais champ, il suffit de double-cliquer dessus dans la liste des champs sélectionnés pour qu'il reprenne sa place dans la liste des champs disponibles.

5. Lorsque vous avez fini d'ajouter les champs de cette table, répétez les étapes 3 et 4 avec la table suivante sélectionnée.

Tous les champs sont désormais sélectionnés.

6. Cliquez sur Suivant pour continuer la création de la requête.

Un écran ressemblant étrangement à celui de la Figure 12.3 devrait entrer en scène. Si ce n'est pas le cas, c'est sans doute qu'Access vous demande de nommer votre requête.

Si vous ajoutez des champs de deux tables sans rapport, l'Assistant d'Access entre en scène lorsque vous cliquez sur Suivant. Il vous rappelle que les tables doivent avoir un lien et vous suggère de régler le problème avant de continuer. En fait, suggérer n'est pas le terme exact, Access vous demande poliment de bien vouloir régler le problème avant d'aller plus loin. Si un tel message apparaît, cliquez sur le bouton OK du Compagnon Office, afin de vous rendre directement à la fenêtre Relation. Réglez le problème et relancez l'Assistant de requête. Les relations sont traitées aux Chapitres 4 et 5.

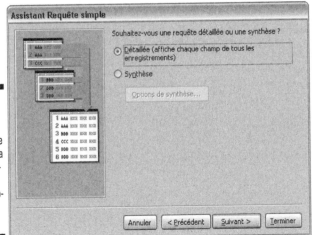

Figure 12.3
En fonction du type d'informations devant être retournées par la requête, l'Assistant de requête peut vous proposer différentes options.

7. **Au cas où l'assistant vous demanderait si vous souhaitez obtenir une requête détaillée ou une synthèse, cliquez sur le bouton radio correspondant à votre choix :**

   - **Détaillée :** Crée une feuille de données qui contient la liste de tous les enregistrements qui correspondent à votre requête. Comme son nom l'indique, elle donne tous les détails.

   - **Synthèse :** Indique à l'assistant que vous souhaitez obtenir un résumé.

     Si vous voulez ajuster plus finement les options de Synthèse, cliquez sur Options de synthèse pour afficher la boîte de dialogue de la Figure 12.4. Sélectionnez les options de votre choix et cliquez sur OK.

8. **Cliquez sur Suivant après avoir choisi la méthode de synthèse de vos données.**

9. **Donnez un nom à votre requête dans la section Texte, puis cliquez sur Terminer.**

   La requête fait son travail et Access affiche les résultats à l'écran (Figure 12.5). Félicitations !

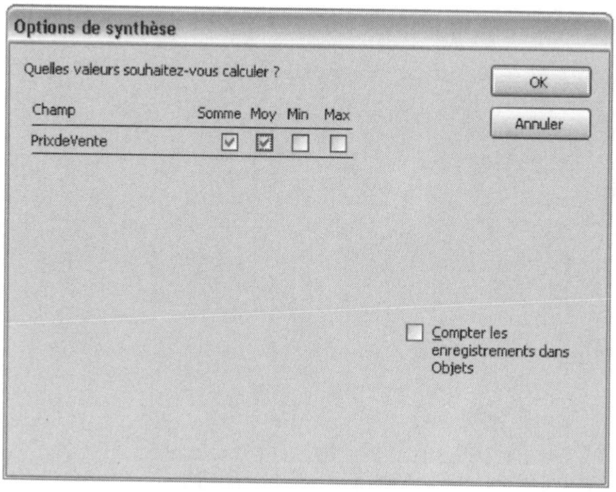

Options de synthèse

Quelles valeurs souhaitez-vous calculer ?

Champ	Somme	Moy	Min	Max
PrixdeVente	☑	☑	☐	☐

OK

Annuler

☐ Compter les enregistrements dans Objets

Figure 12.4
Access vous propose plusieurs manières de synthétiser vos données.

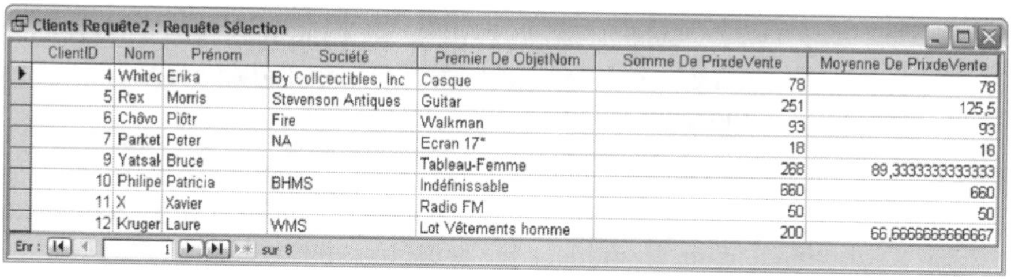

Clients Requête2 : Requête Sélection

Figure 12.5
La feuille de données d'une requête multitable.

ClientID	Nom	Prénom	Société	Premier De ObjetNom	Somme De PrixdeVente	Moyenne De PrixdeVente
4	Whitec	Erika	By Collcectibles, Inc	Casque	78	78
5	Rex	Morris	Stevenson Antiques	Guitar	251	125,5
6	Chôvo	Piôtr	Fire	Walkman	93	93
7	Parket	Peter	NA	Ecran 17"	18	18
9	Yatsal	Bruce		Tableau-Femme	268	89,3333333333333
10	Philipe	Patricia	BHMS	Indéfinissable	660	660
11	X	Xavier		Radio FM	50	50
12	Kruger	Laure	WMS	Lot Vêtements homme	200	66,6666666666667

Enr : ◄◄ ◄ 1 ► ►► ►* sur 8

TRUC

Une foule d'assistants

Access met à votre disposition une pléthore d'assistants. Au Chapitre 11, nous avons abordé l'utilisation de l'Assistant Requête simple, sans doute le plus utile lorsqu'il s'agit de créer des requêtes.

Cependant, si ce dernier était simple d'emploi, il n'en va pas de même de l'Assistant Requête analyse croisée, l'Assistant Requête trouver les doublons et l'Assistant Requête de non-correspondance. L'Assistant Requête analyse croisée nous servira au Chapitre 14. Quant aux deux autres, ils sont si étranges que je vous déconseille de les utiliser...

Retroussez vos manches, vous allez créer une requête manuellement !

Faire appel aux services des assistants pour créer une requête sur plusieurs tables n'est pas toujours la meilleure méthode. La requête peut se révéler trop complexe ou nécessiter des détails particuliers (ou encore vous ne serez pas d'humeur à utiliser les assistants). Dans tous les cas, la création manuelle d'une requête est la meilleure solution. Vous allez pour cela passer en mode Création.

Bien qu'il puisse paraître un peu compliqué, le mode Création n'a rien d'effrayant. Vous découvrirez sans doute, après l'avoir pris en main, qu'il est plus rapide et plus agréable à utiliser que les assistants.

Avant de créer une requête multitable, assurez-vous que les tables ont bien un rapport entre elles ! Si vous doutez des liens existant entre les tables, retournez à la fenêtre base de données et cliquez sur le bouton Relation, dans la barre d'outils. (Reportez-vous au Chapitre 5 pour obtenir plus de détails sur les relations entre les tables.)

Suivez ces étapes pour créer une requête multitable en mode Création :

1. **Cliquez sur le bouton Requête, en dessous de la barre Objet située dans la partie gauche de la fenêtre base de données.**

   La liste de la fenêtre base de données apparaît, affichant toutes les requêtes disponibles.

2. **Double-cliquez sur Créer une requête en mode Création.**

   Après quelques instants, la boîte de dialogue Afficher la table apparaît. Derrière cette boîte, vous pouvez voir une fenêtre Requête vide.

3. **Double-cliquez sur le nom de la première table que vous allez inclure dans votre requête.**

   Une petite fenêtre correspondant à la table apparaît dans la fenêtre Requête (Figure 12.6).

4. **Répétez l'étape 3 pour toutes les tables que vous allez inclure dans votre requête. Puis, cliquez sur Fermer pour revenir à la boîte de dialogue Afficher la table.**

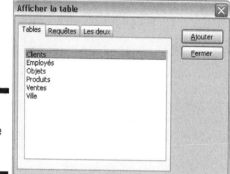

Figure 12.6
La première
table à prendre
place dans la
requête.

Ne vous inquiétez pas si des lignes entre vos tables apparaissent dans la fenêtre Requête. C'est bon signe, cela signifie qu'Access sait comment lier ces tables (Figure 12.7).

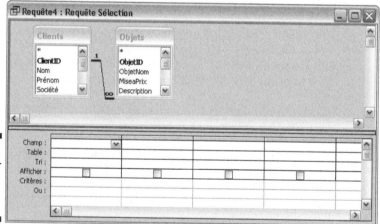

Figure 12.7
Access sait com-
ment lier les
tables Clients et
Objets.

Que se passe-t-il si vous créez une requête mais que les lignes entre les tables n'apparaissent pas ? Cela signifie qu'Access n'est pas capable de définir automatiquement les liens entre ces tables. Cependant, vous pouvez y remédier facilement. Une première solution consiste à annuler la requête en fermant la fenêtre Requête, puis à utiliser le bouton Relation pour définir les relations de votre choix. Une autre solution consiste simplement à ajouter les relations directement en mode Création en faisant glisser les champs d'une table vers une autre.

5. Ajoutez les champs dans la grille requête en double-cliquant sur ces derniers dans la boîte de dialogue Table (Figure 12.8). Répétez ces étapes pour tous les champs que vous allez ajouter dans votre requête.

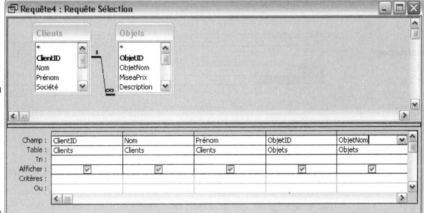

Figure 12.8
Vous pouvez mélanger et faire correspondre les champs de différentes tables avec une seule requête.

Sélectionnez vos champs dans l'ordre où vous souhaitez qu'ils apparaissent dans le résultat de la requête. Vous pouvez ajouter autant de champs qu'il vous plaira, extraits des tables situées dans la partie supérieure de la fenêtre Requête.

Si vous choisissez par mégarde un mauvais champ, vous pouvez facilement revenir en arrière en cliquant sur le champ incriminé dans la grille de requête, puis en cliquant sur Edition/Supprimer dans la barre de menu.

6. Si vous voulez réaliser un tri en fonction d'un champ particulier, cliquez sur la case Tri située en dessous du nom d'un champ, cliquez sur la flèche orientée vers le bas, puis choisissez Croissant ou Décroissant (Figure 12.9).

Si vous souhaitez trier en fonction de plusieurs champs, répétez ces étapes. Rappelez-vous que les tris sont réalisés de la gauche vers la droite. Si vous souhaitez trier dans un premier temps selon le deuxième champ, puis selon le premier, il vous faudra réorganiser les colonnes.

7. Dans la case Critères de chacun des champs, indiquez vos paramètres.

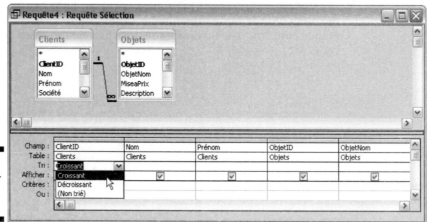

Figure 12.9
Ici, nous souhai-
tons obtenir un
tri décroissant.

Bien qu'il s'agisse ici d'une requête sur plusieurs tables, la manière
d'entrer les critères est exactement la même qu'avec une requête sur
une seule table. (Reportez-vous au Chapitre 11 pour plus de détails.)

8. **Si vous avez besoin d'ajouter un champ dans la requête mais que vous
ne vouliez pas le voir apparaître dans le résultat, décochez l'option
Afficher correspondant à ce champ.**

9. **Vérifiez votre travail encore une fois. Si vous en êtes satisfait, sauvegardez-le via le menu Fichier/Enregistrer.**

10. **Entrez le nom de votre requête dans la boîte de dialogue Enregistrer
Sous, puis cliquez sur OK.**

Je suis sûr que vous n'aimeriez pas perdre le fruit d'un si long labeur !

11. **Croisez les doigts et sélectionnez Requête/Exécuter (ou cliquez sur le
bouton Exécuter).**

Cela fonctionne, bravo ! Si ce n'est pas le cas, recommencez en activant
à nouveau le mode Création.

12. **Sélectionnez Affichage/Mode Création (ou cliquez sur le bouton Mode
Création).**

Chapitre 13

Les ET et OU du docteur Boole

C'est un fait, plus vous utilisez Access et plus les questions que vous lui posez deviennent complexes, c'est comme ça. Il arrivera un temps où les filtres ne vous suffiront plus, et ce même après avoir retourné votre question dans tous les sens.

Les requêtes d'Access nous ont permis d'obtenir des résultats impressionnants, mais elles ont leur limite, et c'est précisément là que les opérateurs du docteur Boole entrent en jeux.

Ce chapitre est une introduction aux deux principaux opérateurs booléens d'Access que sont AND et OR. Vous découvrirez comment les intégrer à vos requêtes et comment les utiliser. Préparez-vous à vous immerger dans le monde de la logique pour tirer toute la puissance d'Access.

AND et OR : les différences

AND et OR sont les opérateurs booléens les plus utilisés. Dans le langage parlé, AND (c'est-à-dire "et") sert à joindre deux propositions simples pour en former une plus complexe. OR (c'est-à-dire "ou") indique une alternative. Il en va à peu près ainsi dans le monde des bases de données.

Par exemple, si la jungle est pleine de *lions ET (AND) de tigres*, vous devez vous attendre à y trouver ces deux types d'animaux. Cependant, si la jungle est pleine de *lions OU (OR) de tigres*, vous savez que vous trouverez *l'un ou l'autre* de ces animaux, mais en aucun cas *les deux*. Dans la terminologie des bases de données, AND signifie *les deux* alors que OR signifie *l'un ou l'autre*.

Voici un truc pour bien utiliser ces opérateurs :

- AND réduit le champ d'investigation de vos requêtes.

- OR est le champ d'investigation de vos requêtes. Ce qui signifie qu'elles retourneront plus d'enregistrements.

Si vous recherchez dans votre entourage des personnes de sexe masculin et (AND) avec des yeux bleus et (AND) des cheveux roux et (AND) dont la taille dépasse 1,80 m (me recherchez-vous ?), vous n'en trouverez pas énormément. À l'inverse, si votre recherche porte sur les personnes de votre entourage de sexe masculin ou (OR) qui possèdent des yeux bleus ou (OR) des cheveux roux ou (OR) dont la taille dépasse 1,80 m, là vous devriez en trouver un très, très grand nombre.

Entre le Kansas AND (et) le pays d'Oz

Les requêtes les plus communes sont celles dont le but est de retrouver des enregistrements compris entre deux valeurs. Par exemple, si vous voulez retrouver tous les enregistrements faits entre 1er janvier 2000 et le 1er janvier 2001 (exclu), il vous faut utiliser un critère AND.

L'utilisation d'un critère AND est très simple :

- Poser deux conditions sur la même ligne.

- Séparer ces conditions avec l'opérateur AND.

La Figure 13.1 illustre une requête qui ne sélectionnera que les enregistrements dont la valeur du champ Date correspond à un jour de l'année 2000.

Ne vous préoccupez pas du symbole "#", Access l'ajoute automatiquement pour indiquer qu'il s'agit d'une date.

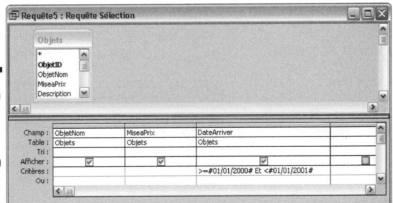

Figure 13.1
L'opérateur AND retrouve toutes les valeurs du champ Date comprises entre le 1er janvier 2000 et le 1er janvier 2001.

Examinons attentivement le fonctionnement de la requête. Access commence par tester le premier critère : "Cet enregistrement a-t-il été créé *après* le 1er janvier 2000 ?" (Contient-il un champ Date dont la valeur est postérieure au 1er janvier 2000 ?) Si ce n'est pas le cas, Access ignore cet enregistrement et passe au suivant. Dans le cas contraire, Access teste le second critère : "Cet enregistrement a-t-il été créé avant le 1er janvier 2001 ?" Si oui, Access le sélectionne, sinon il le rejette et passe à l'enregistrement suivant.

La comparaison utilise le symbole supérieur ou égal pour la première date (1er janvier 2000) afin d'inclure les enregistrements créés le premier jour de l'année 2000.

Ce type d'instruction fonctionne pour tout type de données. Vous pouvez rechercher des valeurs numériques comprises entre deux autres valeurs numériques, des noms ou des dates. Access ne prête aucune attention *au type* de données que vous lui donnez à traiter.

Vous pouvez également effectuer une recherche entre deux dates en utilisant l'opérateur ENTRE (la Figure 13.2 illustre l'utilisation de cet opérateur). Ainsi, le critère ENTRE #1/1/00# AND #31/12/01# sélectionne tous les enregistrements créés entre ces deux dates.

Utiliser plusieurs AND

Une des plus grandes qualités d'Access est sa flexibilité. Vous n'êtes pas limité dans la taille de vos critères. Vous pouvez par exemple inclure autant de AND que vous le souhaitez.

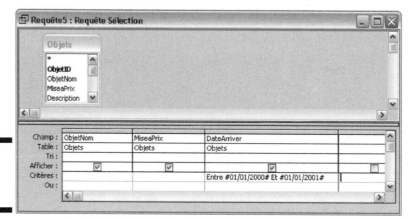

Figure 13.2
Utilisation de
l'opérateur
ENTRE.

Les requêtes incluant de multiples critères sont difficiles à mettre au point. Lorsque vous ajoutez un AND, Access regarde si chaque enregistrement correspond aux critères que vous avez indiqués avant de les ajouter au résultat. La Figure 13.3 contient une requête qui utilise trois critères. Puisque tous ces critères sont situés sur la même ligne, Access les traite les uns après les autres. Ainsi, cette requête ne retournera que les enregistrements répondant à ces trois critères.

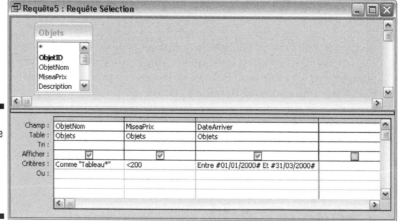

Figure 13.3
Ne retourner que
les enregistre-
ments qui cor-
respondent à
tous mes critè-
res, SVP.

Si vous avez une très vaste base de données, la meilleure façon d'obtenir un nombre réduit de réponses est de combiner plusieurs critères.

À ce stade, vous pouvez affiner encore un peu plus les résultats de vos requêtes. En effet, Access affiche ces derniers dans une feuille de données qui est elle-même susceptible de recevoir une requête ou un filtre. Si vous souhaitez vous rafraîchir la mémoire sur l'utilisation des filtres, reportez-vous au Chapitre 10.

Bon ou (OR) méchant ?

Il arrive fréquemment qu'on ait besoin d'obtenir des résultats correspondant à différentes possibilités – comme la liste des personnes qui vivent en France ou (OR) en Belgique ou (OR) aux États-Unis... Une telle recherche fait intervenir le critère OR.

OR est très simple à utiliser : il suffit d'ajouter les critères les uns en dessous des autres dans la colonne pour chacun des champs de votre choix. La Figure 13.4 affiche une requête qui recherche tous les enregistrements dans lesquels le champ Nom contient Duchemin, Dupond ou Durant.

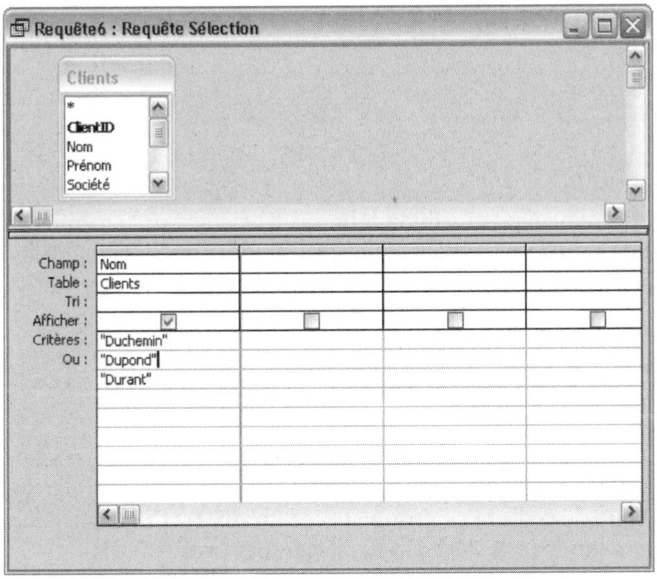

Figure 13.4
Une recherche
sur ces trois
noms de famille.

Vous pouvez bien sûr ajouter des critères dans différentes colonnes. Ainsi, la Figure 13.5 illustre la recherche d'enregistrements dont le champ Nom correspond à Dupond ou Durant, ou des personnes demandant un MontantMinimum-

Miseaprix inférieur à 30 euros. Tous les enregistrements contenant Duchemin, Dupond ou Durant, ainsi que tous les enregistrements contenant une mise à prix inférieure ou égale à 30 euros seront alors affichés dans le résultat de la requête.

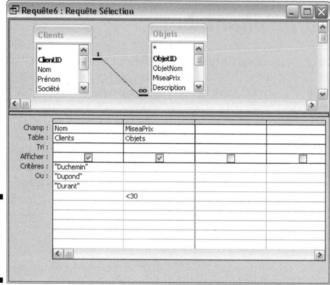

Figure 13.5
Créer des critères OR dans des champs différents.

Chaque critère occupe une ligne séparée. S'ils sont sur la même ligne, effectuez une opération AND, et seuls les enregistrements qui correspondent aux deux règles apparaissent.

AND et OR ? AND ou OR ?

Il est parfois utile de combiner les opérateurs OR et AND. Par exemple lorsque vous posez une question relative à différents groupes : une partie de la question implique de réduire ce groupe (avec un AND) et une autre inclut des enregistrements fondés sur des critères différents (avec un OR).

Prenez garde à de telles requêtes. Elles deviennent vite très complexes. Si votre requête devient si complexe que vous ne sachiez plus quel AND le dernier OR a affecté, seul un spécialiste en base de données pourra vous venir en aide.

Au lieu de rajouter des couches et des couches de conditions supplémentaires dans une même requête, scindez votre immense question en une série de requêtes plus petites qui s'appuient les unes sur les autres. Commencez par une requête simple à un ou deux critères. Puis, bâtissez une autre requête commençant avec les résultats de la première requête. Si vous devez encore affiner, créez une troisième requête qui s'appuie sur les réponses de la deuxième requête. Chaque requête affine les résultats. Autre avantage de cette façon de procéder : il est beaucoup plus facile de vérifier chaque étape de votre logique, ce qui réduit le risque que des erreurs se glissent dans vos résultats.

Le point le plus important à retenir est que chaque ligne OR (chacune des lignes contenant un critère) est évaluée séparément. Si vous voulez combiner plusieurs critères différents, vous devez vous assurer que chaque ligne OR représente bien un aspect des éléments que vous recherchez.

Par exemple, dans la base de données de la vente aux enchères, connaître tous les objets vendus à moins de 30 euros ou à plus de 100 euros requiert l'utilisation d'un critère OR. (Retrouver les objets dont la mise à prix est inférieure à 30 euros et dont l'enchère est supérieure à 100 euros nécessite un critère AND.) La Figure 13.6 éclaire ces aspects.

Figure 13.6 Chacun des critères situés sur une même ligne est un opérateur AND qui réduit le champ de la recherche. Chacun des critères situés sur des lignes différentes est un opérateur OR qui élargit la recherche.

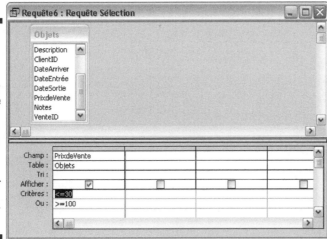

Lorsque vous vérifiez vos critères, faites-le ligne par ligne pour vous assurer que ces lignes représentent bien le groupe que vous souhaitez obtenir dans la réponse finale. Puis vérifiez que ces lignes respectent ces règles :

- ✔ Les critères AND sont sur la même ligne : ils sont évalués tous ensemble.

- ✔ Les critères OR sont sur des lignes différentes : ils sont évalués individuellement.

Chapitre 14

Apprendre aux requêtes à penser et à compter

C'est bien joli d'obtenir rapidement des réponses à de simples questions, mais savoir précisément combien de personnes à Montréal ou à Bombay ont acheté des pastels entre janvier et mai n'est peut-être pas exactement le genre d'information dont vous ou votre entreprise avez besoin.

Comment obtenir la somme totale des achats de pastels, le nombre de commandes passées, ou connaître les 25 villes qui en ont acheté le plus ?

C'est précisément ici que l'outil de synthèse supersecret d'Access, la ligne Opération, entre en scène. Grâce à plusieurs options spécifiques, vos requêtes peuvent cumuler des totaux, compter des entrées, organiser vos résultats de diverses manières, etc.

Comment faire pour y arriver ? Ah, toujours la même question ! Il faut injecter la ligne Opération dans votre requête, puis choisir les bonnes options pour obtenir ce que vous désirez. Ce chapitre vous guide à travers le processus, et vous explique les rouages internes de la ligne Opération et ses fonctions utiles.

Créer des requêtes puissantes avec la ligne Opération

Vous savez déjà ce que réalise une requête élémentaire : vous posez une question à Access, et celui-ci scrute une ou plusieurs tables pour donner une réponse. La requête peut renvoyer juste quelques enregistrements ou un bataillon de données. Quel que soit le moyen employé, vous vous retrouvez avec des données, et un travail difficile vous attend pour les présenter sous une forme utile.

Outre répondre aux questions élémentaires et produire d'énormes listes d'enregistrements, les requêtes sont aussi capables de réaliser des calculs simples sur les données de vos tables. Vous savez qu'une requête peut lister les clients en Allemagne. Mais pourquoi demander une simple liste brute quand Access peut compter en même temps ? Et tant que vous y êtes, pourquoi ne pas demander à Access de vous indiquer combien de produits ces clients ont acheté l'année dernière ? Vous saisissez le tableau !

Le plus fort dans tout cela est que poser des questions comme celles-ci par le biais d'une requête Access est beaucoup plus facile que cela n'en a l'air. Pourquoi ? Parce que toute la complexité de calcul qui entre en jeu (les totaux, le comptage des éléments, et toute l'organisation) est concentrée en un seul endroit : la ligne Opération de votre grille de requête (Figure 14.1). Que vous vouliez compter, additionner, trier ou trouver le plus grand ou le plus petit élément, la ligne Opération s'en charge d'un clic de souris.

La ligne Opération peut avoir l'air petite et insignifiante mais elle concentre beaucoup de punch. Étudiez le Tableau 14.1 qui énumère les options disponibles dans la ligne Opération. Le tableau fournit également une brève description du travail réalisé sur les requêtes par chacune des options.

Tableau 14.1 : Fonctions de la ligne Opération.

Fonction	Utilisation
Regroupement	Organise le résultat d'une requête dans un champ.
Somme	Ajoute toutes les valeurs d'un champ et affiche le total dans le résultat de la requête.

Tableau 14.1 : Fonctions de la ligne Opération. (*suite*)

Fonction	Utilisation
Moyenne	Calcule la moyenne des valeurs d'un champ.
Min	Indique la plus petite valeur trouvée par une requête.
Max	Indique la plus grande valeur trouvée par une requête.
Compte	Indique le nombre d'enregistrements correspondant aux critères de la requête.
StDev	Calcule l'écart-type statistique des valeurs du champ.
Var	Calcule l'écart statistique des valeurs du champ.
Premier	Retourne le premier enregistrement correspondant aux critères de la requête.
Dernier	Retourne le dernier enregistrement correspondant aux critères de la requête.
Expression	Indique à Access que vous souhaitez un traitement sur un champ. (Reportez-vous au Chapitre 15 pour connaître les différents traitements applicables.)
Où	Indique à Access que vous souhaitez utiliser un champ en tant que partie des critères d'une requête.

Les outils les plus utiles dans les options de la ligne Opération sont : Regroupement, Somme, Compte et Où. Plus loin dans ce chapitre, d'autres sections vont plus en profondeur dans l'étude de ces éléments en expliquant ce qu'ils font, comment les employer et pourquoi il faut réellement porter de l'attention à ces choses.

Une fois que vous êtes à l'aise dans l'emploi de ces options, essayez quelques requêtes avec des options plus ésotériques de la ligne Opération. Bien que certaines s'occupent de tâches plus spécialisées – comme le calcul de déviations standard ou la recherche de l'élément le plus grand ou le plus petit dans une table –, toutes les fonctions de la ligne Opération fonctionnement basiquement de la même manière. Une fois que vous saurez comment faire travailler une option, les autres options vous paraîtront plus claires elles aussi.

Ajout de la ligne magique Opération à vos requêtes

À la base, la ligne Opération *n'apparaît pas* sur la grille de requête, ce qui est assez perturbant. C'est à vous d'afficher cette ligne à l'aide de la commande adéquate (voir les étapes ci-après). Une fois fait, Access ajoute la ligne Opération à la grille de requête.

Pourquoi la ligne Opération n'apparaît-elle pas systématiquement dans la grille de requête ? Franchement, parce que Microsoft veut que les requêtes aient un *aspect* un peu plus simple. Avec tous ces boutons, lignes, colonnes et autres éléments, les requêtes semblent plutôt compliquées de prime abord. Dans le but de réduire un peu l'encombrement, et donc de rendre les requêtes plus accessibles à tous, Access masque la ligne Opération.

Voici les étapes à suivre pour travailler avec la ligne Opération dans la grille de requête :

1. **Créez une requête ordinaire.**

   Vous savez maintenant comment ouvrir une nouvelle requête et choisir les tables et champs à inclure dans les résultats. Si vous avez besoin de vous rafraîchir rapidement la mémoire, revenez au Chapitre 11.

2. **Affichez la ligne Opération en cliquant sur le bouton Totaux, dans la barre d'outils, ou en sélectionnant Affichage/Totaux dans le menu principal.**

   La ligne Opération apparaît. Pour chaque champ déjà présent dans la requête, Access remplit automatiquement la ligne Opération avec l'option par défaut, Regroupement.

   Au cas où vous vous poseriez la question, sachez que le symbole affiché par le bouton Totaux est la lettre grecque sigma. Les mathématiciens, ingénieurs et autres personnes qui ont des problèmes de communication emploient ce symbole pour dire "calculez-moi une somme."

3. **Pour passer de Regroupement à une autre option, cliquez dans la ligne du champ concerné.**

   Le curseur clignotant apparaît dans la ligne Opération, juste à côté d'un bouton avec une flèche vers le bas.

4. **Cliquez sur le bouton avec une flèche vers le bas, dans la ligne Opération du champ, puis sélectionnez l'option Opération désirée dans la liste déroulante.**

   La nouvelle option apparaît dans la ligne Opération.

5. **Apportez tout autre changement nécessaire, puis exécutez la requête.**

   Lorsque la ligne Opération est en fonction, les résultats de la requête incluent automatiquement la ou les synthèses sélectionnées. Trop cool !

La section suivante détaille l'emploi des options les plus usitées de la ligne Opération.

Mise en œuvre de la ligne Opération

Après avoir affiché la ligne Opération dans votre formulaire de requête, vous pouvez commencer à l'exploiter. Cette section est consacrée aux quatre options les plus utilisées de la ligne Opération : Regroupement, Somme, Compte et Où. Chaque section explique le rôle d'une option et donne quelques exemples de mise en œuvre.

Lorsque vous aurez compris l'utilisation des options de base de la ligne Opération, pratiquez avec les autres. Elles se règlent toutes de la même manière, et ne diffèrent que dans leurs résultats. Pour des détails sur le fonctionnement des options avancées, consultez le système d'aide d'Access (Aide/Aide de Microsoft Access).

La majorité des options de la ligne Opération travaillent bien en solo mais elles savent aussi coopérer. Lors de l'exécution de plusieurs requêtes, essayez de mélanger différentes options pour gagner du temps. Cela demande un peu de pratique pour garantir que tout fonctionne de la façon attendue, mais les bénéfices (c'est-à-dire des informations supplémentaires au prix d'efforts moindres) en valent l'investissement.

Organisation des données avec l'option Regroupement

L'instruction Regroupement organise les résultats de votre requête en groupes fondés sur les valeurs d'un ou plusieurs champs. L'option Regroupement élimine également les doublons dans les résultats. Lorsque vous affichez la ligne Opération dans votre grille de requête, Access place automatiquement la mention Regroupement dans chaque champ de la grille. Regroupement rassemble les enregistrements que les autres instructions de la ligne Opération, comme Somme et Compte, synthétisent pour vous.

L'emploi d'une seule instruction Regroupement dans une requête indique à Access de totaliser les résultats pour chaque valeur unique dans ce champ (par numéros de clients ou noms de produits, par exemple). Chaque élément unique n'apparaît qu'une seule fois dans les résultats, sur une seule ligne, avec ses informations de synthèse. Si vous incluez plusieurs instructions Regroupement dans une même requête (Figure 14.2), Access élabore une ligne de synthèse pour chaque combinaison unique des champs avec l'instruction Regroupement.

Placez l'instruction Regroupement dans le champ à synthétiser (qui répond à la question "Que voulez-vous compter *par ?*"). Par exemple, pour connaître le nombre de produits achetés *par chaque client,* l'instruction Regroupement doit aller dans un champ contenant un numéro de client, ou une autre information unique identifiant le client. Pour compter les clients *par états* de résidence, l'instruction Regroupement doit se trouver dans le champ contenant l'état.

Lorsque vous utilisez Regroupement, Access trie automatiquement les résultats dans l'ordre fondé sur le champ contenant l'instruction Regroupement. Si vous placez Regroupement dans le champ État/Province, par exemple, Access trie les résultats sur le contenu de ce champ, dans l'ordre alphabétique. Pour modifier ce comportement et choisir un ordre de tri différent, utilisez la ligne Tri dans la grille de requête (Figure 14.3). Choisissez le champ sur lequel vous voulez fonder le tri, puis placez la commande de tri appropriée (Croissant ou Décroissant, selon vos besoins) dans la ligne Tri de ce champ. Access s'occupe du reste et organise automatiquement les résultats de la requête dans l'ordre correct.

Ajouter un total avec Somme

Somme ne travaille que sur les champs numériques. Lorsque vous placez l'instruction Somme dans un champ, Access totalise les valeurs de ce champ. Lorsque vous utilisez l'instruction Somme seule dans une grille de requête, Access calcule le total des valeurs de ce champ pour l'intégralité de la table. En couplant une instruction Somme avec une instruction Regroupement (Figure 14.4), les résultats afficheront une somme pour chaque entrée unique dans le champ Regroupement.

Pour obtenir plusieurs synthèses pour chaque ligne de résultat, couplez l'instruction Somme avec une autre option Opération. Compte et Somme vont naturellement ensemble, de même que Somme et Moyenne, ainsi que Minimum

Correction des résultats de requête

Si une requête sur deux tables affiche trop ou pas assez de résultats, il est probable qu'un problème existe dans la façon dont Access considère les deux tables reliées. Heureusement, c'est un problème facile à corriger.

Lorsque vous reliez deux tables dans une requête, Access les affiche au-dessus de la grille de requête et les relie par une droite montrant le type de relation. Cette ligne mène également à la boîte de dialogue Propriétés de la jointure, qui fournit des informations sur la manière dont Access gère les données trouvées dans ces tables liées.

Pour afficher la boîte de dialogue Propriétés de la jointure, double-cliquez sur la ligne qui relie les deux tables. La petite boîte de dialogue visible à la figure ci-après apparaît. (Si la boîte de dialogue Propriétés de la requête s'affiche à la place, c'est que vous aurez cliqué à côté de la ligne. Fermez la boîte et réessayez.)

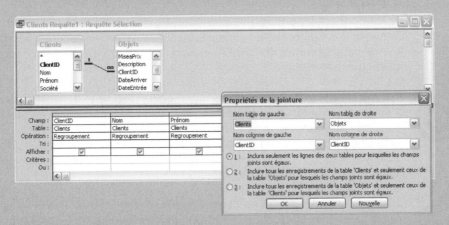

Étudiez les trois options situées dans la partie inférieure de la boîte de dialogue. Ces options indiquent à Access comment choisir les lignes à inclure dans les résultats de la requête. Par défaut, Access choisit la première option, qui affiche uniquement les enregistrements correspondants dans les deux tables reliées. Dans la plupart des cas, c'est le comportement que l'on attend d'Access. Dans ce cas, lorsqu'un enregistrement d'une table n'a pas d'enregistrement correspondant dans l'autre table, Access n'affiche pas cet enregistrement dans ses résultats. Si le résultat de la requête affiche un zéro dans la synthèse, l'option a probablement provoqué le problème.

Correction des résultats de requête (*suite*)

Si d'aventure vous voulez voir tous les enregistrements d'une des tables dans les résultats, choisissez la deuxième ou la troisième option dans la boîte de dialogue Propriétés de la jointure. Ces options affichent plus d'enregistrements dans les résultats : tous les enregistrements égaux, *plus* ceux qui ne le sont pas.

et Maximum. Pour limiter la plage d'enregistrements utilisés dans Somme, employez l'instruction Où (décrite un peu plus loin).

Comptage

L'instruction Compte opère un comptage. Elle n'effectue aucune opération mathématique sur les données de champ, elle fonctionne donc avec n'importe quel champ.

Lorsqu'elle est utilisée seule dans une requête (Figure 14.5), l'instruction Compte recense le nombre d'entrées dans un champ particulier en parcourant tous les enregistrements de toute la table, puis elle affiche la réponse. En utilisant Compte avec une ou plusieurs instructions Regroupement dans d'autres champs, vous compterez le nombre d'éléments apparentés à chaque entrée unique dans le champ Regroupement.

Pour un compte rapide et précis du nombre d'enregistrements dans un groupe, faites pointer les instructions Regroupement et Compte sur le même champ de la grille de requête (Figure 14.6). Pour faire partie du groupe, les enregistrements doivent disposer de données correspondantes dans un certain champ. Du fait que vous *savez* que le champ pour votre instruction Regroupement contient quelque chose (en d'autres termes, les données qui définissent les groupes pour les résultats de la requête), ce champ fait aussi un parfait candidat pour l'instruction Compte. Ajoutez une seconde fois le champ à votre grille de requête – en choisissant de nouveau le même nom de champ dans une nouvelle colonne, puis en sélectionnant Compte dans la ligne Opération.

Réduire les résultats avec l'instruction Où

L'instruction Où travaille un peu différemment des autres options de la ligne Opération. Au lieu de calculer, compter, etc., l'instruction Où sert à ajouter des critères à la requête (afficher des clients de certains états, inclure uniquement les commandes après une certaine date, etc.) sans encombrer les résultats avec des champs inutiles.

La requête de la Figure 14.7 utilise une instruction Où pour limiter les enregistrements apparaissant dans les résultats. À l'origine, cette requête compte les clients par État/Province et CodePostal, en listant chaque enregistrement dans la table. L'ajout d'une instruction Où dans le second champ État/Province indique à la requête qu'elle doit tester les données avant de les inclure dans les résultats. Dans ce cas, les critères de l'instruction Où retiennent les enregistrements concernant les personnes vivant uniquement dans l'Indiana ou la Géorgie (les données dans le champ État/Province sont égales à IN ou GA).

Choisir le champ adéquat pour l'instruction de synthèse

Le choix du champ qui reçoit une instruction Somme, Compte ou une autre instruction de ligne Opération affecte *grandement* les résultats de la requête. Si vous choisissez accidentellement un champ incorrect, Access échoue dans sa récolte des données.

Pourquoi un programme évolué comme Access tomberait soudain dans un coma numérique en réalisant de simples choses comme un comptage ou une somme ? Access ne synthétise pas *tout* enregistrement égal trouvé dans la table. Il ne repère en fait que les champs contenant quelque chose. Si le champ contenant une instruction dans la ligne Opération ne comprend pas de données, Access ignore l'enregistrement – il ne le prend pas en compte. La Figure 14.8 illustre ce comportement bizarre. Les trois premiers champs de chaque enregistrement de cette table (IDClient, Nom et Adresse1) contiennent des données, ce qui en fait de bons candidats pour une instruction Compte. Du fait que chaque enregistrement unique de la table a une valeur dans les champs IDClient, Nom et Adresse1, Access peut établir correctement le compte des enregistrements dans la table.

Comparez maintenant ces trois champs remplis avec tous les espaces vides dans les champs Adresse2, Téléphone personnel et Téléphone professionnel. Si vous aviez utilisé une instruction Compte dans un de ces champs, Access aurait compté uniquement les enregistrements comportant des données dans ces champs. C'est intéressant lorsque vous voulez savoir combien de clients ont fourni leur numéro de téléphone professionnel, mais ça coince si votre question se rapporte au nombre de clients résidant dans divers états.

Morale de l'histoire : évitez les erreurs en plaçant l'instruction Compte dans un champ contenant des données.

Chapitre 15

Calculez la distance qui vous sépare de la fortune et de la gloire

Une des règles les plus importantes dans la création d'une base de données est que cette dernière doit contenir aussi peu de champs que possible. Les petites tables se chargent plus rapidement, elles sont plus simples à gérer et à documenter et prennent moins de place sur le disque. Si un champ supplémentaire ne pose pas un problème en soi, il en posera certainement lorsque votre base contiendra plusieurs centaines de milliers d'enregistrements !

Comment les pros arrivent-ils à garder leurs tables toutes petites ? En n'y enregistrant que le strict nécessaire et en faisant des calculs pour trouver ce dont ils ont besoin. Par exemple, si votre table contient le prix HT et le prix TTC d'un article, vous pouvez la simplifier en ne gardant que le prix HT, et calculer le prix TTC à la volée.

Un champ calculé tire son information d'un autre champ de la base de données et réalise des opérations arithmétiques pour obtenir la nouvelle information. En fait, un champ calculé peut même tirer ces informations de plusieurs champs et les combiner pour créer un nouveau champ de toute pièce.

Ce chapitre vous apprend à effectuer tous les types de calculs dans une requête, calculs allant d'une simple somme à l'évaluation d'une équation complexe.

Bien que ce chapitre ne traite que des champs calculés des requêtes, les mêmes concepts sont applicables aux champs calculés des états. Quelques astuces supplémentaires relatives aux calculs des champs et des états sont données au Chapitre 20.

Un calcul simple

Pour calculer un champ dans une requête, vous devez savoir quels sont les champs nécessaires pour votre calcul et bien sûr quelles sont les tables qui contiennent ces champs. La requête doit en effet inclure toutes les tables nécessaires. Si vos champs sont tous situés dans la même table, seule cette table sera nécessaire. Par contre, s'ils sont répartis entre plusieurs tables, assurez-vous d'avoir bien ajouté toutes les tables à la requête. Sans quoi, Access sera incapable d'effectuer le calcul (bien qu'il puisse paraître particulièrement puissant, Access reste un vieux logiciel).

Commencez la création de votre champ calculé en cliquant dans la boîte vide "champ" de n'importe quelle colonne. Access place les résultats du calcul à la même position que le calcul lui-même (si celui-ci se trouve dans la troisième colonne de la grille de requête, les résultats du calcul seront également placés dans la troisième colonne). Choisissez simplement l'endroit où vous voulez que les résultats apparaissent et placez-y le calcul. Puis, au lieu de sélectionner un champ existant dans cette colonne, tapez la formule qu'Access doit calculer.

Comme vous devez vous en douter, Access utilise une syntaxe particulière pour la création des champs calculés. Vous ne pouvez en aucune façon entrer quelque chose comme "*ajoute les valeurs de ces champs et affiche le résultat*". Non, ce serait trop simple et trop facile à comprendre. Access, comme à son habitude, utilise quelque chose de bien plus compliqué.

En fait, la saisie d'un calcul s'effectue comme avec une calculatrice de poche, à l'exception que vous utilisez ici le plus souvent les noms des champs à la place de valeurs. Vous devez entourer les noms des champs avec des crochets ([") afin de signifier à Access qu'il s'agit d'une référence à une entrée de la base de données.

Dans l'exemple de vente aux enchères, supposons que vous attendiez un prix de vente minimal supérieur de 47 % à la mise à prix. Pour calculer les bénéfices attendus, vous allez donc ajouter 47 % à la valeur de départ. La formule est la suivante :

```
[MiseaPrix"*1.47
```

Les crochets qui entourent MiseaPrix indiquent à Access que MiseaPrix est un champ de la table. Puisque 1.47 n'est pas entouré de crochets, Access le traite comme une valeur numérique. La Figure 15.1 présente la formule finale.

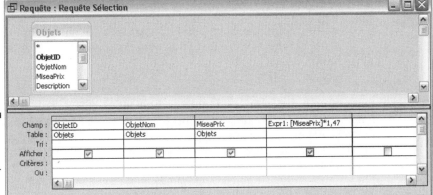

Figure 15.1
La formule de calcul, à côté des champs ordinaires.

Il n'y a aucune interdiction d'employer le même nom de champ deux fois dans un même calcul. Par exemple, vous résoudrez aussi l'exemple précédent avec cette formule qui montre mieux la façon dont se fait le calcul :

```
[MiseaPrix" + ([MiseaPrix" * 0,47)
```

Lorsque vous cliquez en dehors de la formule, Access insère le texte Expr1: devant ce que vous avez tapé. Pour savoir comment changer cela, lisez l'encadré ci-après.

Voici quelques astuces pour bien utiliser les formules :

- ✔ Vous devez ajouter à la main dans vos formules le nom de chacun des champs. En effet, vous ne pouvez pas faire glisser le nom d'un champ depuis la liste des tables.

   Faire glisser le nom d'un champ ajoute non pas le nom de ce champ, mais le champ lui-même (et ce n'est pas du tout ce que vous voulez faire ici).

- ✔ Ne vous inquiétez pas si votre requête augmente au point que certains éléments ne soient plus visibles à l'écran. Access se souvient de tous les champs présents. Pour élargir la colonne de requête, placez le pointeur de la souris sur la ligne à droite de la fine barre, au-dessus de la formule de calcul. Lorsqu'il se trouve sur la ligne, le pointeur se transforme en trait barré d'une flèche horizontale. Cliquez-glissez alors vers la droite ou la gauche. La colonne s'élargit ou se rétrécit en fonction.

TRUC

- Pour inclure des champs extraits de plusieurs tables dans un calcul, vous devez spécifier à Access le nom de la table et celui du champ, au lieu du nom du champ uniquement. Pour cela, entrez le nom de la table entre crochets, puis un point d'exclamation et enfin le nom du champ entre crochets. Votre texte doit avoir la forme suivante :

```
[table" ! [champ".
```

Lorsque vous exécutez une requête contenant un calcul, Access crée une feuille de données contenant les filtres que vous avez indiqués, ainsi qu'une nouvelle colonne affichant le résultat du calcul. À la Figure 15.2, la feuille de données contient le nom de l'objet, la mise à prix, ainsi que le champ calculé affichant le prix de vente espéré pour chaque article.

Requête : Requête Sélection

ObjetID	ObjetNom	MiseaPrix	Expr1
1	Lot Vêtements homme	30	44,1
2	Radio FM	5	7,35
3	Ordinateur portable	500	735
4	Imprimante portable	100	147
5	Guitar	100	147
6	Tableau-Femme	100	147
7	Tableau-Enfant	100	147
8	Tableau-Bateau mer	100	147
9	Indéfinissable	13	19,11
10	PDA	400	588
11	Ecran 17"	150	220,5
12	Casque	50	73,5
13	Walkman	100	147

Enr : 1 sur 13

Figure 15.2
Le calcul fonctionne !

Faire des calculs plus complexes

Après vous être fait la main sur de simples calculs, vous allez naturellement passer à la vitesse supérieure en introduisant des calculs et en créant des expressions qui utilisent le résultat d'autres calculs. Le tout dans une même requête !

Pourquoi Access nomme-t-il "Expr" tous les calculs ?

Malgré ses fortes capacités en calcul, Access n'est pas très créatif. Lorsque vous élaborez une première formule de calcul dans une requête, Access l'appelle Expr1, qui est la contraction de *expression une*, le premier calcul (ou expression) de la requête. Lorsque vous ajoutez un second calcul à la grille de requête, Access l'appelle automatiquement Expr2 (pour *expression deux*). Cela sert à organiser les expressions et à repérer les résultats dans la fenêtre de résultats.

Il est possible de nommer les champs calculés à votre goût. Pour remplacer Expr1 par un nom plus descriptif, cliquez sur le bouton Mode création. Vous affichez ainsi la grille de requête. Dans la formule, remplacez *Expr1* par le nom de votre choix. Attention à laisser le signe deux-points entre le nom du champ et la formule ! La figure suivante montre un exemple avec nouveau nom de formule.

Notez qu'Access appelle ce texte (le nom au-dessus du champ calculé) une *étiquette*. C'est un vieux terme d'informatique pour désigner du "texte qui décrit quelque chose."

Requête : Requête Sélection			

Objets
* ObjetID
ObjetNom
MiseaPrix
Description

Champ :	ObjetID	ObjetNom	MiseaPrix	PrixdeVentePrevu: [MiseaPrix]*1,47
Table :	Objets	Objets	Objets	
Tri :				
Afficher :	☑	☑	☑	☑
Critères :				
Ou :				

Ajouter un, non deux calculs !

Access facilite l'intégration de multiples calculs dans une seule requête. Après avoir effectué le premier calcul, il suffit de répéter le processus dans la suivante.

Vous pouvez utiliser le même champ dans plusieurs calculs, Access n'en a que faire.

Une seule expression pour répondre à plusieurs questions

Une des possibilités les plus puissantes avec les champs calculés est d'utiliser la solution d'un champ calculé pour faire un *autre* calcul dans la même requête.

Bien que cela puisse paraître simple, nous atteignons ici la frontière qui nous sépare du monde des vrais techniciens. Allez-y avec beaucoup de précautions, car la moindre erreur dans un calcul se transformera rapidement en une énorme erreur dans le résultat.

Chaque calcul a un nom (le texte devant le calcul, dans la grille de requête). Ce nom peut être le nom par défaut, Expr1, ou quelque chose de plus parlant, comme PrixdeVente. Vous pouvez changer l'étiquette pour quelque chose de plus descriptif (comme PrixdeVente) en utilisant la technique expliquée dans l'encadré "Pourquoi Access nomme-t-il Expr tous les calculs ?". Pour utiliser le résultat d'un calcul dans un autre calcul, il suffit d'ajouter le nom du premier calcul entre crochets dans le second. Ou si vous préférez il faut traiter le premier calcul comme s'il s'agissait d'un champ de votre table.

La requête de la Figure 15.3 illustre l'utilisation de cette technique. Ici, le résultat du premier calcul est exploité dans le second (Profit). Dans le second calcul, PrixdeVentePrevu semble un champ normal, entouré de crochets. Access le traite ainsi, malgré le fait qu'il s'agisse d'un autre calcul dans la même requête.

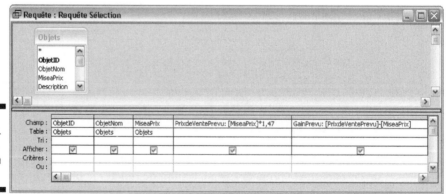

Figure 15.3
Utilisez le résultat d'un champ calculé dans un autre.

La Figure 15.4 montre les résultats d'exécution de la requête. Access affiche les résultats des deux calculs sous les mêmes noms d'étiquettes que ceux qui apparaissent dans les calculs : PrixdeVentePrevu et GainPrevu.

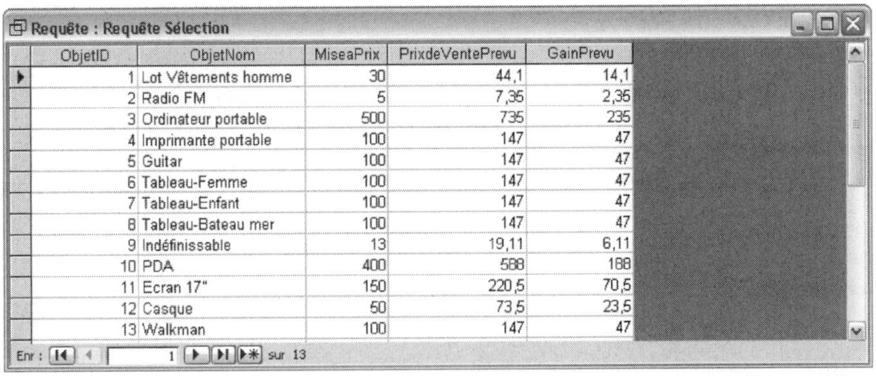

Requête : Requête Sélection

ObjetID	ObjetNom	MiseaPrix	PrixdeVentePrevu	GainPrevu
1	Lot Vêtements homme	30	44,1	14,1
2	Radio FM	5	7,35	2,35
3	Ordinateur portable	500	735	235
4	Imprimante portable	100	147	47
5	Guitar	100	147	47
6	Tableau-Femme	100	147	47
7	Tableau-Enfant	100	147	47
8	Tableau-Bateau mer	100	147	47
9	Indéfinissable	13	19,11	6,11
10	PDA	400	588	188
11	Ecran 17"	150	220,5	70,5
12	Casque	50	73,5	23,5
13	Walkman	100	147	47

Enr : 1 sur 13

Figure 15.4 Résultats des calculs de PrixdeVentePrevu et GainPrevu.

Répondez à Access

Si vous voulez ajouter à votre formule une valeur qui ne soit pas extraite de votre base de donnés, indiquez cette valeur en toutes lettres dans votre formule, comme nous l'avons fait avec 1.47 lorsque nous voulions ajouter 47 % à la valeur initiale. Mais vous pouvez très bien indiquer cette valeur juste avant l'exécution de la requête, et ce sans avoir à modifier votre formule.

Il suffit en effet de créer un nom de champ à utiliser avec votre formule. Ainsi, vous pouvez par exemple calculer le champ PrixSouhaité en n'indiquant la valeur du pourcentage qu'au moment de l'exécution de la requête. Supposons que ce champ s'appelle PourCent. Utilisez la formule suivante pour créer votre champ calculé :

```
[MiseaPrix" * (1 + [PourCent")
```

Lorsque vous exécutez la requête, Access affiche une boîte de dialogue semblable à celle de la Figure 15.5. Cette boîte de dialogue va vous permettre d'indiquer la valeur du pourcentage à appliquer.

Lorsque la boîte de dialogue apparaît, entrez la valeur correspondant au pourcentage à ajouter (sous forme de valeur décimale), et laissez Access faire le reste.

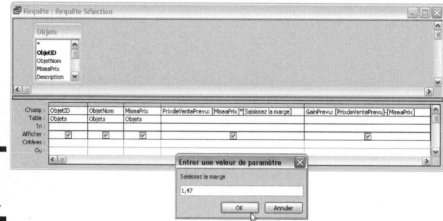

Figure 15.5
Access vous
demande votre
marge de profit.

Lors du choix d'un nom pour cette valeur, n'utilisez pas le nom d'un champ existant de la table. Choisissez plutôt quelque chose qui décrive le nombre ou la valeur. Comme vous pouvez le constater dans la grille de requête à la Figure 15.5, j'apprécie les choses comme [Saisissez la marge", car ce nom est parlant. Lorsque vous reverrez cette requête plusieurs mois ou années plus tard, vous comprendrez facilement que l'élément appelé [Saisissez la marge" n'est pas un champ normal, mais une valeur qu'Access réclame lors de l'exécution de la requête. Par ailleurs, ces noms sont pratiques lorsqu'ils sont affichés dans la boîte de dialogue proposée par Access pour recueillir la valeur.

Jouez sur les mots

Les champs numériques ne sont pas les seuls champs que vous puissiez inclure dans vos calculs ; en fait, effectuer des calculs sur des champs texte est souvent plus utile. La Figure 15.6 illustre l'emploi de l'une des formules de bases de données les plus communes, qui combine les champs Nom et Prénom pour obtenir un nom complet.

Cette formule ajoute un espace au champ Prénom, puis ajoute à ce résultat le champ Nom :

```
[Prénom"&" "&[Nom"
```

Lorsque vous exécutez cette requête, Access extrait les informations des deux champs et les combine en insérant un espace entre les deux valeurs (Figure 15.7).

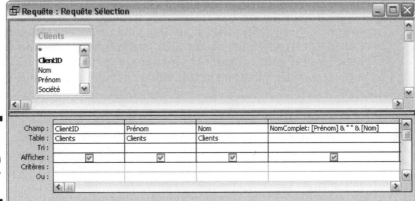

Figure 15.6 Transformation de deux noms en un champ calculé.

ClientID	Prénom	Nom	NomComplet
1	Stéphane	Bonplan	Stéphane Bonplan
2	Albert	Dupont	Albert Dupont
3	Denis	Dutemps	Denis Dutemps
4	Erika	Whitechurch	Erika Whitechurch
5	Morris	Rex	Morris Rex
6	Piôtr	Chôvo	Piôtr Chôvo
7	Peter	Parket	Peter Parket
8	Marc	Lelievre	Marc Lelievre
9	Bruce	Yatsak	Bruce Yatsak
10	Patricia	Philipe	Patricia Philipe
11	Xavier	X	Xavier X
12	Laure	Kruger	Laure Kruger
luméroAuto)			

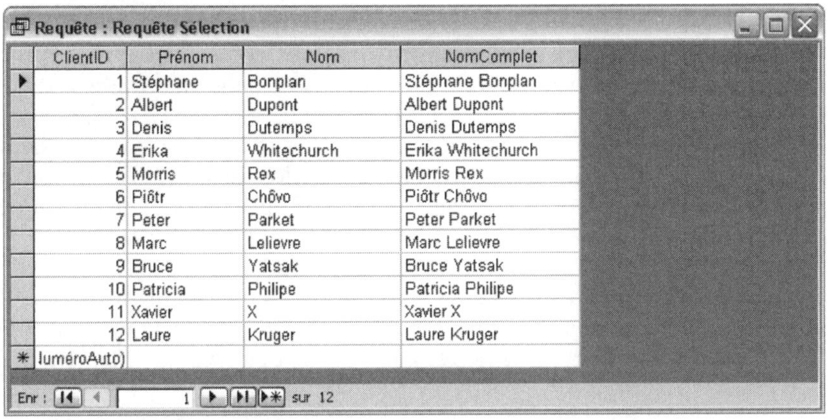

Figure 15.7 Les champs Nom et Prénom sont combinés pour afficher le nom complet.

Le générateur d'expression à la rescousse

La création d'un champ calculé nécessite de résoudre deux problèmes :

- Définir ce à quoi la formule doit répondre.
- Entrer la formule de manière compréhensible pour Access.

Hélas, Access ne peut pas vous aider à résoudre le premier problème. Cependant, il peut vous aider pour le second. Cliquez sur le bouton Créer afin d'afficher le générateur d'expression.

En théorie, le Générateur d'expression vous guide dans la construction d'une formule en respectant la syntaxe nécessaire. La théorie est une merveilleuse chose, mais elle ne colle pas toujours à la dure réalité de l'existence. Bien que le Générateur d'expression puisse aider quelque programmeur à développer l'ultime formule pour voyager dans le temps, il est plutôt perturbant pour une personne normale qui désire simplement construire une formule qui fonctionne.

Avant de recourir au générateur d'expression, essayez de vous dépanner. Si vos formules ne fonctionnent pas de la façon attendue, vérifiez soigneusement l'écriture de chaque nom de champ. La majorité des problèmes viennent d'erreurs simples comme celles-ci. Essayez par ailleurs d'insérer les noms de tables avec les noms de champs en respectant la notation [NomTable"![NomChamp" mentionnée précédemment dans ce chapitre. Si rien n'est concluant, plongez-vous dans le Générateur d'expression. Il est possible qu'il vous vienne en aide.

Le générateur d'expression est composé de diverses parties (Figure 15.8). La partie supérieure contient les expressions créées. Vous trouvez immédiatement en dessous les opérateurs utilisables dans vos expressions.

Le premier groupe d'opérateurs correspond aux fonctions mathématiques simples telles que l'addition, la soustraction, la division et la multiplication. Le deuxième, composé uniquement du bouton &, permet de combiner deux champs Texte entre eux.

Les deux groupes suivants contiennent des opérateurs logiques. Ces opérateurs créent des expressions analogues aux formules que nous utilisons dans les champs Critère. Ils ne retournent que deux valeurs : vrai ou faux.

Enfin, les deux boutons restants permettent d'entrer des parenthèses (mais vous pouvez tout aussi bien saisir ces symboles à partir du clavier).

La moitié inférieure de la boîte de dialogue contient trois zones. Lorsque vous cliquez sur un élément dans la première zone, son contenu s'affiche dans les deuxième et troisième zones. Le volume d'informations affichées est variable. La première zone sur la gauche comporte des dossiers correspondant aux tables, requêtes, formulaires et autres éléments de la base de données active.

Le bas de la liste de la première fenêtre comporte également quelques éléments pour ceux qui aiment vraiment la technique. Ces dossiers contiennent des constantes (comme *vrai* et *faux)*, une liste d'opérateurs disponibles pour les comparaisons et les formules, ainsi qu'un dossier nommé Expressions communes qui contient des éléments qui ne concernent que l'élaboration d'états.

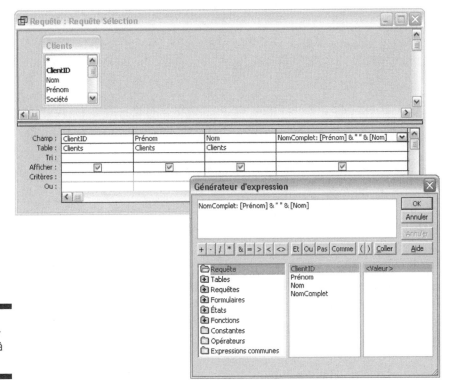

Figure 15.8
Le générateur
d'expression à
l'œuvre.

Le Générateur d'expression travaille comme une calculatrice croisée avec un traitement de texte. Pour inclure des éléments dans une expression (affichée en haut de la fenêtre), double-cliquez sur les éléments dans la zone inférieure de la fenêtre. Cliquez sur les boutons juste au-dessous de la fenêtre du haut pour inclure différents opérateurs dans l'expression.

Le Générateur d'expression est-il utile ? Sacrée bonne question. Cela dépend de votre facilité d'apprentissage et de quel type d'assistance vous avez besoin. Si vous pensez que le Générateur d'expression vous sera utile, cliquez sur le bouton Aide, dans sa fenêtre... le Compagnon Office vous guidera.

Chapitre 16

Edition automatique

. . . .

Dans ce chapitre :

▷ Opération stressante.

▷ Remplacer des données.

▷ Supprimer des données.

▷ Mettre à jour des données.

. . . .

Corriger une saisie incorrecte dans une table Access est très facile. Deux clics de souris, quelques frappes, et hop le problème est résolu !

Mais que faire si vous devez corriger 26 281 enregistrements ? Editer une table manuellement ne se fait pas en deux clics et hop ! Cette opération nécessite pas mal d'étapes.

Heureusement, Access comprend une grande variété d'outils d'édition. Ils vous permettent d'effectuer d'importantes modifications dans vos bases de données sans avoir à y mettre votre grain de sel. Ce chapitre vous présente les outils disponibles dans Access et vous donne quelques exemples d'utilisation.

Au préalable

Lisez ce chapitre avec attention. Les requêtes que je décris ici sont des outils merveilleux, mais ce sont également des lames à double tranchant.

Utilisées correctement, ces requêtes d'édition automatique vous font gagner un temps fou. Malheureusement, si une erreur se produit, elles peuvent créer quantité de dommages dans votre table d'un seul clic ! Que vous comptiez supprimer, modifier ou ajouter des données dans vos tables avec l'une de ces requêtes, prenez le temps de faire une copie de sauvegarde – au moins de la table, si ce n'est de la base de données.

Pour effectuer une sauvegarde d'une table, respectez les étapes suivantes :

1. **Ouvrez le fichier de base de données, puis cliquez sur le bouton Tables, à gauche.**

   Access affiche la liste de toutes les tables de la base de données.

2. **Cliquez du bouton droit de la souris sur la table que vous comptez éditer, puis sélectionnez Copier dans le menu déroulant qui apparaît.**

   Access met une copie de la table dans le Presse-papiers Windows.

3. **Cliquez du bouton droit de la souris n'importe où dans la fenêtre base de données, et sélectionnez Coller dans le menu déroulant qui apparaît.**

   La boîte de dialogue Coller la table en tant que apparaît.

4. **Entrez le nom de cette nouvelle table (par exemple Sauvegarde de la table Client), puis cliquez sur OK.**

   (Ne vous occupez pas des autres boutons radio. Les paramètres par défaut conviennent tout à fait.)

   La boîte de dialogue se ferme et vous avez à votre disposition une copie de la table originale.

Corrections rapides et faciles : effacer vos erreurs

Les requêtes d'édition automatique sont très puissantes. Mais avant d'entamer des projets de grande envergure, voici une technique d'édition à petite échelle. Cette technique peut paraître simpliste, mais elle très pratique.

Vous pouvez effectuer des travaux d'édition à petite échelle en utilisant la commande Remplacer, comme suit :

1. **Ouvrez une table en mode Feuille de données.**

2. **Cliquez sur la colonne dans laquelle vous allez effectuer quelques modifications, puis sélectionnez Edition/Remplacer.**

   La boîte de dialogue Rechercher et remplacer s'ouvre (Figure 16.1).

Figure 16.1
La boîte de dialogue Rechercher et remplacer vous permet de modifier des informations dans une table.

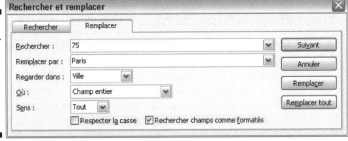

3. **Entrez la valeur que vous voulez remplacer dans la boîte Rechercher. Puis entrez la nouvelle valeur dans la boîte Remplacer.**

4. **Selon la façon dont vous voulez appliquer les changements dans votre table, cliquez sur l'un ou l'autre des boutons du côté droit de la fenêtre.**

Lorsque vous cliquez sur l'un des boutons Remplacer ou Remplacer tout, Access change les données dans la table *de façon définitive*. Rappelons qu'Access vous permet d'annuler uniquement le dernier changement apporté : si vous avez cliqué sur Remplacer tout et modifié 12 528 enregistrements, Access ne permet d'annuler que le tout dernier enregistrement modifié (les 12 527 autres garderont leur nouvelle valeur !).

- **Pour passer à l'élément suivant à modifier, cliquez sur Suivant.** Le pointeur se place sur l'enregistrement suivant contenant le texte entré dans la case Rechercher. Aucune modification n'est opérée à ce stade (Access ne fait que trouver un élément correspondant). Pour opérer un changement, cliquez sur le bouton Remplacer (voir ci-après).

- **Pour appliquer la modification à l'enregistrement en cours, cliquez sur Remplacer.** Le changement est appliqué *et* le pointeur est placé sur l'enregistrement correspondant suivant. Cliquez de nouveau sur Remplacer pour continuer le processus. Pour passer un enregistrement sans le modifier, cliquez sur Suivant.

- **Pour apporter les modifications *partout* dans la table, cliquez sur le bouton Remplacer tout.** Access ne demandera pas confirmation pour chaque remplacement. Aussi, ne choisissez pas cette option sans être *absolument certain* de vouloir appliquer le changement partout.

5. **Cliquez sur Annuler ou sur le bouton "X" en haut à droite de la boîte de dialogue lorsque vous avez terminé.**

   La boîte de dialogue Rechercher et remplacer se ferme ; vos données ont été modifiées.

Si vous avez mal orthographié "enchères", par exemple, dans toutes les données (ce que je déteste) et deviez corriger toutes les occurrences du mot, il vous suffit de saisir la mauvaise orthographe de ce mot dans la boîte Rechercher et la bonne dans la boîte Remplacer, puis de cliquer sur le bouton Remplacer tout. Access recherche et modifie toutes les instances de ce mot.

Access vous permet de contrôler toute l'opération. En plus des options de la commande Rechercher (voir Chapitre 10), la commande Remplacer propose des options supplémentaires :

- **Champ entier :** Cette option est activée si vous cliquez sur la flèche orientée vers le bas. Elle indique à Access de rechercher les cases où l'information contenue dans Rechercher *correspond exactement* à une entrée dans la table. (Si la donnée comporte un caractère supplémentaire – même une seule lettre –, Champ entier indique à Access de la sauter.)

- **N'importe où dans le champ :** Opère le remplacement chaque fois que le texte est localisé dans *n'importe quelle portion* du contenu du champ. Par exemple, supposons que le remplacement porte sur le code de zone dans un numéro de téléphone. Eh bien, il est également effectué si ce code apparaît autre part dans le numéro de téléphone.

- **Début de champ :** Remplace le texte seulement s'il apparaît au début du champ. Cette option remplace le code de zone dans une série de numéros de téléphone sans toucher au reste des numéros.

Si quelque chose se passe mal en cours d'édition, n'oubliez pas la merveilleuse option Effacer. Il suffit de sélectionner Edition/ Effacer dans le menu principal, ou d'appuyer sur les touches Ctrl+Z.

Différentes requêtes pour différentes tâches

Bien que les requêtes Sélection effectuent la plus grande partie du travail sous Access, elles ne sont pas seules dans le merveilleux monde d'Access. Les requêtes Sélection sont un exemple parmi les types de requêtes que vous pouvez utiliser. Vous pouvez changer le type de requête en sélectionnant un nouveau type dans le menu Requête (que vous trouverez dans le mode Création de requête), ou en cliquant sur le bouton Type de requête dans la barre d'outils du mode Création de requête. Cliquez sur la flèche orientée vers le bas, à droite du bouton Type de requête ; une liste de types de requêtes s'affiche (Figure 16.2).

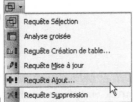

Figure 16.2
Choisissez un type de requête différent dans la liste.

Les quatre derniers types de requêtes (Création table, Mise à jour, Ajout et Suppression) ont des points d'exclamation pour vous rappeler que ces types de requêtes modifient l'organisation de vos informations. Si vous travaillez avec ces types de requêtes, cliquez sur le bouton Affichage pour prévisualiser les enregistrements qu'elles ont affectés. D'ailleurs, je vous conseille fortement d'afficher un aperçu avant d'exécuter une requête. L'aperçu est le seul moyen de vérifier que les modifications obtenues sont bien celles que vous avez faites.

La requête Suppression

Les requêtes d'édition les plus faciles sont celles relatives à la suppression. Malheureusement, ce sont également les plus dangereuses. (Je me demande bien pourquoi les adjectifs "facile" et "dangereux" vont toujours de pair en informatique !)

La création d'une requête Suppression est identique à celle d'une requête Sélection, excepté pour ce qui concerne le paramétrage du type. Avant de créer une requête Suppression, créez une requête Sélection pour vérifier vos critères et vous assurer que les requêtes trouvent les enregistrements que vous recherchez. Une fois que tout est au point, transformez la requête Sélection en requête Suppression.

Voici comment créer une requête Suppression :

1. **Créez une banale requête Sélection.**

2. **Définissez les critères pour déterminer les enregistrements que vous allez supprimer.**

3. **Exécutez la requête Sélection pour vérifier qu'elle trouve *seulement* les enregistrements voulus.**

   Si la requête Sélection trouve d'autres enregistrements, ajustez les critères de telle sorte qu'il n'y ait pas de correspondance supplémentaire.

4. **Revenez en mode Création.**

5. **Cliquez sur le bouton Type de requête, et sélectionnez Suppression dans la liste déroulante (ou sélectionnez Suppression dans le menu Requête).**

   Le nom de la barre de titre a changé ; Tri par ligne est devenu Suppression ligne (Figure 16.3). Si vous cliquez sur le bouton Exécuter la requête, tous les enregistrements de la table Clients dont le nom de famille commence par H sont supprimés. (L'information sur l'emplacement de l'enregistrement se trouve dans cette requête – cette information a été traitée par la requête Sélection originale que j'ai utilisée pour lister tous ces enregistrements.)

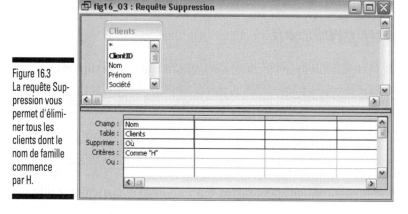

Figure 16.3
La requête Suppression vous permet d'éliminer tous les clients dont le nom de famille commence par H.

6. Exécutez la requête.

Access affiche un message vous demandant si vous voulez supprimer ces enregistrements. Il vous rappelle également que, après cette opération, vous ne pourrez plus récupérer ces données.

7. Cliquez sur Oui si vous voulez supprimer ces enregistrements.

La requête est exécutée. Access trouve les enregistrements qui correspondent aux critères, puis les supprime dans la table.

Voilà, c'est tout ce que vous devez faire !

Vous ne pouvez pas annuler les modifications que vous avez faites avec la requête Suppression. Une fois les enregistrements supprimés, vous ne pouvez pas les récupérer, et ce à jamais.

Vous pouvez créer des requêtes Suppression qui recherchent l'information dans plusieurs tables. Cependant, soyez particulièrement prudent, car le nombre des modifications peut augmenter de manière spectaculaire si vos requêtes ne fonctionnent pas très bien. Encore une fois, je vous conseille d'effectuer une sauvegarde de votre base de données, puis d'exécuter au préalable une requête Sélection pour lister les enregistrements que vous allez supprimer.

Effectuer des modifications peut être encore plus compliqué si vous supprimez des enregistrements qui se trouvent dans plusieurs tables. Access peut le faire si – et seulement si – les enregistrements à supprimer dans une table sont liés dans une relation un à un. Autrement dit, chaque enregistrement doit être lié à un seul enregistrement dans l'autre table.

Une relation un à un se reconnaît au signe de ponctuation (le point) dans la grille de relation, en haut de l'écran Requête. Les relations un à plusieurs sont indiquées par le symbole mathématique de l'infini (8). Pour supprimer les enregistrements dans des tables aux relations un à plusieurs, vous devez exécuter deux requêtes séparément : une pour supprimer les enregistrements dans la première table, l'autre pour supprimer ceux dans la seconde.

En fonction des paramètres de vos bases de données, Access peut ou non vous permettre de supprimer des enregistrements. Des suppressions un à plusieurs nécessitent une touche technique d'*intégrité référentielle*. Autrement dit, les enregistrements doivent exister dans une certaine table, car les enregistrements correspondants dépendent les uns des autres dans une autre table. Malgré l'inquiétante étrangeté de l'intégrité référentielle, de nombreuses bases de données d'entreprises l'utilisent, car elle assure qu'une foule d'erreurs ne se produiront pas par accident. Si vous travaillez dans une grande entreprise et que vous pensez supprimer des données, tout en laissant une erreur d'intégrité référentielle se produire, contactez le département de l'informatique. Il vous sera du plus grand secours.

De grands changements

Comme tout dans la vie, les bases de données changent. Heureusement, vous pouvez modifier radicalement une base de données de manière automatique en utilisant la requête Mise à jour. La requête Mise à jour vous permet d'utiliser une requête pour sélectionner des enregistrements et de recourir ensuite à des instructions pour modifier les données.

Comme pour les autres types de requêtes qui modifient les données (par exemple la requête Suppression dont je viens de parler), vérifier le bon fonctionnement de votre requête sur les enregistrements que vous avez sélectionnés est vital. Définissez et testez vos critères avec une requête Sélection avant d'exécuter la requête en question.

Si vous utilisez une requête Mise à jour, en sélectionnant Mise à jour soit dans le menu Requête, soit dans la liste des types, votre grille de requête se modifie (Figure 16.4).

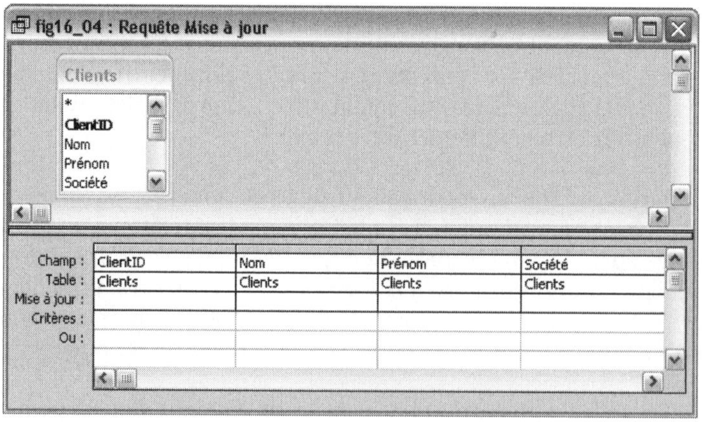

Figure 16.4
Une requête
Mise à jour offre
une nouvelle
ligne appelée
Mise à jour.

Même si cette requête semble tout à fait normale, cette grille comprend une nouvelle ligne estampillée Mise à jour. Vous pouvez utiliser toute sorte de critères pour sélectionner des enregistrements, tout comme vous le faites avec une quelconque requête Sélection. Par exemple, vous pouvez sélectionner tous les enregistrements pour lesquels le nom de famille du client est "Stéphane". Pour cela, définissez votre critère avec le champ NomdeFamille, et tapez Stéphane dans la ligne Critère.

Pour une raison quelconque, la famille Stéphane a décidé – afin d'éviter toute confusion – de prendre comme prénom Laurent. Il vous suffit alors de parcourir et de modifier chaque enregistrement manuellement. Vous pouvez également utiliser la requête Mise à jour en entrant Marc dans la ligne Mise à jour, sous Prénom. Votre écran devrait ressembler à la Figure 16.5.

Figure 16.5
La requête Mise à jour trouve tous les clients dont le nom de famille est "Stéphane" et change le prénom en Laurent.

Lorsque vous exécutez une requête, un message d'avertissement apparaît vous indiquant que vous mettez à jour des enregistrements. Cliquez sur Oui pour effectuer les modifications.

Votre requête Mise à jour peut impliquer plusieurs tables. Supposons que vous comptiez ajouter une note sur chaque objet dont le montant minimal de mise à prix s'élève à plus de 100 euros. Voici comment rechercher dans plusieurs tables :

1. **Dans la fenêtre Création requête, sélectionnez les tables dans lesquelles vous allez trouver les enregistrements que vous mettrez à jour.**

   Ici, vous avez besoin des tables Clients et Articles.

2. **Sélectionnez les champs dont vous avez besoin pour créer la requête Sélection.**

Ici, vous avez besoin de la colonne Notes de la table Clients (car vous la mettez à jour !) et de la colonne MiseaPrixMinimum de la table Articles.

3. **Cliquez sur le bouton Requête Mise à jour pour changer de type de requête.**

   Access ajoute une ligne Mise à jour dans le mode Création table.

4. **Entrez le critère de recherche (la sélection) pour localiser les enregistrements que vous allez mettre à jour.**

   Ici, tapez > **100** dans la ligne Critère, sous MiseaPrixMinimum (Figure 16.6).

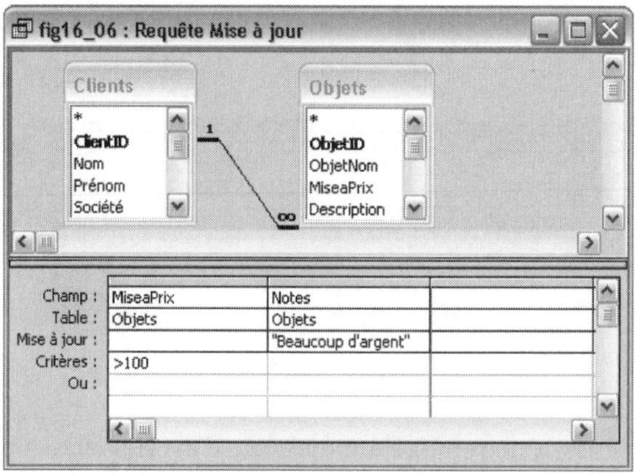

Figure 16.6 Cette requête trouve tous les clients qui ont acheté des articles à plus de 100 euros. Elle les inscrit dans la colonne "Beaucoup d'argent" !

5. **Entrez la nouvelle valeur des champs à mettre à jour.**

   A la Figure 16.6, j'ai entré "Beaucoup d'argent !" dans la ligne Mise à jour colonne Notes.

6. **Exécutez la requête.**

   Access vous indique respectueusement le nombre de lignes mises à jour et vous offre une chance d'annuler si vous changez d'avis (cliquez sur Annuler !). Trop cool !

Vous pouvez également modifier la valeur existante d'un champ. Pour cela, faites des calculs comme décrit au Chapitre 15. Supposons que vous vouliez ajouter 10 % à MiseaPrixMinimum pour tous les articles destinés aux clients parisiens. Pour modifier la valeur existante d'un champ, effectuez les étapes suivantes :

1. **Dans la fenêtre Requête Mise à jour, sélectionnez le champ que vous recherchez et entrez un critère de recherche approprié.**

   Ici, j'ai sélectionné le champ Ville et entré le critère PARIS.

2. **Sélectionnez le champ que vous allez mettre à jour et entrez la nouvelle valeur dans la ligne Mise à jour.**

   Ici, j'ai entré la formule [**Articles"![MiseaPrixMinimum"*1.1**, sous MiseaPrixMinimum (Figure 16.7).

Figure 16.7 Cette requête trouve tous les clients qui habitent Paris et augmente la mise à prix minimale de 10 %.

Les crochets indiquent à Access que vous faites référence à une table, ou un champ. Si vous rencontrez quelque chose du type [Articles"![MiseaPrixMinimum"], le premier jeu de crochets contient le nom de la table, et le second le nom du champ. Un point d'exclamation les sépare.

3. **Exécutez la requête Mise à jour pour effectuer la modification de vos données.**

Je sais, je l'ai déjà dit, mais je le redis encore : attention ! Ces requêtes (Mise à jour et Suppression) peuvent affecter un grand nombre de données et ne peuvent pas être annulées. Si vous exécutez une requête sans entrer un critère, la mise à jour (ou la suppression) s'effectue dans tous les enregistrements de la table ! Exécutez au moins une requête Sélection en premier pour vérifier que vous avez sélectionné les bons enregistrements. Ensuite, transformez la requête Sélection en requête Mise à jour ou Suppression. Mieux encore, faites une sauvegarde !

Quatrième partie
Imprimez le contenu de vos tables

Dans cette partie...

Quelqu'un a déclaré un jour que la révolution informatique ferait disparaître à jamais le support papier. Inutile de vous dire que cette personne avait tort. (Aux dernières nouvelles, elle écrit l'horoscope dans l'un des grands journaux à scandale américains.)

Jusqu'ici, nous avons vu comment ajouter et combiner des données dans une table. Il est temps maintenant de les extraire, de les filtrer et de les enregistrer et, pour la postérité, de les imprimer. Access comporte pour cela de puissants outils de génération d'états qui vous permettront d'agencer au mieux vos rapports de plusieurs milliers de pages. Mieux encore, vous pourrez réellement les exploiter grâce à la génération automatique de tables des matières. Ouvrez bien les yeux, vous allez voir ce que vous allez voir !

Chapitre 17

Etats instantanés

Que faire si une personne (votre patron, par exemple) désire voir vos superbes travaux (feuilles de données, tables et requêtes) ? Et que faire si ce patron veut partager les travaux susmentionnés avec l'ensemble de la société ? Il y a de fortes chances que l'équipe de gestion ne souhaite pas s'agglutiner autour de votre écran et étudier des centaines d'enregistrements et des dizaines de requêtes (en plus, votre bureau n'est pas *si* grand que cela).

Heureusement, Access comporte des outils de création et d'impression des états. En fait, Access considère la création d'états comme faisant partie intégrante de la création d'une base de données. Les états reprennent les informations contenues dans votre base de données (notamment les états extraits de tables ou de requêtes) et organisent ces informations en fonction de vos instructions. Access inclut même des assistants d'états pour vous guider pas à pas dans la création d'états qui correspondent à vos besoins.

Vous devez lire ce chapitre, car votre patron veut un état "tout de suite". Les pages qui suivent vous présentent l'usine des états instantanés dans laquelle s'affairent de petits lutins numériques prêts à créer vos états. Si votre patron vous donne suffisamment de temps, la dernière section de ce chapitre (ainsi que les autres chapitres de cette partie) vous explique comment embellir votre état final, en en faisant un objet agréable à regarder, et utile.

Obtenir des informations très vite

Considérez les états instantanés comme étant vos propres résumés. Ces outils excellent dans cette tâche. Ils construisent l'état d'une simple table en fonction de vos instructions. Lancez le logiciel, dites-lui ce que vous voulez, et votre état est aussitôt fait.

Bien que les états instantanés ne fonctionnent qu'avec une seule table à la fois, vous pouvez choisir l'un des deux types suivants : Colonne ou Tableau. Ces deux états organisent les mêmes données, mais de manière différente :

- ✔ Les *états instantanés Tableau* mettent toutes les informations relatives à chaque enregistrement sur une ligne, avec une colonne distincte pour chaque champ. Le format Tableau affiche le nom des champs au-dessus de chaque colonne (attribuant souvent un nom tant que vous n'avez pas décidé de quoi il retourne) et rassemble ces colonnes comme il se doit, à l'horizontale, sur une seule page.

- ✔ Les *états instantanés Colonnes* fournissent deux colonnes – une pour le nom, l'autre pour le contenu du champ –, placées à la verticale dans une page. Si la table contient plus de 15 champs, chaque enregistrement commence en règle générale sur une nouvelle page.

Je n'ai pas vraiment de préférence pour l'un ou l'autre type. Ce choix relève avant tout d'une question de goût. Le seul conseil que je peux vous donner est que le format Tableau convient particulièrement bien pour les états ayant un grand nombre d'enregistrements avec de petits champs, tandis que le format Colonne s'adapte parfaitement aux états ayant de grands champs mais peu d'enregistrements.

Que vous choisissiez le format Tableau ou le format Colonne, libre à vous de changer le type de création des états instantanés quand vous le voulez. Prenez comme point de départ le modèle d'état qui vous est proposé, puis ajoutez les titres, en-têtes, pieds de page, etc. Puisque Etat instantané construit un état Access classique, passez en mode Création ; ce mode met à votre disposition des outils de développement et de formatage. Lisez les Chapitres 19 et 20 pour obtenir de plus amples informations sur le formatage, les en-têtes et autres fonctionnalités du système d'états.

Sur la route de la transmission des informations

Même si Etat instantané comprend deux outils distincts pour construire des états (Tableau ou Colonne), ces deux types d'états fonctionnent exactement de la même manière, à l'exception de l'organisation des données dans l'état final. Mais *d'un point de vue purement fonctionnel*, ils sont identiques.

L'avantage des requêtes

Access vous permet de construire un état à partir d'une requête ; cela présente un énorme avantage. Lorsque vous construisez l'état d'une table, vous récupérez un état contenant tous les enregistrements de cette table. Mais que faire si vous voulez récupérer un certain nombre d'enregistrements ? Access le fait. Il suffit de créer une requête, puis de construire l'état en fonction de cette requête.

L'avantage ne s'arrête pas là. Si vous créez une requête étendue à plusieurs tables, Access classe soigneusement vos résultats dans une seule feuille de données. Si la requête retourne les informations voulues dans la feuille de données, l'état, fondé sur les résultats de cette requête, classe et affiche les informations comme vous le souhaitez. (Reportez-vous au Chapitre 12 pour savoir comment créer une requête en utilisant plusieurs tables.)

Pour créer un état instantané Colonne ou Tableau, effectuez ces étapes :

1. **Cliquez sur le bouton Etat, sous la barre Objets de la fenêtre principale de votre base de données, puis cliquez sur Suivant.**

   La boîte de dialogue Nouvel état apparaît, vous présentant différents types d'états.

2. **Sélectionnez Etat instantané : Colonnes ou Etat instantané : Tableau en fonction des informations dont vous avez besoin.**

   Une fois que vous avez sélectionné l'état instantané dans la liste, l'image de la fenêtre Nouvel état se métamorphose en une illustration de la mise en page de cet état (Figure 17.1).

3. **Cliquez dans la liste déroulante située en bas de la boîte de dialogue pour sélectionner la table ou la requête que vous allez utiliser.**

   Faites défiler les options proposées jusqu'à ce que vous ayez trouvé la table ou la requête qui sera la base de votre état. Rappelez-vous que tout état instantané traite une seule requête ou table.

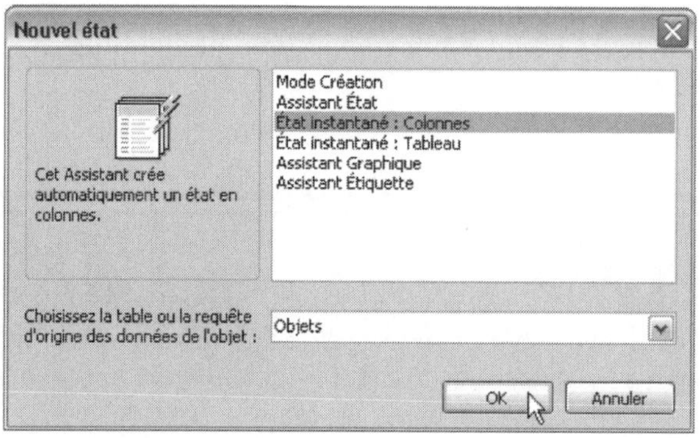

Figure 17.1
L'Assistant crée
un état Colonnes
en se fondant sur
la table Objets.

4. **Cliquez sur OK.**

En quelques instants, Access affiche votre état final à l'écran en mode Aperçu avant impression (Figure 17.2). Ce mode présente "ce à quoi ressemblera votre état si vous l'imprimez". Je vous présente quelques-uns des outils Aperçu avant impression dans la section "Aperçu de votre chef-d'œuvre".

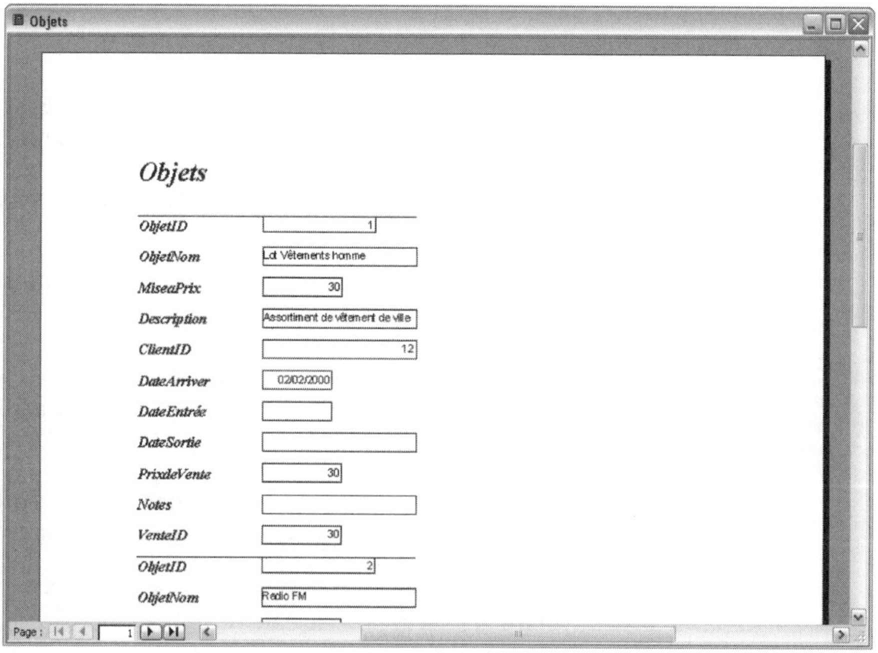

Figure 17.2
Utilisez la fenêtre
Aperçu avant
impression pour
avoir une idée de
l'aspect que
prendra votre
état imprimé.

Bien qu'Access ne pense que du bien de ses états (il est fier de sa progéniture), en règle générale l'état a un aspect que seuls des parents numériques peuvent apprécier. Avant de donner de l'indépendance à votre état dans ce monde froid et cruel, vous allez sans doute devoir passer en mode Création, puis l'habiller. Reportez-vous à la section "Que la beauté soit !", plus loin dans ce chapitre, pour connaître les bases du lifting d'un état instantané morose.

Aperçu de votre chef-d'œuvre

Lorsque vous êtes en mode Aperçu avant impression, vous ne pouvez pas faire grand-chose, excepté imprimer votre état. Toutefois, ce mode vous permet de voir exactement à quoi ressemble votre document. Le Tableau 17.1 vous présente les outils mis à votre disposition pour examiner votre chef-d'œuvre.

Tableau 17.1 : Les outils Aperçu avant impression.

Outil	Définition	Description
	Affichage	Vous permet d'aller et venir entre le mode Création et le mode Imprimer.
	Imprimer	Envoie votre état où vous savez.
	Zoom	Divers niveaux de zoom.
	Une page	Affiche une page à la fois.
	Deux pages	Affiche deux pages à la fois.
	Plusieurs pages	Affiche jusqu'à six pages simultanément.
100%	Zoom	Contrairement à l'autre bouton Zoom, permet de sélectionner (à partir des valeurs de la liste) l'un des dix niveaux de zoom.
Fermer	Fermer	Ferme la fenêtre Aperçu avant impression.

Tableau 17.1 : Les outils Aperçu avant impression. (*suite*)

Outil	Définition	Description
Installation	Installation	Installe l'imprimante.
W ▾	Liaisons Office	Envoie l'état dans Word ou Excel, de Microsoft (en supposant que vous ayez installé l'un de ces logiciels sur votre machine).

Zoomer dans votre état

À la Figure 17.2, la totalité de la page n'est pas visible. Les parties qui sont présentées sont correctes, mais vous ne pouvez pas voir tous les enregistrements. À la Figure 17.3, Access affiche l'état en plein écran, comme il devrait l'être dans sa version imprimée.

🖙 Vous voulez absolument voir toute la page ? Cliquez sur le bouton Zoom et passez les paramètres à Ajuster. Cet affichage vous présente la page en plein écran (Figure 17.3). Access appelle le mode plein écran mode Ajuster, car il *ajuste* toute la page dans l'écran.

🖙 Autrement, vous pouvez utiliser le contrôle Zoom (le seul à se trouver dans une boîte texte) et sélectionner d'autres niveaux de zoom, de 10 à 1 000 %). Si vous voulez zoomer à 82 %, tapez cette valeur directement dans la boîte texte et appuyez sur la touche Entrée pour voir le résultat.

Lorsque vous déplacez le curseur de votre souris dans l'aperçu de votre état, votre curseur se métamorphose en une superbe loupe. Utilisez-la pour zoomer de plus près et vérifier des sections particulières. Il vous suffit de cliquer sur la zone de l'état concernée et Access s'empresse d'agrandir la section en question de telle sorte que vous puissiez la voir plus nettement. Cliquez à nouveau pour revenir à la configuration précédente.

Remarquez qu'en cliquant sur les boutons relatifs au nombre de pages (une page, deux pages, plusieurs pages), vous passez du mode Zoom au mode Ajuster. Lorsque deux pages sont affichées, la page impaire est toujours à gauche, contrairement à l'édition de livres qui met la page impaire à droite.

Si vous sélectionnez Affichage/Pages dans le menu principal, Access vous propose un ensemble d'options d'aperçu relatives au nombre de pages (Figure 17.4). Paramétrez votre système pour afficher à l'écran une, deux, voire douze pages !

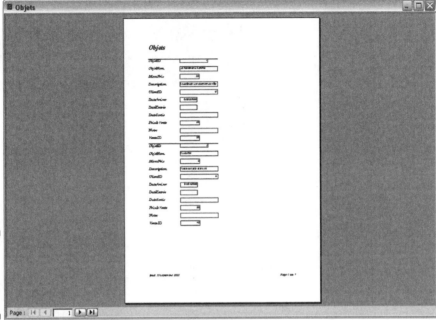

Figure 17.3
Lorsque vous
visualisez toute
la page, l'état est
prêt à être lu.

Faire appel au menu déroulant

En mode Aperçu avant impression, vous pouvez cliquer du bouton droit de la
souris n'importe où pour faire apparaître le menu déroulant qui vous permet
de choisir divers facteurs de zoom ou aperçus d'un nombre spécifique de
pages. Lorsque vous utilisez la commande Zoom, un sous-menu apparaît
proposant les mêmes options du contrôle Zoom. Deux autres commandes sont
également disponibles lorsque vous cliquez du bouton droit de la souris en
mode Aperçu avant impression :

- ✔ **Enregistrer sous/Exporter** : Cette commande vous permet d'enregistrer
  votre état Access dans le format utilisé par un autre programme.

  L'avantage de cette fonctionnalité d'Access est sa capacité à exporter au
  format HTML. Autrement dit, vous pouvez créer un état, puis l'enregistrer en tant que page Web en l'exportant au format HTML.

- ✔ **Envoyer vers** : Cette commande fait une copie de votre état Access et
  l'envoie en tant que message électronique.

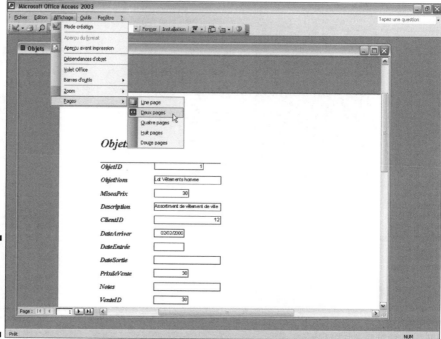

Figure 17.4
Vous pouvez visualiser simultanément jusqu'à 12 pages de votre état.

Que la beauté soit !

Après avoir examiné votre état en mode Aperçu avant impression, vous devez prendre la douloureuse décision de l'imprimer ou non. Si l'aspect de votre état vous satisfait, faites-le ! Toutefois, en vous accordant quelques minutes, vous pouvez faire de ce travail une petite merveille, y compris avec les états les plus simples.

Commencez par les fonctionnalités de base de la boîte de dialogue Mise en page d'Access. Pour cela, sélectionnez Fichier/Mise en page dans le mode Etat, ou cliquez simplement sur le bouton Mise en page dans la barre d'outils. Cette boîte de dialogue comporte trois onglets d'options.

L'onglet Marges

Sans aucune surprise, l'onglet Marges contrôle la largeur des marges de votre état. La Figure 17.5 vous présente les options. Une page comporte quatre marges : Haut, Bas, Gauche et Droite. Voici comment paramétrer ou modifier les marges :

1. **Double-cliquez dans la boîte appropriée et saisissez un nouveau paramètre.**

   Access utilise automatiquement l'unité locale de mesure de Windows (que ce soit des pouces, des centimètres ou toute autre unité de mesure). À gauche de la fenêtre, Access affiche un exemple du paramètre de la marge que vous avez sélectionné.

2. **Effectuez les modifications du format de votre état, puis cliquez sur OK.**

3. **Examinez votre état en mode Aperçu avant impression pour vérifier vos modifications.**

   Si nécessaire, revenez en mode Mise en page et cochez les options souhaitées jusqu'à ce que votre état vous semble correct.

La dernière option de l'onglet Marge est Imprimer les données uniquement. Je suppose que les programmeurs ne pensent pas cocher cette option, car elle n'apporte rien aux paramètres des marges. Si vous la cochez, Access n'affiche que les données contenues dans les enregistrements ; les en-têtes des champs n'apparaissent pas sur le document imprimé. Cochez cette option si vous voulez récupérer une préimpression de vos documents. Sinon, laissez-la telle quelle, car vos états seront plus beaux sans les étiquettes de vos champs.

L'onglet Page

L'onglet Page indique à Access quel type de papier vous utilisez pour imprimer vos documents, avec mention de la taille, du format et de l'imprimante associée. Vous allez prendre ici d'importantes décisions concernant l'aspect définitif de vos états (Figure 17.6).

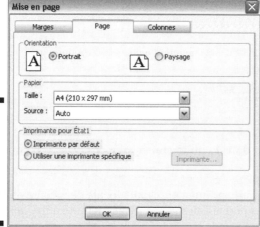

Figure 17.6
L'onglet Page vous permet de choisir une imprimante, la taille de la page et bien d'autres paramètres.

La section Orientation indique dans quel sens votre état sera imprimé sur le papier :

✔ *Portrait* (comme dans les livres et la plupart des magazines) est le paramètre par défaut.

✔ *Paysage* vous donne davantage d'espace à l'horizontale, mais moins à la verticale.

Le choix entre Portrait et Paysage est décisif. S'agissant d'états Tableau, l'orientation Paysage affiche mieux les informations contenues dans chaque champ, car les colonnes sont plus larges. L'orientation Paysage ne convient pas aux états Colonne, car ils ont besoin de plus d'espace à la verticale qu'à l'horizontale.

Les autres options de l'onglet Page sont définies en fonction des capacités de votre imprimante. La liste déroulante Taille vous permet de sélectionner la taille du papier que vous utilisez (Figure 17.6). La liste déroulante Source vous propose des options sur le grain du papier que vous utilisez régulièrement (Tray est l'option par défaut).

La dernière section de cet onglet vous permet de spécifier l'imprimante qui va éditer votre état. Vous pouvez utiliser l'imprimante par défaut (Access emploie l'imprimante que Windows lui attribue) ou l'option Utiliser une imprimante spécifique (dans ce cas, vous devez vous-même sélectionner une imprimante). En règle générale, il est préférable de conserver le paramètre par défaut, ce qui est assez pratique si vous souhaitez qu'une imprimante donnée effectue tous vos travaux d'impression. Sinon, cliquez sur le bouton radio Utiliser une imprimante spécifique pour l'activer, puis cliquez dessus une seconde fois pour choisir une imprimante parmi les périphériques d'impression disponibles.

L'onglet Colonnes

Vous prenez dans l'onglet Colonnes des décisions bien plus importantes sur la taille et le format de votre état (Figure 17.7).

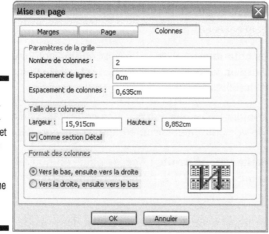

Figure 17.7
La section Format des colonnes vous permet de formater un état dont les colonnes sont alignées comme un numéro de téléphone.

L'onglet Colonnes est composé de trois sections :

✓ **Paramètres de la grille** : Contrôle le nombre de colonnes que votre état contient, ainsi que la disposition des différents éléments les uns par rapport aux autres.

✓ **Taille des colonnes** : Définit la hauteur et la largeur des colonnes.

✓ **Format des colonnes** : Définit la manière dont Access dispose vos données dans les colonnes (et utilise une image très facile d'emploi).

Le nombre de colonnes par défaut est une colonne par page, mais vous pouvez aisément changer ce paramètre. N'oubliez pas que plus votre état comportera de colonnes, plus les informations contenues dans les champs seront illisibles. Si vous utilisez trop de colonnes, Access affiche un message d'avertissement.

Si le nombre de colonnes que vous avez choisi convient (ou si vous êtes prêt à perdre des informations contenues dans certains champs), cliquez sur OK pour visualiser l'aperçu de votre état.

La section Paramètres de la grille de l'onglet Colonnes permet d'ajuster l'espacement des lignes et colonnes :

✓ **Espacement des lignes** : Pour ajuster l'espace (dans votre unité de mesure) entre les lignes horizontales, cliquez dans la boîte Espacement des lignes et saisissez la valeur d'espace que vous voulez voir apparaître entre chaque ligne. Encore une fois, c'est une question de préférence personnelle.

✓ **Espacement des colonnes** : Ajuste la largeur de vos colonnes. Si vous réduisez cette largeur, vous aurez certes davantage de place, mais vos données seront difficiles à lire.

La section au bas de l'onglet Colonnes, Format des colonnes, vous permet de définir l'organisation de vos colonnes sur une page. Vous avez deux options :

✓ **Vers le bas, ensuite vers la droite** : Access place un nouvel enregistrement dans la même colonne (si le précédent enregistrement n'a pas rempli la page).

Par exemple, l'enregistrement 13 commence en dessous de l'enregistrement 12 sur la page (s'il y a suffisamment d'espace), puis les enregistrements 14 et 15 apparaissent dans la deuxième colonne.

✓ **Vers la droite, ensuite vers le bas** : Access place l'enregistrement 13 à la suite de l'enregistrement 12, l'enregistrement 14 en dessous de l'enregistrement 12, l'enregistrement 15 en dessous de l'enregistrement 13, et ainsi de suite.

Chapitre 18

Les assistants pour les étiquettes, les graphiques et les états

. . . .

Dans ce chapitre :

▶ Imprimer des étiquettes avec l'Assistant Etiquette.

▶ Ajouter des graphiques avec l'Assistant Graphique.

▶ Organiser votre état.

▶ Utiliser l'Assistant Etat.

▶ Créer des niveaux de groupes.

▶ Ajouter des récapitulatifs.

. . . .

L es états instantanés (voir Chapitre 17) constituent la partie émergée de l'iceberg des fonctionnalités d'Access. Car Access est capable de générer des états bien plus complexes. Vous pouvez même utiliser des états pour générer des étiquettes et des graphiques. N'ayez pas peur, Access fournit pour chacune des ces fonctionnalités un assistant qui vous guidera pas à pas.

Créer des étiquettes

Si vous devez faire une campagne de publipostage dans l'urgence, rien ne vous simplifie autant la vie que de disposer d'une bonne pile d'étiquettes. Dans des instants pareils, Access vient à votre secours avec l'Assistant Etiquette.

L'Assistant Etiquette formate vos données pour que vous puissiez les utiliser avec des étiquettes de différents types et tailles : des étiquettes pour enveloppe, des étiquettes pour dossier, des étiquettes pour paquet, la liste est longue. De plus, l'Assistant Etiquette se charge de tout le travail d'un coup de baguette magique.

Autrefois, la difficulté majeure que représentait la production d'étiquettes était d'expliquer au logiciel la manière dont les informations devaient être présentées. Les ingénieurs de Microsoft en ont visiblement eux-mêmes souffert, car ils ont intégré dans l'Assistant Etiquette les spécifications de centaines de formats d'étiquettes des fabricants les plus connus. Si vous utilisez des étiquettes produites par Avery, Herma, Zweckform ou n'importe quel autre fabricant mentionné dans la liste de l'assistant, il vous suffit de spécifier à ce dernier la référence du modèle. L'assistant ajuste les dimensions de l'état aux spécifications du modèle. C'est aussi simple que ça.

Avant de lancer l'Assistant Etiquette, identifiez les informations que vous souhaitez faire figurer sur les étiquettes. À moins que vous ne souhaitiez produire une étiquette qui reprenne tout le contenu d'une table, vous devez créer une requête qui extrait certaines informations de la table, les trie dans le bon ordre et les prépare en vue de leur impression. Reportez-vous à la Troisième partie du livre pour la procédure à suivre afin de créer des requêtes.

Une fois votre table ou votre requête préparée, vous pouvez créer vos étiquettes. Suivez ces étapes :

1. **Cliquez sur le bouton Etats, dans la barre Objets de la fenêtre base de données.**

   Access affiche la liste des états disponibles dans votre base de données.

2. **Cliquez sur Nouveau pour créer un nouvel état.**

   La boîte de dialogue Nouvel état apparaît. Elle contient la liste des types d'états disponibles, dont l'Assistant Etiquette.

3. **Cliquez sur Assistant Etiquette.**

   La petite image à gauche de la liste se change en une série d'étiquettes pour confirmer qu'Access vous a compris (Figure 18.1).

4. **Cliquez sur la flèche orientée vers le bas, dans la partie inférieure de la boîte de dialogue.**

   Une liste déroulante apparaît pour vous demander de choisir la table ou la requête dont les données doivent être extraites.

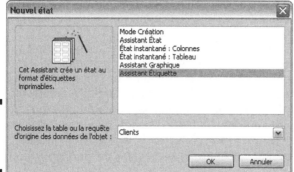

Figure 18.1
Access est disposé à préparer vos étiquettes.

5. **Cliquez sur la requête ou sur la table concernée.**

   L'assistant est prêt, et attend les données !

6. **Cliquez sur OK pour lancer l'Assistant Etiquette.**

   La boîte de dialogue de l'Assistant Etiquette apparaît (Figure 18.2).

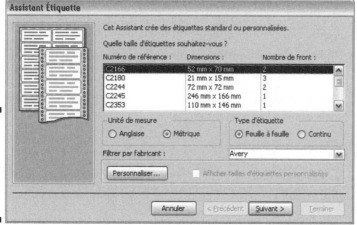

Figure 18.2
L'Assistant Etiquette connaît presque tous les modèles d'étiquettes qui existent.

7. **Cliquez sur la flèche orientée vers le bas, à côté de la boîte Filtrer par fabricant, et sélectionnez le fabricant de votre étiquette dans la liste déroulante qui apparaît.**

Access facilite la création d'étiquettes pour peu que vous utilisiez des modèles d'une des sociétés que connaissent les développeurs de Microsoft.

- Si le fabricant de votre étiquette se trouve dans la liste, cliquez sur son nom. Dans le haut de la fenêtre de l'Assistant Etiquette, Access affiche toutes les références des étiquettes du fabricant. Faites défiler la liste jusqu'à ce que vous trouviez celui qui correspond à l'étiquette que vous utilisez. Une fois que vous l'avez trouvé, rendez-vous à l'étape 9 (petit veinard). Si la référence n'apparaît pas dans la liste, passez à l'étape suivante.

- Si le fabricant de votre étiquette n'est pas dans la liste, jetez un œil sur l'emballage de vos étiquettes. Comme Avery contrôle la majorité du marché, d'autres fabricants reprennent souvent des références de cette société. Si vous voyez la mention d'une telle référence sur l'emballage, sélectionnez Avery comme fabricant, puis recherchez la référence de l'étiquette dans la liste. Si vous la trouvez, rendez-vous à l'étape 9. Sinon, continuez votre lecture.

- Si vous ne trouvez pas dans la liste une étiquette qui ressemble à la vôtre, vous pouvez facilement en définir une nouvelle. Cliquez simplement sur le bouton Personnaliser et suivez les instructions à l'écran. Toute l'astuce est d'indiquer à Access les dimensions exactes de vos étiquettes (utilisez une règle graduée), ainsi que le nombre d'étiquettes par feuilles (utilisez vos doigts pour compter).

8. **Si l'Assistant Etiquette ne connaît pas les détails de vos étiquettes, cliquez sur Personnaliser pour les ajouter au répertoire de l'Assistant.**

Il n'est pas difficile de créer une nouvelle entrée pour une étiquette, mais cela demande quelques étapes.

9. **Cliquez sur Suivant.**

La boîte de dialogue qui apparaît vous permet de procéder à quelques choix relatifs à la police (Figure 18.3).

10. **Choisissez la police, sa taille et sa couleur, puis cliquez sur Suivant.**

Vous pouvez sélectionner n'importe quelle police de Windows et modifier la taille du texte, ajouter éventuellement un style italique ou souligné et une couleur (vous aurez alors besoin d'une imprimante couleur). Tandis que vous effectuez ces choix, l'exemple de texte affiché sur le côté gauche de la fenêtre vous permet de juger de l'effet produit.

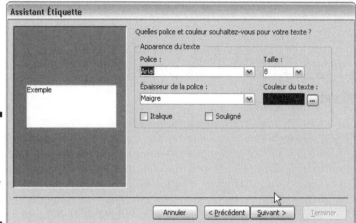

Figure 18.3
Choisissez avec
soin votre poli-
ce, car elle sera
utilisée pour tou-
tes les étiquet-
tes.

N'oubliez pas que le formatage que vous choisissez s'applique à tout le texte des étiquettes. Si vous ajoutez de l'italique, toutes les étiquettes adopteront ce style. Ajoutez des nouveaux styles avec parcimonie (pensez aux agents postaux !).

11. **Sélectionnez les données que vous voulez voir apparaître sur l'étiquette et saisissez vous-même tout autre texte que vous voulez imprimer.**

12. **Sélectionnez les champs dans la liste Champs disponibles, et cliquez sur le bouton > pour transférer le champ dans la boîte Etiquette proto- type (Figure 18.4).**

Si vous voulez que des champs apparaissent sur des lignes distinctes, pressez Entrée, ou utilisez une touche fléchée pour vous déplacer jusqu'à la ligne suivante. Quand vous double-cliquez sur un champ (ou faites un clic sur le bouton >), ce champ est systématiquement transféré sur la ligne sélectionnée dans la boîte Etiquette prototype. Access calcule combien de lignes votre étiquette peut contenir, en fonction de ses dimensions et de celles de la police choisie.

Si vous souhaitez imprimer un caractère, un mot ou un message particu- lier sur chaque étiquette, cliquez simplement où vous voulez que ce texte apparaisse. Par exemple, pour insérer une virgule entre le code postal et la ville, sélectionnez le champ Code postal, saisissez une virgule, pressez la touche d'espacement, puis sélectionnez le champ Ville. Chaque fois qu'Access imprimera une étiquette, il commencera

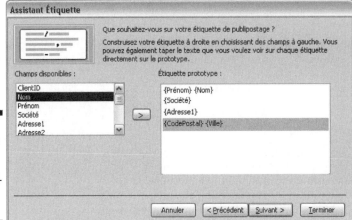

Figure 18.4
Sélectionnez les
champs que
vous voulez
qu'Access impri-
me sur vos éti-
quettes.

par le code postal, ajoutera une virgule, puis complétera avec le reste des informations.

13. **Cliquez sur Suivant quand les champs vous semblent merveilleuse-ment mis en place (ou du moins correctement agencés).**

14. **Choisissez le champ en fonction duquel Access devra trier vos étiquettes (Figure 18.5), et cliquez sur Suivant.**

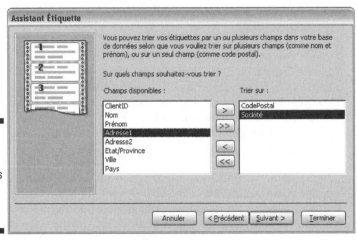

Figure 18.5
Spécifiez à
Access l'ordre
dans lequel vous
voulez que les
étiquettes
s'impriment.

15. Saisissez un nom pour l'état de l'étiquette, puis cliquez sur Terminer pour contempler votre création.

Si les étiquettes ne sont pas parfaites, cliquez sur le bouton Modifier dans la barre d'outils (celui qui contient un triangle et un crayon), et ajustez la mise en page selon vos désirs.

Utiliser l'Assistant Graphique dans votre état

Généralement, les états sont simplement une liste de mots et de nombres, organisés pour vous permettre de donner un sens à l'information. Parfois, les mots et les nombres ne suffisent pas à raconter toute l'histoire. Il faut alors recourir à des graphiques. Comme dit le proverbe, un petit dessin vaut mieux qu'un long discours. Vous allez donc ajouter quelques graphiques, et par la même occasion sauver des arbres...

Access comporte un assistant qui vous sera utile en de telles occasions. Et voici l'Assistant Graphique, le créateur de merveilleux camemberts, de barres sublimes et de lignes élancées, le tout d'un coup de baguette magique (et quelques clics de souris pour faire bonne mesure).

Pour générer un graphique, vous avez besoin au minimum de deux champs (et pas plus de six). Un premier champ contient les nombres relatifs à la hauteur des barres, des lignes, des parts de camembert ; autrement dit, l'importance relative d'un élément de votre graphique. L'autre champ devrait contenir des libellés qui identifient les nombres (sinon votre graphique sera joli mais n'exprimera rien). Tous les champs doivent provenir de la même table ou requête.

Comme l'assistant sait gérer plusieurs types de graphiques, il est facile de trouver celui dont l'aspect convient le mieux à vos données. L'assistant permet de choisir entre cinq principaux types de graphiques :

✔ **Les aires :** Un croisement entre un graphique en lignes et un camembert. Ces graphiques montrent comment le total d'un groupe de nombres évolue avec le temps. Parfait pour montrer comment les bénéfices et les profits s'additionnent (!) pour former le revenu total sur plusieurs trimestres.

✔ **Les barres, les barres coniques et les colonnes :** Des variantes des graphiques en lignes. Ces graphiques utilisent des barres horizontales ou verticales pour afficher vos données. Conviennent pour comparer des groupes de données entre eux (tels que les ventes par trimestres sur plusieurs années).

✔ **Les lignes :** Le graphique classique des cours de géométrie à l'heure du numérique. Pour illustrer l'évolution d'une tendance en fonction du temps.

✔ **Les secteurs et les anneaux :** Ces graphiques prennent une série de nombres et les affichent comme les pourcentages d'un total. Parfait pour illustrer une approche par secteur : la contribution de chaque division au profit total de l'entreprise, combien de personnes de différents pays achètent un produit, etc.

✔ **Les XY et les bulles :** Ces graphiques sont les vieux oncles et les cousins éloignés de la famille de graphiques d'Access. Techniquement, ils représentent deux points de données comme s'ils étaient liés à un troisième point (tel que le nombre de femmes qui ont fréquenté le club chaque mois, par tranches de revenus). En langage commun, cela signifie : *à moins que vous n'ayez de bonnes raisons pour cela, n'utilisez pas ces types de graphiques* ! Ces graphiques sont parfaits pour les ingénieurs, les économistes, les scientifiques, les statisticiens, et tous ceux qui feraient mieux de trouver une activité durant leur temps libre.

Générer le graphique dont vous rêvez ne prend que quelques minutes grâce à l'assistant. Suivez ces étapes :

1. **Cliquez sur le bouton Etats dans la fenêtre de la base de données, puis cliquez sur Nouveau.**

   La boîte de dialogue Nouvel état apparaît. Elle contient les options disponibles pour votre état.

2. **Sélectionnez Assistant Graphique.**

3. **Cliquez sur la flèche orientée vers le bas, à côté du texte Choisissez la table ou la requête, et sélectionnez la table ou la requête pour votre graphique.**

4. **Cliquez sur OK.**

   Access ouvre la table ou la requête que vous avez sélectionnée, y jette un œil, puis affiche les champs disponibles pour le graphique.

5. **Sélectionnez le champ numérique et les champs textuels pour votre graphique, et cliquez sur Suivant.**

6. **Utilisez les boutons < et > pour ajouter ou retirer des champs de la liste.**

Les boutons >> et << déplacent tous les champs d'une liste à l'autre.

7. Cliquez sur Suivant.

Access affiche un exemple de chaque graphique qu'il sait produire.

8. Cliquez sur l'image du type de graphique voulu, puis cliquez sur Suivant.

Quand vous cliquez sur un graphique (Figure 18.6), l'assistant décrit rapidement le graphique et vous donne quelques indications techniques sur la manière dont il fonctionne. Il vous explique comment afficher les données dans votre graphique, mais il vous permet finalement d'apporter toutes les modifications que vous souhaitez.

Figure 18.6
Access affiche et décrit les graphiques disponibles.

9. Cliquez sur Suivant quand le graphique répond à vos attentes (ou quand vous êtes simplement fatigué de tout ce processus).

10. Glissez-posez les champs de la colonne à gauche de la fenêtre vers leurs positions respectives dans le graphique. Double-cliquez sur les éléments graphiques pour modifier leurs options et apporter toutes les modifications que vous souhaitez.

11. Cliquez sur le bouton Aperçu du graphique (Figure 18.7) pour voir à quoi ressemble le graphique à mesure que vous y apportez des modifications.

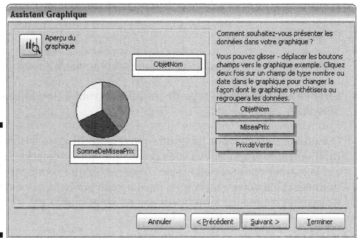

Figure 18.7
Modifiez votre
graphique et uti-
lisez le bouton
Aperçu pour
observer le
résultat.

12. **Cliquez sur Suivant quand vous êtes satisfait du résultat.**

13. **Saisissez un nom pour votre nouveau graphique dans la fenêtre qui apparaît.**

14. **Cliquez sur Terminer pour visualiser le résultat.**

Créer des états plus complexes

L'Assistant Etat instantané (voir le Chapitre 17 pour plus de détails) crée rapidement des états simples à partir d'une seule requête ou table. Cet assistant se révèle un outil des plus adaptés quand vous (ou plus probablement votre patron) avez besoin de quelque chose _immédiatement_.

Parfois vos besoins en termes d'états appellent plus de détails, plus d'organisation ou tout simplement plus de données. Demandez l'aide de l'Assistant Etat pour ce type d'états complexes. Ce maître de la présentation de l'information vous permet d'ajouter des champs issus d'autant de tables que vous le souhaitez, et d'organiser ces champs en autant de niveaux qu'il vous plaira. Chaque nouveau niveau comprend sa propre section dans l'état, avec un en-tête et un pied personnalisés. Une fois que vous aurez testé l'Assistant Etat, vous ne pourrez plus vous en passer.

La création d'un état complexe requiert plus d'étapes que celle d'un état simple, mais le résultat produit en vaut vraiment la peine. Comme un état complexe comprend de nombreuses options, les étapes requises pour le créer sont divisées en plusieurs sections thématiques. Chaque section comprend quelques explications sur les paramètres et la manière de les utiliser.

Démarrer l'assistant et sélectionner quelques champs

Au final, un état à plusieurs niveaux semble très différent d'un état basique, mais le processus de création des deux débute de la même manière. Suivez ces étapes :

1. **Cliquez sur le bouton Etats, dans la barre Objets de la fenêtre base de données.**

   Comme d'habitude, Access affiche les états que contient la base de données.

2. **Cliquez sur Nouveau pour créer un nouvel état.**

   La boîte de dialogue Nouvel état apparaît. Elle propose tous les types d'états parmi lesquels vous pouvez choisir. Ne vous inquiétez pas, ça ne va pas tarder à devenir intéressant.

3. **Cliquez sur Assistant Etat, puis sur OK.**

   La boîte de dialogue de la Figure 18.8 apparaît.

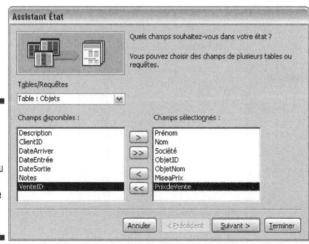

Figure 18.8
L'Assistant Etat vous permet d'ajouter des champs d'une ou plusieurs tables (ou requêtes) de votre base de données.

4. **Cliquez sur la flèche orientée vers le bas dans la boîte Tables/ Requêtes, et sélectionnez dans la liste déroulante qui apparaît la première table ou requête qui contient les champs dont vous avez besoin.**

   La liste Champs disponibles se met à jour pour afficher tout ce que l'élément sélectionné contient.

5. **Sélectionnez les champs dont vous avez besoin pour le rapport, soit en double-cliquant sur les noms des champs, soit en cliquant sur les boutons Supérieur (> et >>) ou Inférieur (< et <<).**

   Les boutons Supérieur déplacent des champs dans la liste Champs sélectionnés, tandis que les boutons Inférieur les déplacent en dehors de cette liste.

   Bien qu'il soit amusant de cliquer sur des boutons, la manière la plus simple de déplacer un champ consiste à double-cliquer dessus. Quelle que soit la liste où se trouve le champ, double-cliquez dessus pour le déplacer vers l'autre liste.

6. **Répétez les étapes 4 et 5 pour chaque table ou requête qui contient des champs pour l'état.**

7. **Cliquez sur Suivant une fois que tous les champs se trouvent dans la liste Champs sélectionnés de la boîte de dialogue.**

   La boîte de dialogue représentée à la Figure 18.9 apparaît.

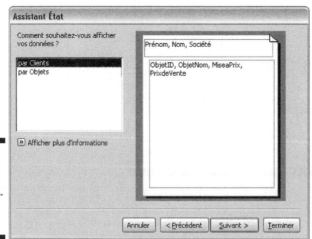

Figure 18.9
L'Assistant Etat vous permet de choisir la manière de grouper l'information.

L'Assistant Etat vous permet de sélectionner le champ à utiliser pour organiser votre état. Vous pouvez aussi visualiser une page exemple fondée sur l'analyse que l'Assistant Etat aura faite de vos données (oui, cela signifie que l'assistant aura *deviné*). Access peut éventuellement mal interpréter vos consignes (souvenez-vous, ce n'est qu'un programme), aussi devriez-vous examiner attentivement chacune des possibilités d'organisation de l'état pour choisir celle qui présente l'information avec le plus d'efficacité. Pour visualiser une organisation différente, cliquez sur l'un des choix qui vous sont proposés dans le côté gauche de la boîte de dialogue.

Si vous ne voyez pas la boîte de dialogue représentée à la Figure 18.9, ce n'est pas un problème. Cela signifie simplement que vous n'utilisez qu'une table (ou requête) dans votre état.

Si vous ne voulez pas que les enregistrements soient triés par groupes, cliquez sur la toute dernière entrée dans la liste des critères. Pour des raisons qui m'échappent (mais qui n'échappent probablement pas à un programmeur dément), cela force Access à réunir tous les enregistrements, et à les afficher tous sans les trier par groupes.

Créer de nouveaux groupes

Access pousse le souci d'organisation plus loin encore en proposant des options de groupes supplémentaires : les groupes fondés sur des champs différents de celui que vous venez de spécifier. La boîte de dialogue de la Figure 18.10 contient la liste des champs disponibles. Sélectionnez-en autant que vous le voulez. Pour ajouter un nouveau groupe, fondé sur un champ en particulier, cliquez sur le nom du champ puis sur le bouton Supérieur (>). L'assistant ajuste la page exemple pour vous montrer l'état tel qu'il apparaîtra après ajout du nouveau groupe (Figure 18.11).

Vous pouvez réorganiser les groupes si vous le souhaitez. Par exemple, vous pouvez cliquer sur OffreMinimum, puis cliquer sur la flèche orientée vers le haut entre la liste et l'aperçu. L'assistant groupe alors l'état d'abord selon Offre-Minimum, puis selon NomObjet.

Chacun des champs que vous sélectionnez pour organiser votre état crée une nouvelle section. Chacune de ces sections dispose de son propre en-tête et de son propre pied, qui peuvent contenir des informations issues de la base de données ou que vous pouvez ajouter vous-même via le mode Création après que l'assistant aura terminé son travail.

Figure 18.10
Dans cette fenêtre, glissez-posez les champs situés à gauche pour créer de nouveaux groupes.

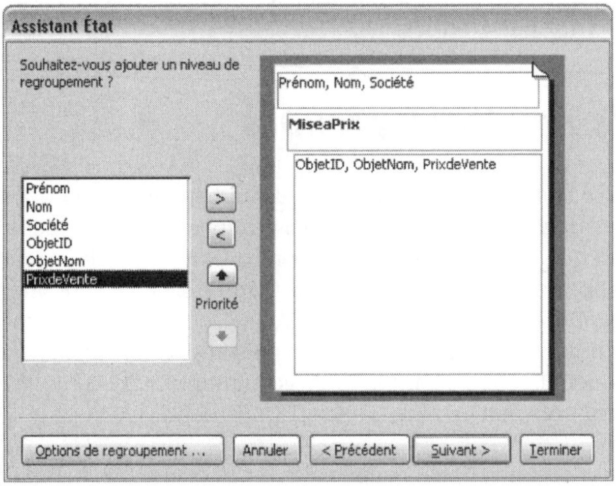

Figure 18.11
Affinez l'organisation de votre état en ajoutant plus de groupes.

Trier dans les détails

Access appelle les champs qui ne sont pas groupés comme des en-têtes des enregistrements détails. L'Assistant Etat vous permet de trier ces enregistrements suivant les champs qui restent, selon un ordre ascendant ou descendant (Figure 18.12). Pour trier les enregistrements selon un champ donné, cliquez sur la flèche orientée vers le bas et sélectionnez un champ dans la liste déroulante. Puis cliquez sur le bouton qui se trouve à droite pour passer l'ordre de tri en croissant (de A à Z) ou décroissant (de Z à A). Reportez-vous au Chapitre 10 pour plus d'informations sur la manière de trier des enregistrements en fonction de plusieurs champs.

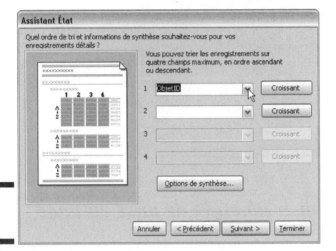

Figure 18.12
Triez selon
ObgetID.

Cliquez sur Options de synthèse pour accéder à la boîte de dialogue du même nom représentée à la Figure 18.13. (Si vous ne voyez pas le bouton Options de synthèse, c'est que votre rapport ne contient pas de champ numérique.) La boîte de dialogue Options de synthèse vous permet d'indiquer à Access qu'il doit faire la synthèse de vos données à l'aide de certains outils statistiques : le total (Somme), la moyenne (Moy), la valeur minimale (Min) et la valeur maximale (Max). Cochez les cases qui se trouvent à côté des opérations que vous souhaitez appliquer aux champs de votre état.

Par exemple, l'entreprise de vente aux enchères veut qu'Access ajoute toutes les enchères minimales pour chaque groupe (ce que fait l'option *Somme*) et affiche le montant moyen de ces enchères pour chaque groupe (Figure 18.11).

Si vous voulez visualiser à la fois les données et la synthèse, cliquez sur le bouton radio Détail et total, dans la section Afficher de la boîte de dialogue. Si vous ne voulez visualiser que l'information de synthèse, cliquez sur le bouton radio Total uniquement. Si vous cliquez sur Calculer le pourcentage du total pour les sommes, Access calcule le montant total des champs et vous indique le pourcentage de la contribution de chaque enregistrement à ce total.

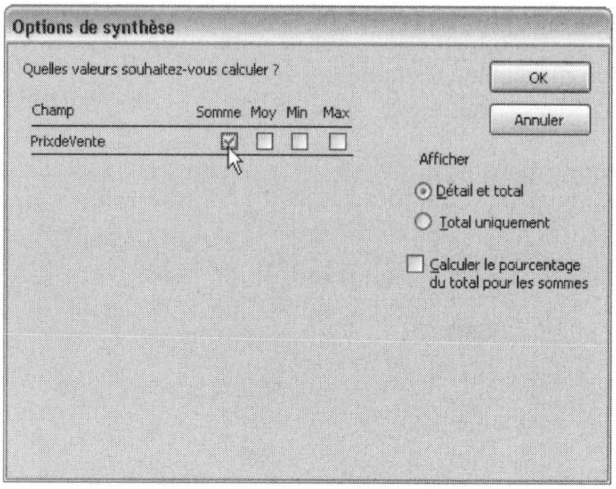

Figure 18.13
Appliquez des
opérations sta-
tistiques à vos
données.

Sélectionner un style de mise en page

L'Assistant Etat vous propose toute une série de mises en page faciles à utiliser pour que votre état soit parfaitement lisible (Figure 18.14) :

1. **Cliquez sur un bouton radio dans la section Disposition pour choisir un style.**

   Access vous présente un exemple de la disposition à gauche de la fenêtre. Votre choix dépendra des données que contient votre état.

2. **Cliquez un bouton radio dans la section Orientation pour choisir comment orienter votre état.**

   Paysage est l'orientation la plus indiquée si votre état comprend de nombreux champs de petite taille ou plusieurs champs de grande taille. Essayez Portrait dans le cas contraire.

3. **Cochez ou décochez la case Ajuster la taille des champs afin qu'ils tiennent tous sur une page.**

   Si cette case est cochée (par défaut), Access forcera tous vos champs à apparaître sur une page, même s'il doit ne faire apparaître qu'une partie de leur contenu. Durant ce processus, un champ peut se révéler trop petit pour afficher les informations qu'il contient. Par exemple, un champ qui contiendrait *Henriette Lisa Finkelmeier* peut finalement n'afficher que *Henriette Lisa Fink*. Le reste du nom n'est pas perdu, il n'apparaît tout simplement pas dans l'état. Si vous ne cochez pas la case, Access affiche les champs tels quels dans la page, sans modifier leur largeur. Les champs qui ne tiennent pas sur la page sont reportés sur la page suivante.

4. **Cliquez sur Suivant quand vous êtes satisfait de la mise en page de votre état.**

La boîte de dialogue qui apparaît vous permet de choisir entre six styles prédéterminés pour votre état. La fenêtre à gauche vous donne une idée approximative du style. Encore une fois, c'est une affaire de goût. Choisissez celui qui vous convient le mieux.

5. **Cliquez sur Suivant et donnez un nom à votre état.**

Votre état est sauvegardé avec un titre. Vous avez aussi la possibilité de prévisualiser l'état, de le modifier... ou de crier à l'aide.

6. **Cliquez sur Aperçu avant impression pour prévisualiser votre état.**

7. **Cliquez sur le bouton Modifier si vous voulez apporter des modifications à la mise en page de votre état. Sinon, cliquez sur Terminer.**

Access ouvre le mode Création de votre état. Vous pouvez alors le modifier comme vous le souhaitez.

Le Chapitre 19 vous explique comment modifier et formater vos états pour créer votre style personnalisé.

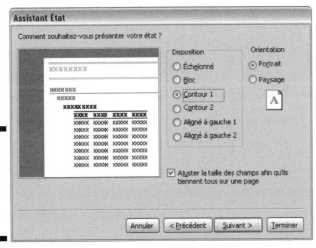

Figure 18.14
Access vous
propose plu-
sieurs options
pour la mise en
page de votre
état.

Chapitre 19

Comment un peu de mise en forme peut faire la différence

L'Assistant Etat d'Access est un camarade bien utile. Après vous avoir posé quelques questions, il crée automatiquement un rapport informatif et esthétique. Enfin, disons que le rapport est surtout informatif, car en ce qui concerne l'esthétique, l'assistant devrait prendre quelques cours de mise en page.

Bien que l'Assistant Etat d'Access fasse du mieux qu'il peut, les résultats qu'il produit ne sont souvent pas ceux que vous attendiez. Heureusement, les astucieux ingénieurs de Microsoft ont prévu le coup et vous ont laissé la possibilité de prendre le contrôle, avec le mode Création. Dans ce mode, vous pouvez modifier tout, absolument tout, ce qui influe sur l'aspect de votre état. Vous pouvez réorganiser les zones de texte, ajouter du texte, mettre en valeur certaines zones de texte à l'aide de boîtes ou de traits, et que sais-je encore.

Ce chapitre vous présente les techniques de mise en page les plus utilisées. Une fois que vous aurez assimilé ces connaissances, vous pourrez produire des états qui aiguiseront la jalousie de vos collègues de travail (et rien de tel pour commencer une journée du bon pied).

Passer votre état à l'atelier de mise en forme

Votre première étape dans la quête de l'état correctement mis en forme est le mode Création. Access vous propose plusieurs solutions pour activer ce mode. Tout dépend de l'endroit où vous vous trouvez actuellement dans Access :

✔ Après avoir créé un état avec l'Assistant Etat, ce dernier vous demande si vous voulez prévisualiser votre création ou modifier sa structure (même l'assistant sait que ses capacités de mise en forme sont limitées !). Cliquez sur le bouton radio Modifier la structure de l'état pour passer directement en mode Création.

✔ Si l'état est prévisualisé à l'écran, rendez-vous en mode Création en cliquant sur le bouton Modifier.

✔ Pour passer en mode Création depuis la fenêtre Base de données, cliquez sur le bouton Etats, sous la barre Objets, puis sur le nom de l'état sur lequel vous allez travailler. Cliquez sur le bouton Modifier (juste au-dessus de la liste des états dans la fenêtre Base de données) pour ouvrir l'état en mode Création.

Quelle que soit la méthode que vous utilisez, Access vous envoie (avec votre état) dans le mode Création qui ressemble beaucoup à la Figure 19.1. Vous allez maintenant pouvoir entamer sa révision !

Les bandes et les marqueurs

Examinez le mode Création. Access affiche une série de *marqueurs* qui sont regroupés dans des bandes (ou *sections*, selon la nomenclature officielle). Les marqueurs vous indiquent où Access compte insérer les zones de texte et le texte dans la version finale de votre état. Ils vous donnent également une idée de la manière dont le programme envisage de formater le tout.

Access utilise deux styles de marqueurs, selon le type de l'information qui y est contenue :

✔ **Les zones de texte :** Des boîtes qui affichent la donnée d'un champ parti-culier dans l'état. Chaque champ que vous voulez inclure dans votre état final dispose de sa propre zone de texte dans la vue Mise en forme. Si l'état ne contient pas de zone de texte pour un des champs de votre table, les données qui sont associées à ce champ ne figureront pas dans votre état.

✔ **Les étiquettes :** De simples marqueurs de texte qui affichent un message dans l'état. Parfois, les étiquettes sont isolées (par exemple "L'informa-tion qui figure dans cet état est confidentielle") ; souvent elles accompa-gnent une zone de texte pour renseigner sur la signification d'une donnée (par exemple "Identifiant de client" ou "Taille de chaussure droite").

Les marqueurs sont organisés en sections qui représentent les différentes parties de votre état. Les sections spécifient comment et combien de fois un champ ou un message particulier sera répété dans votre état. L'état présenté à la Figure 19.1 contient trois sections :

✔ En-tête d'état ;

✔ En-tête de page ;

✔ Détail.

Les flèches qui figurent à gauche du nom d'une section vous indiquent les marqueurs que chaque section contient.

Les sections fonctionnent par paires imbriquées les unes dans les autres. Il est facile de comprendre le rôle d'une paire de sections (En-tête d'état fonctionne avec Pied d'état, et En-tête de page fonctionne avec Pied de page, par exemple). La Figure 19.2 vous montre les sections qui sont associées à celles que vous avez pu visualiser à la Figure 19.1.

Voici comment les sections les plus utilisées fonctionnent (je mentionne quel-ques informations importantes, dont l'endroit et le nombre de fois où une section apparaît dans l'état imprimé) :

✔ **L'En-tête d'état :** Tout ce qui apparaît dans l'En-tête d'état est imprimé au tout début de votre état. Cette information n'est imprimée qu'une fois, en haut de la première page.

✔ **L'En-tête de page :** L'information que contient l'En-tête de page est imprimée en haut de chaque page, à l'exception de la première page de l'état, où Access imprime l'En-tête d'état et non l'En-tête de page.

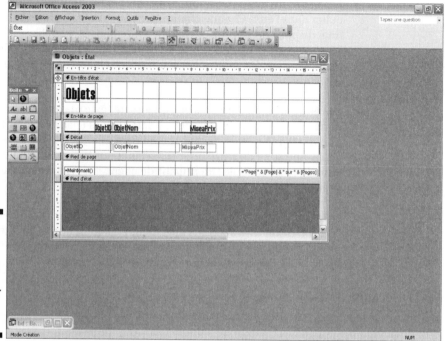

Figure 19.1
Le mode Créa-
tion vous donne
accès à tous les
outils dont vous
avez besoin pour
modifier vos
états.

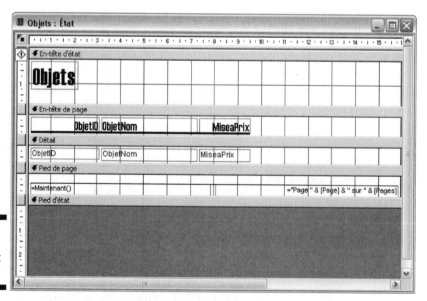

Figure 19.2
Les sections
Pied de page et
Pied d'état.

✔ **Le Détail :** La substantifique moelle de l'état. Tout ce que contient cette section est imprimé sur les pages de l'état. La section Détail est répétée pour chaque enregistrement que contient l'état.

✔ **Le Pied de page :** Lorsque chaque page est quasi complète, Access la termine en imprimant le Pied de page, en bas.

✔ **Le Pied d'état :** Access imprime le Pied d'état en bas de la dernière page, immédiatement après le Pied de page.

Maîtriser l'utilisation des sections est particulièrement important pour produire un état. C'est pourquoi le Chapitre 20 revient sur ce sujet dans le détail. Il vous explique comment insérer et ajuster des sections, et comment faire en sorte qu'elles effectuent toute sorte de calculs automatiques.

Formater ceci et cela

Vous pouvez modifier presque tout ce qui concerne la mise en forme d'un état avec les outils de la barre d'outils représentée à la Figure 19.3. Que vous souhaitiez changer la couleur d'un texte, la taille d'une police ou l'effet visuel qui entoure une zone de texte, cette barre d'outils contient tout ce dont vous avez besoin.

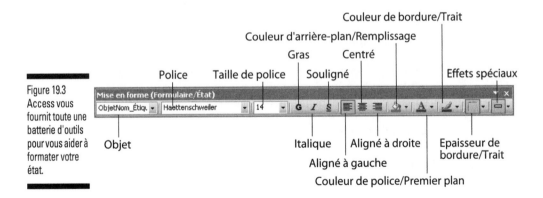

Figure 19.3
Access vous fournit toute une batterie d'outils pour vous aider à formater votre état.

Pour ajuster les éléments qui composent votre état avec les outils de la barre d'outils de mise en forme, suivez les instructions suivantes :

1. **Cliquez sur l'élément que vous allez formater.**

Toute zone de texte, ligne ou boîte peut être traitée de cette manière. Quand vous cliquez sur un élément, une série de petites marques noires apparaissent sur son pourtour (Figure 19.4).

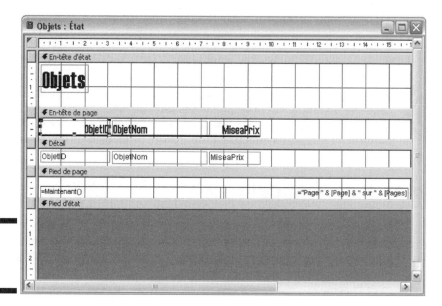

Figure 19.4
Le champ
ObjetID est
sélectionné.

2. **Cliquez sur le bouton de la barre d'outils pour appliquer l'effet de formatage que vous souhaitez.**

La plupart des outils de formatage ont un effet immédiat. Quelques outils (couleur, bordure et effet 3D) disposent d'un menu déroulant qui vous permet de choisir entre plusieurs variantes.

Je traite de ces options plus loin dans ce chapitre.

3. **Répétez les étapes 1 et 2 pour toutes les zones de texte que vous souhaitez modifier.**

Si vous avez fait une erreur en cours de formatage, sélectionnez simplement Edition/Annuler définition de propriété. Et hop ! Access annule immédiatement les effets de votre dernière action de formatage.

Les sections suivantes vous guident étape par étape pour accomplir les tâches de formatage les plus communes. Suivez simplement les instructions et votre état finira par ressembler à un mélange de Mona Lisa et d'imprimé des impôts (ce qui est un compliment).

Colorer votre état

Rien ne met mieux en valeur un état qu'un peu de couleur. Access vous permet d'ajouter facilement de la couleur grâce aux boutons Couleur de police/ Premier plan et Couleur d'arrière-plan/Remplissage. Ces boutons se trouvent sur votre bonne barre d'outils de mise en forme (pas de surprise jusqu'ici).

Ces boutons modifient la couleur des marqueurs de texte qui figurent dans votre état, mais ils le font chacun d'une manière particulière :

✔ Le bouton Couleur de police/Premier plan modifie la couleur du texte d'une zone de texte ou d'une étiquette.

✔ Le bouton Couleur d'arrière-plan/Remplissage modifie la couleur du fond, sans altérer la couleur du texte.

La couleur que vous avez choisie apparaît aussi sous l'icône du bouton, dans la barre d'outils.

Pour modifier la couleur d'une zone de texte ou d'une étiquette dans votre état, cliquez sur le marqueur avec lequel vous allez travailler. Pour modifier la couleur de la police, cliquez sur le bouton Couleur de police/Premier plan. Pour modifier la couleur du fond, cliquez sur le bouton Couleur d'arrière-plan/ Remplissage. Les nouvelles couleurs prennent immédiatement effet à l'écran.

Vous pouvez aussi utiliser le bouton Couleur de police/Premier plan pour modifier la couleur du texte dans une zone de texte ou une étiquette. Vous pouvez facilement créer des effets spéciaux en choisissant des couleurs contrastées pour le premier plan et le fond, par exemple du texte blanc sur un fond noir (Figure 19.5).

Faites attention quand vous choisissez des couleurs. Si vous utilisez une même couleur pour le texte et le fond, le texte semblera avoir disparu ! Si cela se produit, actionnez simplement Edition/Annuler définition de propriété pour restaurer les couleurs originales.

Déplacer des éléments

Envie d'un peu de réorganisation ? Vous pouvez facilement déplacer n'importe quel élément (zone de texte, étiquette, trait, etc.) dans un état. En fait, déplacer

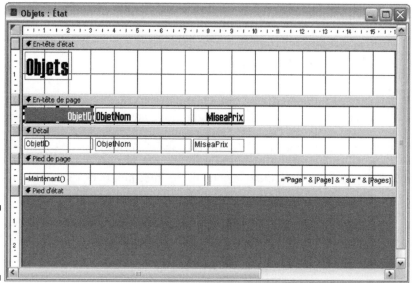

Figure 19.5
Modifier les cou-
leurs de fond et
de premier plan.

un élément est si élémentaire que vous devrez aller doucement si vous ne voulez pas accidentellement déplacer des éléments qui devraient rester à leur place.

Pour déplacer un trait, une boîte ou une zone de texte, effectuez les étapes suivantes :

1. Cliquez sur l'élément que vous allez déplacer.

Une série de carrés noirs apparaissent sur le pourtour de l'élément pour vous informer qu'il est sélectionné.

Si vous rencontrez des difficultés pour sélectionner un trait, essayez de cliquer à ses extrémités. Pour une raison inconnue, Access prend toujours un peu de temps pour identifier le trait sur lequel vous cliquez. Cliquer sur le trait ne semble pas aider le programme à s'en sortir.

2. Déplacez le pointeur de la souris vers n'importe quel côté de l'élément sélectionné.

Lorsque vous procédez ainsi, le pointeur de la souris se transforme en une petite main. Mignon, non ?

Prendre le contrôle de votre rapport

En plus de toutes les fonctionnalités que l'on trouve habituellement dans un état Access (comme les étiquettes et les zones de texte), vous pouvez également inclure toute sorte d'éléments fascinants qui se nomment des *contrôles*. Vous ajoutez des contrôles à un état en utilisant la Boîte à outils de la vue Mise en forme (l'île flottante remplie de boutons qui se trouve quelque part sur votre écran).

Certains contrôles ne fonctionnent qu'avec certains types de champs. Par exemple, une case à cocher peut graphiquement afficher la valeur d'un champ Oui/Non.

Tout ce qui semble trop simple se doit d'être un peu complexifié, et les contrôles n'échappent pas à cette règle. Aussi, Access propose plusieurs assistants de contrôle pour soulager votre tâche. Ces assistants, comme tous leurs semblables dans ce programme, vous guident pas à pas pour créer vos contrôles. Les assistants de contrôle se manifestent généralement automatiquement sitôt que vous placez un contrôle sur l'état.

Si vous créez un nouveau contrôle mais que l'assistant ne s'affiche pas, vérifiez que le bouton Assistants de contrôle, en haut de la Boîte à outils (le bouton représente une baguette magique) est bien activé. S'il l'est, le bouton doit ressembler à un bouton pressé. Si vous n'en êtes pas certain, cliquez plusieurs fois sur le bouton pour observer la différence.

Quelques contrôles (en particulier le Trait, le Rectangle, le Saut de page et les contrôles de type image) sont traités plus loin dans ce chapitre. Le Chapitre 20 vous prodigue des conseils d'utilisation des contrôles pour réaliser des résumés de votre état.

3. **Pressez et maintenez appuyé le bouton gauche de la souris tandis que vous déplacez l'élément vers sa nouvelle position.**

   Pendant le déplacement de la souris, la petite main déplace un contour de l'élément que vous avez sélectionné (selon la nature de la carte vidéo de votre ordinateur, il se peut que vous voyiez l'élément se déplacer, ou simplement un contour englobant).

4. **Relâchez le bouton de la souris quand l'élément se trouve sur sa nouvelle position.**

Pour annuler le mouvement, vous pouvez soit choisir Edition/Annuler définition de propriété, soit appuyer sur les touches Ctrl+Z (la combinaison universelle d'annulation).

Dans certains états produits par Access (en particulier ceux créés par l'Assistant en disposition verticale), la zone de texte et l'étiquette de chaque champ sont liées entre elles. Si vous déplacez l'une, vous déplacez l'autre. Dans ce cas, vous devez ajuster la procédure qui vient d'être décrite pour déplacer un élément sans toucher à l'autre. Reprenez les étapes précédentes, mais plutôt que de déplacer le pointeur de la souris vers un des côtés du marqueur, déplacez-le vers un des gros carrés qui servent d'accroches (appelées aussi poignées), comme à la Figure 19.6. Voici un résumé de ce que l'accroche fait :

- ✔ L'accroche qui se trouve sur le côté gauche déplace l'étiquette.

- ✔ L'accroche qui se trouve au centre des deux marqueurs déplace la zone de texte.

Figure 19.6
Utilisez les grandes accroches pour déplacer l'étiquette ou la zone de texte séparément.

Tandis que le pointeur de la souris approche de l'accroche, le curseur se transforme en un doigt. C'est le signe que vous pouvez passer à l'étape 3, c'est-à-dire presser et maintenir le bouton de la souris puis déplacer l'élément. Relâchez le bouton de la souris quand la zone de texte se trouve à la position que vous souhaitez. Si le pointeur de la souris se transforme en une double flèche plutôt qu'une main, essayez de nouveau de déplacer le pointeur de la souris vers la grande accroche. Cette double flèche signifie que vous souhaitez redimensionner l'élément, et non le déplacer.

D'autres types d'états, tels que les états tabulaires ou justifiés, ne combinent pas ainsi la zone de texte et l'étiquette. Soit l'étiquette n'apparaît pas, soit l'étiquette apparaît seulement dans la section En-tête de page. Quand les étiquettes ne sont pas liées à leurs zones de texte respectives, elles apparaissent chacune séparément, sans les grandes accroches de la Figure 19.6.

Utilisez les petites accroches qui se trouvent sur le pourtour d'une zone de texte pour la redimensionner. Par exemple, si l'information que contient l'une de vos zones de texte est coupée, vous pouvez cliquer sur la zone de texte et utiliser les petites accroches pour élargir la zone de texte. Ou, si la zone de texte contient beaucoup d'informations, vous pouvez l'élargir. Access fera passer les informations à la ligne.

La quantité d'espace qui se trouve entre les marqueurs détermine l'espacement entre les éléments quand vous imprimez l'état. Si vous augmentez cet espace, votre état n'en sera que plus aéré.

Encadrer de couleur

Les traits et les bords permettent de bien mettre en évidence quelques-uns des éléments de votre état. Ils attirent l'œil du lecteur sur certaines parties de la page, mettent en évidence certaines sections de l'état et rendent bien plus intéressante une page dont la lecture serait autrement rébarbative. La barre d'outils contient trois boutons pour ajouter des traits et des bords :

- ✔ Couleur de bordure/Trait ;

- ✔ Epaisseur de bordure/Trait ;

- ✔ Effets spéciaux.

Colorer les traits et les bords

Le bouton Couleur de bordure/Trait change la couleur des traits qui constituent les bords d'une zone de texte, ainsi que les traits que vous tracez à l'aide de l'outil Trait. Ce bouton fonctionne exactement comme les boutons Couleur arrière-plan et Couleur de police/Premier plan avec le texte (rassurant, non ?).

Pour modifier la couleur d'un trait ou d'un bord, effectuez les étapes suivantes :

1. **Cliquez sur le marqueur pour le sélectionner.**

   Rappelez-vous qu'il faut cliquer sur une extrémité d'une ligne pour la sélectionner.

2. **Cliquez sur la flèche qui se trouve à côté du bouton Couleur de bordure/Trait.**

   La liste qui apparaît vous permet de choisir une couleur (Figure 19.7).

Figure 19.7
Faites votre choix dans la palette de couleurs.

3. **Cliquez sur la couleur de votre choix dans la palette.**

Épaissir vos traits et vos bords

En plus de pouvoir modifier la couleur, vous pouvez modifier l'épaisseur :

1. **Cliquez sur le trait ou le texte sur lequel vous souhaitez travailler.**

2. **Cliquez sur la flèche qui se trouve à côté du bouton Epaisseur de bordure/Trait pour afficher les options de trait et de bordure.**

   Vos choix de trait et de bordure sont exprimés en points (un mot dont l'usage est réservé aux fondus d'informatique, et qui correspond à $1/72^e$ de pouce). Le menu comporte des options pour des traits en pointillés de 1 point à 6 points.

3. **Cliquez sur l'option qui spécifie l'épaisseur que vous souhaitez.**

   C'est fini ! Comme toujours, vous pouvez utiliser Edition/Annuler définition de propriété pour annuler les effets d'une erreur de manipulation. Par conséquent, n'hésitez pas à tester toutes les options.

Ajouter des effets spéciaux aux bords et aux traits

Vous pouvez changer le style de la bordure d'un marqueur en utilisant le bouton Effets spéciaux. Ce bouton vous donne accès à six choix, représentés à la Figure 19.8. Voici un résumé de ce que chaque option permet de faire :

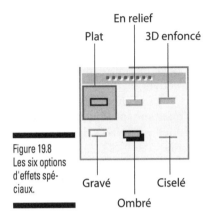

En relief

Plat   3D enfoncé

Figure 19.8
Les six options
d'effets spé-
ciaux.

Gravé   Ciselé

Ombré

> ✔ Les options 3D enfoncé et En relief modifient les couleurs des deux côtés de la zone de texte, mais l'effet produit est tel que la zone de texte semble être en trois dimensions.
>
> Sélectionner une bordure 3D enfoncé donne l'illusion que la zone de texte est un bouton pressé ; En relief donne l'effet inverse.
>
> ✔ L'option Ciselé donne l'illusion que la portion inférieure de la zone de texte est en relief ; l'option Gravé donne l'illusion que le bord est gravé dans le fond sur lequel est posée la zone de texte.
>
> ✔ L'option Ombré entraîne l'affichage d'une ombre sur le contour inférieur droit de la zone de texte.
>
> ✔ L'option Plat entraîne l'affichage d'un simple trait autour de la zone de texte.

Pour ajouter des effets spéciaux à l'un des bords d'un marqueur, suivez les mêmes étapes que pour modifier l'épaisseur ou la couleur d'un bord :

1. **Cliquez sur le marqueur dont vous allez modifier un bord.**

2. **Cliquez sur la flèche qui se trouve à côté du bouton Effets spéciaux pour afficher les six options.**

3. **Cliquez sur l'effet spécial que vous souhaitez appliquer.**

Modifier l'aspect de votre texte

Pour changer la taille de la police ou sa couleur, cliquez simplement sur la flèche à droite des listes déroulantes Police ou Taille de police, puis sélectionnez une des options qui apparaissent. Pour activer ou désactiver le gras, l'italique ou le souligné, sélectionnez un bloc de texte et cliquez sur le bouton approprié. Si la fonctionnalité est désactivée, cliquez sur son bouton l'activera, et inversement. Lorsque l'une de ces fonctionnalités est activée, le bouton semble enfoncé dans la surface de la barre d'outils.

Vous pouvez aussi contrôler l'alignement du texte dans les étiquettes et les zones de texte. Pour modifier l'alignement du texte pour une étiquette ou une zone de texte, sélectionnez simplement le marqueur correspondant et cliquez sur l'un des trois boutons d'alignement qui se trouvent dans la barre d'outils :

- ✔ Aligner à gauche.

- ✔ Aligner à droite.

- ✔ Aligner au centre.

Faites attention à des détails tels que l'alignement des étiquettes et des données pour améliorer l'aspect de votre état. Les données numériques devraient être alignées à droite, de telle sorte que les unités soient alignées verticalement. La plupart des autres types de données devraient être alignées à gauche. Les titres devraient en général être centrés. Vos efforts permettront de faire la différence entre un état pénible à lire et une source d'information esthétique.

Jetez un œil sur votre état

Une fois que vous avez passé quelque temps sur la mise en forme de votre état, vous allez inévitablement visualiser cet état au lieu de continuer à contempler sa structure. Aussi imaginatif que vous soyez, il est plus que probable que vous n'arriverez pas à vous faire une image de ce que sera l'état imprimé. Aussi, Access comporte deux outils pour prévisualiser votre état avant de l'imprimer :

- ✔ **Aperçu du format :** Quand vous choisissez Aperçu du format, Access prend une portion de vos données et les arrange pour vous donner une idée de la manière dont elles seront présentées dans l'état final.

La prévisualisation n'utilise qu'un échantillon de vos données (sans effectuer aucun des calculs que vous pourriez avoir inclus). L'idée ici est que vous puissiez vous rendre compte de l'aspect qu'adopte l'état. Pour accéder à l'Aperçu du format, cliquez sur la flèche qui se trouve sous le bouton Affichage et sélectionnez Aperçu du format dans la liste déroulante (Figure 19.9).

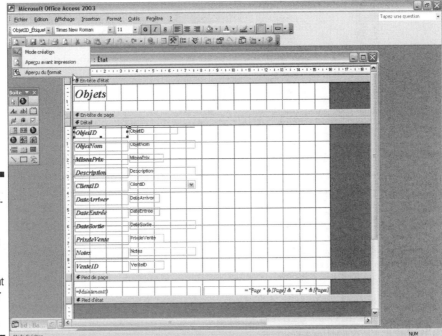

Figure 19.9
Choisissez Aperçu du format pour avoir une idée de l'aspect qu'adoptera l'état ; choisissez Aperçu avant impression pour visualiser l'état dans sa totalité.

✔ **Aperçu avant impression :** Si vous voulez visualiser l'intégralité de votre état, où figurent toutes les données et tous les calculs, cliquez sur le bouton Aperçu avant impression. Vous pouvez aussi prendre un chemin plus long en cliquant sur la flèche orientée vers le bas à côté du bouton Affichage et sélectionner Aperçu avant impression dans la liste déroulante (Figure 19.9).

Quelle que soit la méthode que vous utilisez, l'écran sur lequel vous arrivez ressemble à celui présenté à la Figure 19.10. Les divers éléments de votre état y apparaissent tels qu'ils seront lorsque vous imprimerez l'état. Vous pouvez utiliser les contrôles qui se trouvent en haut de la fenêtre Aperçu avant impression pour modifier l'apparence de l'écran.

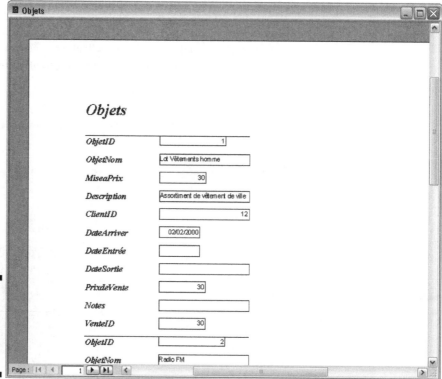

Figure 19.10
L'Aperçu avant impression vous présente l'état tel qu'il sera imprimé.

Reportez-vous au Chapitre 17 pour de plus amples informations sur l'utilisation de l'Aperçu avant impression.

Mettre en forme automatiquement votre état

Si vous souhaitez modifier l'aspect de l'intégralité de votre état en seulement un ou deux clics de souris, testez donc le bouton Mise en forme automatique. Lorsque vous cliquez sur ce bouton, Access vous présente plusieurs modèles de mise en page qui réinitialisent tout, depuis la police du titre à la couleur des traits qui délimitent les éléments d'un état.

Pour utiliser la Mise en forme automatique, effectuez les étapes suivantes :

1. Cliquez sur la zone grise vide qui se trouve en bas de l'état.

Cela peut sembler étrange au premier abord, mais il y a une bonne raison derrière cette habitude (du moins pour cette fois). Cliquer dans cette zone est la plus simple des solutions pour indiquer à Access que vous souhaitez tout désélectionner dans l'état. Si une section est activée quand vous utilisez la commande Mise en forme automatique, cette dernière ne modifie que le contenu de la section. Bien que cela puisse parfois constituer un heureux résultat, en règle générale vous appliquerez la Mise en page automatique à l'état dans son intégralité.

2. **Cliquez sur le bouton Mise en forme automatique dans la barre d'outils.**

   Une boîte de dialogue apparaît, qui vous permet de choisir parmi de nombreux modèles de mise en forme.

3. **Cliquez sur le nom de la mise en forme que vous désirez, puis cliquez sur OK (Figure 19.11).**

Figure 19.11
Sélectionnez l'aspect que vous préférez et appliquez-le à tout l'état.

Access met à jour tout votre état pour qu'il adopte la nouvelle mise en page.

Si seules quelques zones de texte d'une section sont modifiées, mais que le reste de l'état reste le même, retournez à l'étape 1 et *cliquez sur la zone grise et vide* de nouveau. Il y a de grandes chances qu'une section soit restée sélectionnée lorsque vous avez cliqué sur le bouton Mise en page automatique.

Le bouton Modifier vous permet de créer vos propres mises en page automatiques.

Aligner le tout

Si vous déplacez quelques éléments dans votre état, vous risquez rapidement d'obtenir des éléments non alignés. Par exemple, vous avez peut-être placé les titres de colonnes dans l'En-tête de page et les informations que contiennent les colonnes plus bas, dans la section Détail. Bien entendu, vous souhaitez que les informations soient alignées sur les titres. Cependant, déplacer les éléments à la main pour ajuster leur position à l'œil nu risque de produire un résultat loin d'être parfait.

La grille affichée dans le fond de l'écran peut vous aider à positionner des éléments en les alignant sur les lignes verticales ou sur les divers points d'intersection. Lorsque vous déplacez un élément dans l'état, vous pouvez choisir Format/Aligner sur la grille pour faire en sorte que la position de l'élément reste toujours calée sur ces intersections, ou au contraire soit totalement libre.

Quand vous déplacez un objet alors que l'option Aligner sur la grille est activée, le coin supérieur gauche de l'objet reste toujours aligné sur une intersection de la grille. Choisissez cette commande lorsque vous redimensionnez un objet ; le côté de l'objet que vous déplacez restera aligné sur les intersections.

Voici quelques-unes des autres commandes du menu Format qui peuvent se révéler utiles :

- **Aligner :** Vous pouvez choisir deux objets ou plus et les aligner l'un par rapport à l'autre ou sur la grille.

  Sélectionnez Gauche, Droite, Haut ou Bas pour aligner les côtés correspondants. Par exemple, si vous sélectionnez trois objets et que vous utilisez Format/Aligner/Gauche, les trois objets se déplaceront de telle manière que leurs côtés gauches respectifs seront alignés. Par défaut, Access déplace les objets pour qu'ils s'alignent sur celui qui se trouve le plus à gauche.

- **Taille :** Vous pouvez modifier la taille d'un groupe d'objets. Pour cela, sélectionnez les objets, puis choisissez une option dans le sous-menu Taille.

  Par exemple, vous pouvez :

  - Choisir Taille/Au contenu, ce qui ajuste les dimensions des contrôles de telle manière que chacun soit assez grand pour afficher en intégralité l'information qu'il contient. Choisissez Taille/Sur la grille pour ajuster les dimensions des contrôles de sorte que tous leurs coins soient alignés sur des intersections de la grille.

- Ajuster les contrôles les uns par rapport aux autres. Si vous choisissez Taille/Au plus grand, Taille/Au plus petit, Taille/Au plus large, Taille/Au plus étroit, les dimensions de chaque boîte du groupe sélectionné seront ajustées sur ces caractéristiques. Si vous sélectionnez un groupe de contrôles, puis choisissez la Taille/Au plus grand, chacun des contrôles sélectionnés sera redimensionné en fonction du contrôle le plus grand dans le groupe.

✔ **Espacement horizontal, espacement vertical :** Ces commandes espacent les objets d'un groupe de façon régulière. Cette fonctionnalité peut se révéler particulièrement utile si vous essayez de répartir des titres dans un état. Sélectionnez ces éléments et choisissez Format/Espacement horizontal pour qu'Access les redistribue de manière régulière.

Dessiner vos propres traits

Ajouter des lignes qui séparent les diverses sections permet d'améliorer la lisibilité de vos états. Pour ajouter des lignes à un état, suivez les étapes suivantes :

1. **Ouvrez la Boîte à outils en cliquant sur le bouton du même nom dans la barre d'outils.**

2. **Cliquez sur l'outil Trait dans la Boîte à outils.**

   Votre curseur se transforme en une croix et produit un trait quand vous le déplacez.

3. **Cliquez à l'endroit où vous voulez démarrer le trait, faites glisser jusqu'à l'endroit où vous voulez qu'il s'arrête, et relâchez le bouton de la souris.**

Vous pouvez utiliser les divers boutons de la barre d'outils (dont j'ai parlé plus haut dans ce chapitre) pour habiller vos traits. Par exemple, pour modifier la couleur, l'épaisseur et l'apparence d'un trait, utilisez les boutons Couleur de bordure/Trait, Epaisseur de bordure/Trait et Effets spéciaux.

L'outil Rectangle dessine des boîtes autour des éléments de votre état. Cliquez sur le point que vous choisissez comme angle supérieur gauche de votre rectangle, et faites glisser le curseur jusqu'à l'angle inférieur droit. Quand vous relâchez le bouton, vous obtenez une boîte.

Insérer des sauts de page

La plupart du temps, les sauts de page ne sont pas votre priorité. Vous préférez vous occuper de choses plus passionnantes, comme aligner les données en colonnes ou en lignes, et sélectionner la bonne teinte de magenta (à moins que ce ne soit ce rose fluo ?) pour les traits et les bords.

Cependant, il peut arriver que vous souhaitiez indiquer à Access l'endroit précis où une page devrait se terminer. Vous voulez peut-être terminer chaque page par un calcul particulier, ou simplement conserver certaines informations groupées au sein d'une même page. Quelle qu'en soit la raison, il suffit d'un simple clic pour insérer un saut de page dans votre état.

Pour insérer un saut de page dans votre état Access, suivez les étapes ci-après :

1. **Cliquez sur le bouton Saut de page dans la Boîte à outils.**

   Le curseur de la souris se change en une croix à côté de laquelle apparaît une page.

2. **Positionnez le curseur à l'endroit où vous voulez insérer le saut de page et cliquez sur le bouton gauche de la souris.**

   Quelques marques noires apparaissent sur le bord de l'état. Elles représentent le marqueur de saut de page. Maintenant, une nouvelle page commence à cet endroit.

Si vous voulez supprimer un saut de page, cliquez sur le marqueur du saut de page et pressez Suppr. Le saut de page disparaît.

Les images

Si vous cliquez soit sur l'outil Image, soit sur l'outil Cadre d'objet indépendant, le curseur se transforme en un signe plus (+), à côté duquel figure une image. Vous pouvez utiliser cet outil pour dessiner une boîte sur votre écran :

- ✔ **Avec l'outil Image :** Access ouvre la boîte de dialogue Insérer une image que vous pouvez utiliser pour localiser l'image que vous souhaitez insérer.

- ✔ **Avec l'outil Cadre d'objet indépendant :** Access ouvre la boîte de dialogue Insérer objet pour que vous puissiez choisir le type d'objet à insérer.

Les images c'est bien, mais je vous conseille fortement de ne pas en utiliser ailleurs que dans les En-têtes de page et d'état. Une image qui apparaîtrait dans la section Détail serait répétée plusieurs fois.

Si vous n'avez pas d'image sous la main, vous pouvez choisir d'insérer un Cadre d'objet indépendant pour ajouter un objet OLE. La fonction OLE (Object Linking & Embedding, insertion d'objets COM qui implémentent une série d'interfaces spécifiques) vous permet d'ajouter un objet dans une page, tout en maintenant un lien vers le fichier original de l'objet. Toutes les modifications que vous apportez au fichier original sont reflétées dans l'objet que vous avez inséré dans le document. Vous pouvez ainsi établir un lien vers une image ou vers n'importe quel type d'objet qui supporte la fonction OLE.

Utiliser vos états dans les autres applications de Microsoft Office

Vous pouvez faire bien des choses avec Access, mais il arrive parfois qu'un programme différent se révèle plus adapté pour un travail spécifique, tout en vous simplifiant la vie. Toute l'astuce est de savoir utiliser la fonction Outils/ Liaisons Office dans le menu principal. Ce menu contient trois options : deux pour envoyer votre état vers Microsoft Word, et un autre pour l'envoyer vers Excel.

Chapitre 20

En-têtes et pieds de groupes, de pages et même d'états

L es assistants de création d'états sont très utiles, mais ils en font parfois un peu trop. Inévitablement, ils masquent souvent des traitements complexes sur lesquels vous souhaiteriez avoir un certain contrôle, telle la manière dont ils regroupent les champs. Comprendre le fonctionnement exact des groupes est important. Une fois que vous avez créé un état, vous devez quelquefois modifier son organisation ou ajuster ses composants pour répondre à de nouveaux besoins. Pour cela, vous allez passer en mode Création et effectuer manuellement les modifications que vous souhaitez.

Ne désespérez pas ! Ce chapitre a été conçu pour vous aider dans ces tâches complexes. J'y explique comment fonctionne le regroupement de champs dans un état, et je vous présente diverses options pour constituer des groupes.

Chaque chose à sa place

Le secret de l'organisation parfaite d'un état réside dans la manière dont vous allez positionner les marqueurs (que les programmeurs appellent *contrôles*) des étiquettes et des zones de texte lors de la mise en page de l'état. Chaque portion de la mise en page est délimitée par une *section* (parfois appelée *bande* dans d'autres programmes de base de données) qui identifie la portion qui suit. La correspondance entre une partie de l'état et une section dépend de la mise en page :

✔ **Verticale :** Dans un état à disposition verticale (Figure 20.1), les descriptions des champs sont affichées à côté des données de chaque enregistrement. La mise en page se comporte ainsi car la description d'un champ et la zone de données sont toutes deux mentionnées dans la section Détail de l'état. Puisque le titre de l'état se trouve dans la section En-tête d'état, il ne s'imprime qu'une fois, au tout début.

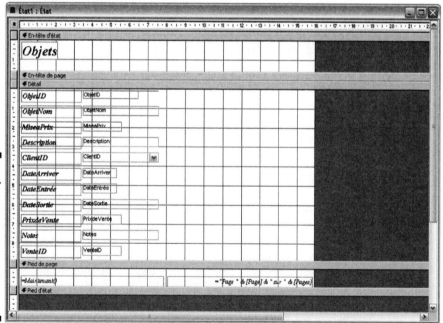

Figure 20.1
Dans un état vertical, les étiquettes sont affichées sur la gauche des champs. L'ensemble est répété pour chaque enregistrement.

✔ **Tabulaire :** La mise en page est assez différente dans un état à disposition tabulaire (Figure 20.2). Le titre est imprimé en haut, comme dans un état vertical, mais ici s'arrête la comparaison. Afin de ne pas être répé-

tées pour chaque enregistrement, les descriptions des champs sont
placées dans la section En-tête de page. Les zones de données sont
placées dans la section Détail.

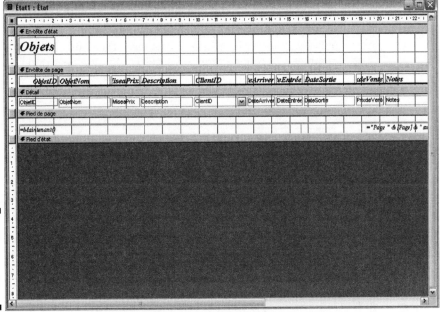

Figure 20.2
Dans un état
tabulaire, les éti-
quettes tiennent
le rôle de titre de
colonne.

Il est important de comprendre le concept de section si vous voulez pouvoir
modifier un état ou en générer un sans l'aide d'un assistant. À défaut, les
groupes que vous constituerez risquent de ne pas fonctionner correctement,
les champs apparaîtront n'importe où et la vie avec Access tournera au
cauchemar.

Ce qu'il est fondamental de comprendre au sujet des sections, c'est que le
contenu de chaque section est imprimé *si et seulement si* certains événements
surviennent. Par exemple, l'information qui se trouve dans l'En-tête de page est
répétée en haut de *chaque* page, mais celle que contient le Pied d'état n'est
imprimée que sur la *première* page.

Il est facile de comprendre comment les sections de votre état sont organisées
en observant la section la plus imbriquée et en remontant les sections qui la
contiennent :

✔ **Détail :** Access imprime les informations que contient cette section chaque fois qu'il passe à un nouvel enregistrement. Votre état contient une copie de la section Détail pour chaque enregistrement que comprend votre table.

✔ **Les en-têtes et les pieds de groupe :** Votre mise en page contient peut-être des marqueurs pour une ou plusieurs sections de groupe. À la Figure 20.3, l'information que contient l'état est groupée par VenteID, puis par Nom (vous pouvez le deviner grâce aux barres de sections nommées En-tête de groupe VenteID et En-tête de groupe Nom).

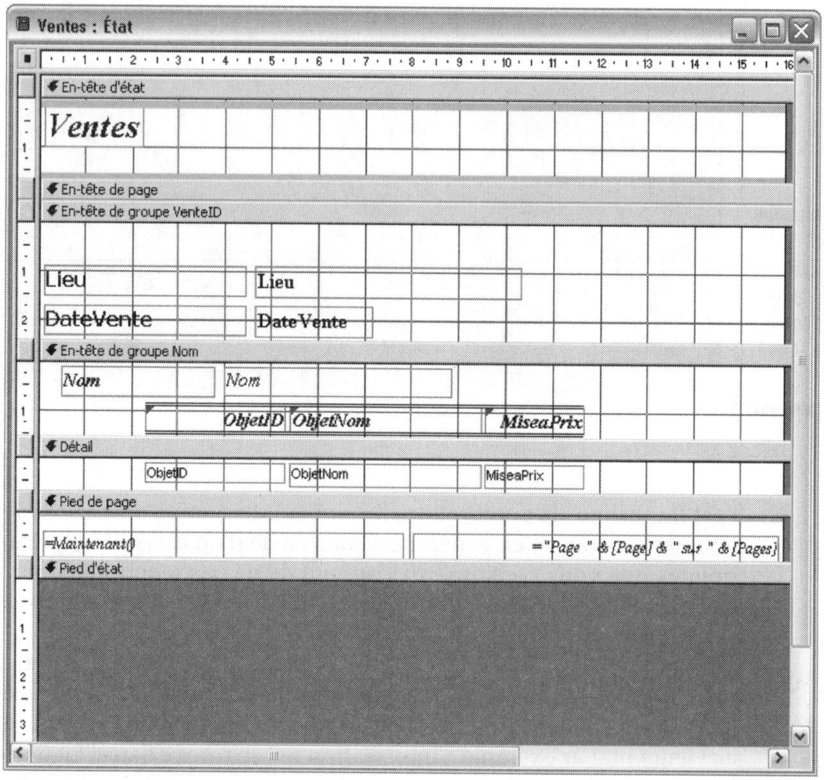

Figure 20.3
Grouper les enregistrements par EnchereID puis par Nom.

Les sections de groupe vont toujours par paires : *l'en-tête de groupe* et *le pied de groupe*. L'en-tête de section se trouve au-dessus de la section Détail ; le pied se trouve toujours sous cette section. L'information que contiennent ces sections est répétée pour chaque valeur unique que prend le champ du groupe. Par exemple, l'état présenté à la Figure 20.3

imprime tout ce que contient l'en-tête VenteID pour chaque identifiant unique d'une enchère. Dans la section d'une enchère, Access répète l'information que contient l'en-tête Nom pour chaque client.

✔ **L'en-tête de page et le pied de page :** Ces sections apparaissent respectivement en haut et en bas de chaque page. Elles font partie des sections qui ne dépendent pas du contenu de vos enregistrements. Utilisez l'information qui se trouve dans l'en-tête de page et le pied de page pour marquer les pages de votre état.

✔ **L'en-tête d'état et le pied d'état :** Ces sections apparaissent respectivement au début et à la fin de votre état. Elles n'apparaîtront qu'une fois dans votre état, contrairement aux autres sections qui sont répétées plusieurs fois.

Que fait Access de toutes ces sections lorsqu'il produit un état ? Le processus est le suivant :

1. **Access commence par imprimer l'En-tête d'état en haut de la première page.**

2. **Ensuite, il imprime l'En-tête de page (vous pouvez choisir de ne pas afficher cet en-tête sur la première page).**

3. **Si votre état comporte des groupes, les en-têtes de groupe pour le premier ensemble d'enregistrements sont affichés.**

4. **Quand les en-têtes sont en place, Access imprime finalement les lignes du Détail pour chaque enregistrement du premier groupe.**

5. **Une fois que toutes les lignes du Détail du premier groupe ont été traitées, Access imprime le Pied de ce groupe.**

6. **Si vous avez plusieurs groupes, Access réitère le processus en imprimant l'En-tête du groupe suivant, les lignes du Détail de ce groupe, puis le Pied de ce groupe.**

7. **A la fin de chaque page, Access imprime le Pied de page.**

8. **Quand il a imprimé le dernier groupe, Access imprime le Pied d'état qui, comme l'En-tête d'état, n'apparaît qu'une seule fois dans l'état.**

Voici ce que vous pouvez faire avec les en-têtes et les pieds :

✔ L'En-tête d'état contient des informations générales sur l'état. C'est l'endroit où il faut insérer le titre de l'état, la date d'impression et des informations sur la version.

✔ L'En-tête de page contient toute information que vous souhaitez voir apparaître en haut de chaque page (telle que la date ou le logo de votre société).

✔ Les en-têtes de chaque groupe identifient généralement le contenu de leur groupe et les noms des champs.

✔ Les pieds de chaque groupe contiennent généralement des informations récapitulatives, telles que des totaux. Par exemple, la section Pied du groupe EnchereID pourrait contenir un calcul du total des enchères minimales.

✔ Le Pied de page, qui apparaît en bas de chaque page, contient générale-ment le numéro de page et la date.

Si les informations que contient votre état sont confidentielles, n'oubliez pas d'ajouter une mention telle que **Confidentiel** dans le pied (les avocats de votre société seront fiers de vous !).

✔ Une fois que le Pied d'état est imprimé, la seule information qu'il reste à traiter est un résumé de ce qui s'est déroulé lors de la génération de l'état. Vous pouvez également inclure des informations pour vous contacter si vous pensez distribuer l'état.

Grouper vos enregistrements

Si vous mettez en forme un état à partir de rien, vous pouvez utiliser la boîte de dialogue Trier et regrouper pour créer vos groupes et contrôler la manière dont ils se comportent. Cela est important : si vous utilisez un assistant pour générer un état à votre place, vous pouvez toujours exploiter cette boîte de dialogue pour contrôler la manière dont l'état se comporte et comment les informations sont affichées.

Quand l'assistant crée un état pour vous, il inclut automatiquement un en-tête et un pied de section pour chaque groupe que vous créez. Si vous indiquez à l'assistant qu'il doit grouper selon EnchereID, il crée automatiquement les sections En-tête de groupe EnchereID et Pied de groupe EnchereID. Cependant, vous n'êtes pas limité par les capacités de l'assistant ; si vous êtes un peu entreprenant, vous pouvez améliorer le travail de l'assistant en ajoutant vos propres sections de groupe.

L'outil qui vous permet de créer une section de groupe est la boîte de dialogue Trier et regrouper (Figure 20.4). Cette boîte contrôle la manière dont Access organise les enregistrements dans l'état. Chaque section de groupe de votre état est automatiquement insérée dans la liste Trier et regrouper (que vous ayez ou non créé la section avec l'assistant). Il existe aussi des entrées qui permettent de trier les enregistrements, mais ces dernières ne génèrent aucun en-tête de section.

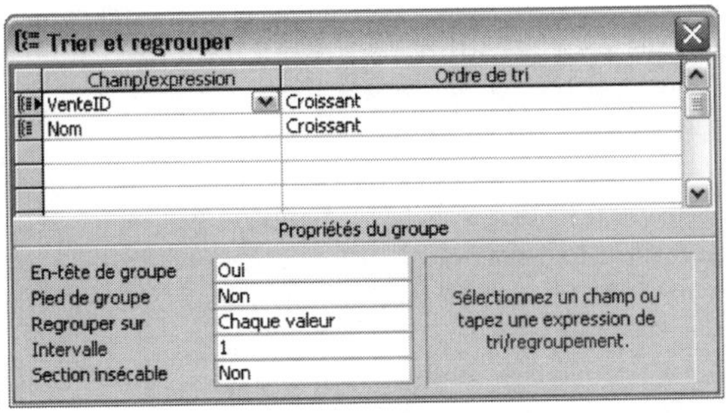

Figure 20.4
La boîte de dialogue Trier et regrouper vous permet d'ajuster l'organisation de votre état.

Suivez ces étapes pour créer vos propres groupes :

1. Choisissez Affichage/Trier et regrouper.

La boîte de dialogue Trier et regrouper apparaît.

2. Cliquez dans un champ vide sous Champ/Expression.

Le curseur clignotant apparaît, avec une flèche orientée vers le bas.

3. Cliquez sur la flèche orientée vers le bas.

Une liste de champs que vous pouvez utiliser pour constituer un groupe apparaît.

4. Sélectionnez un champ.

Access ajoute une nouvelle ligne pour chaque champ dans la liste Trier et regrouper. Par défaut, Access projette d'effectuer un tri ascendant (du plus petit au plus grand) avec les données dans ce champ.

5. Cliquez sur l'En-tête de groupe au bas de la boîte de dialogue.

Vous indiquez à Access que vous voulez que l'entrée constitue un groupe.

6. Cliquez sur la flèche orientée vers le bas qui apparaît dans la boîte et sélectionnez Oui dans le menu déroulant qui s'affiche.

Dans les coulisses, Access ajoute une nouvelle section de groupe à la mise en page de votre état. Pour inclure un pied de groupe, vous devez répéter cette étape avec l'entrée Pied de groupe de la boîte de dialogue.

7. Une fois que vous avez terminé, fermez la boîte de dialogue.

C'est fini. Votre nouveau groupe est en place.

Pour supprimer un groupe, cliquez sur le bouton gris qui se trouve à côté de la ligne Champ/Expression du groupe, et appuyez sur la touche Suppr. Access vous demande de confirmer la suppression du groupe. Cliquez sur Oui.

Si vous voulez modifier l'ordre des groupes, retournez dans la boîte de dialogue Trier et regrouper (choisissez Affichage/Trier et regrouper). Cliquez sur le bouton gris qui se trouve à côté du groupe que vous voulez déplacer, puis cliquez-glissez le groupe vers sa nouvelle position. Access ajuste automatiquement la mise en page de votre état.

Faites attention quand vous modifiez l'ordre des groupes ! Il est facile d'effectuer une petite modification, puis de s'apercevoir que plus rien dans l'état n'est organisé correctement. Avant d'apporter des modifications importantes à l'état, prenez une minute pour le sauvegarder (choisissez Fichier/Sauvegarder). Ainsi, si quelque chose se déroule mal et que l'état est défiguré, fermez-le (Fichier/Fermer) sans sauvegarder vos modifications. Votre état original n'aura pas été altéré.

Les propriétés du groupe sélectionné apparaissent en bas de la boîte de dialogue Trier et regrouper :

- ✔ **En-tête de groupe et Pied de groupe :** Spécifient si vous voulez que ce groupe comprenne une section pour un En-tête de groupe, une section pour un Pied de groupe ou les deux.

- ✔ **Regrouper sur :** Détermine la manière dont Access crée les groupes pour cette valeur. Reportez-vous à l'encadré "Restez groupés !".

- ✔ **Intervalle :** Je vous recommande de ne pas toucher à ce paramètre. Intervalle indique à Access combien de caractères il doit analyser dans chaque champ pour déterminer comment grouper les enregistrements. La valeur par défaut, 1, indique à Access de grouper les enregistrements dans l'ordre alphabétique en se fondant uniquement sur la première lettre du champ. Le passage de cette valeur de 1 à 3 indique à Access de grouper en se fondant sur les trois premiers caractères de chaque enregistrement (ce qui place Smith, Smithers et Smizotsky dans le même groupe).

✔ **Section insécable :** Spécifie si toute l'information que contient un groupe doit être imprimée sur la même page ; si la première ligne Détail et les en-têtes de ce groupe doivent être imprimés sur la même page ; et si Access peut partager l'information comme il l'entend du moment qu'elle est intégralement imprimée.

Vous disposez de trois choix pour la propriété Section insécable :

✔ **Non :** Spécifie à Access de faire comme bon lui semble.

✔ **Groupe entier :** Spécifie à Access d'imprimer le groupe entier, de l'En-tête au Pied, dans la même page.

✔ **Avec premier détail :** Spécifie à Access d'imprimer toute l'information que contient l'En-tête du groupe jusqu'à la section Détail de la première entrée du groupe sur la même page. Choisissez cette option si vous voulez être certain que chacune de vos pages débute par un ensemble d'en-têtes.

Modifier la taille d'une section

Contrôler l'espace dans une section peut vous poser un problème lors de la mise en page de votre état. Lorsque vous imprimez une section – En-tête de page, En-tête de section ou ligne de Détail –, elle occupe normalement le même espace que celui que vous lui avez alloué en mode Création. Vous voudrez généralement réduire cet espace dans le groupe de sorte à remplir la page, mais votre section doit être suffisamment grande pour contenir tous les marqueurs et autres données que vous y placez. (Pour découvrir comment créer des sections qui changent de taille en fonction de l'information qu'elles contiennent, rendez-vous à la section suivante, "Affiner la mise en page".)

Il est très facile de modifier la taille d'une section. Placez votre curseur sur le côté de la barre qui se trouve immédiatement sous la section, puis cliquez-glissez vers le haut ou vers le bas, pour réduire ou augmenter la taille.

Vous pouvez éviter ce travail en indiquant à Access de redimensionner automatiquement les sections en fonction du volume de données qu'elles contien-

Restez groupés !

Les groupes sont l'une de ces fabuleuses fonctionnalités qui font que les états d'Access sont si flexibles. Mais attendez, les groupes dissimulent une partie de leur pouvoir dans l'option Regrouper, disponible dans les boîtes de dialogue Trier et regrouper. Cette option indique à Access quand il doit commencer un nouveau groupe d'enregistrements dans un état. La boîte de dialogue contient deux options pour cela : *Chaque valeur* et *Intervalle*.

- **Chaque valeur** : Spécifie à Access qu'il doit grouper les entrées identiques entre elles. S'il existe une différence entre les valeurs dans un champ qui sert de critère de groupe, Access créera autant de groupes qu'il y a de valeurs différentes. Chaque valeur est une option qui se révèle fort utile si vous êtes en train d'effectuer un regroupement selon les numéros de clients, les numéros de vendeurs, ou autres. Elle est moins utile quand vous travaillez sur des noms, car chaque variation orthographique (Kaufield au lieu de Kaufeld, par exemple) va générer son propre groupe.

- **Intervalle** : Spécifie à Access que vous cherchez à organiser vos données par plages. La manière dont Access interprète l'option Intervalle varie selon que vous groupez un champ texte ou un champ numérique.

Si vous groupez selon un champ numérique et utilisez l'option Intervalle, Access compte par unités d'Intervalle lorsqu'il crée les groupes. Par exemple, si votre Intervalle vaut 10, Access groupe les enregistrements qui ont des valeurs de 0 à 9, de 10 à 19, de 20 à 29, etc.

Access fonctionne différemment s'il s'agit d'un champ texte. Par exemple, supposons que vous spécifiiez un Intervalle de 1. Access groupera les enregistrements en fonction du premier caractère du champ texte. Autrement dit, tous les A formeront un groupe, suivi de tous les B, etc. Si vous utilisez un Intervalle de 2, Access groupera les enregistrements selon les deux premiers caractères du champ Texte, si bien que Maine et Massachusetts formeront un groupe (les deux commencent par Ma) mais Maine et Mississippi formeront des groupes distincts.

nent. Pour en savoir plus, consultez la section suivante, "Affiner la mise en page".

Affiner la mise en page

Une fois que les bons champs sont dans les bonnes sections d'en-tête, de pied et de détails, la plus grande part de l'élaboration d'un état est faite. Vous pouvez alors peaufiner les détails. Les propriétés décrites dans les sections suivantes régissent l'aspect visuel de l'état.

Une partie des notions abordées dans les paragraphes suivants semble technique car l'on creuse les mécanismes de construction d'états. Ne vous laissez pas impressionner. En organisant vos sections d'en-tête, de pied et de détails, vous avez déjà réalisé le plus difficile. Il s'agit maintenant de mettre la cerise sur le gâteau.

Manipulation des propriétés

Access propose tous les réglages des propriétés d'un état dans une seule boîte de dialogue. Pour accéder à ces réglages, double-cliquez sur l'élément à modifier. Pour afficher les contrôles de l'état entier, double-cliquez sur la petite case dans la partie supérieure gauche de la fenêtre (Figure 20.5). Quel que soit l'endroit où vous double-cliquez, une boîte de dialogue très utile s'affiche.

Le titre de la boîte de dialogue identifie l'élément d'état sur lequel vous avez double-cliqué. Selon l'élément, le titre indique Etat, Section, Zone de texte ou Etiquette, suivi du nom de l'élément. Par ailleurs, Access met l'élément en valeur dans l'état : vous savez ainsi exactement sur quel élément vous travaillez. Par exemple, la Figure 20.5 montre les propriétés de la section En-tête de page de l'état. Vous le savez car le titre de la boîte de dialogue est Section:ZoneEntêtePage ; de plus, Access a mis en valeur la barre de section En-tête de page dans la fenêtre de création.

Cette boîte de dialogue contient deux parties : une liste déroulante qui liste les sections de l'état, et un assortiment variable d'onglets contenant les paramètres à régler. La liste déroulante comporte absolument toutes les zones de l'état, en commençant par l'état entier, puis en passant par les en-têtes, les champs, les étiquettes, et même les lignes vierges à l'intérieur de l'état. À chaque section correspond un assortiment différent d'options. Assurez-vous de choisir la bonne section d'état dans la liste déroulante avant de modifier un grand nombre de réglages.

Les cinq onglets de la boîte de dialogue sont : Format, Données, Evénement, Autres et Toutes. Le seul onglet dont vous avez à vous préoccuper réellement est Format. Il gère 99 % des détails que vous voudrez éventuellement modifier. Les autres onglets de la boîte de dialogue séduiront uniquement les programmeurs Access endurcis (les programmeurs eux-mêmes ne s'en soucient d'ailleurs guère).

TRUC

Si vous ne trouvez pas un réglage particulier dans la zone inférieure de la boîte de dialogue, vérifiez le nom de la section d'état active (en haut de la boîte). Si ce n'est pas le bon nom de section qui est affiché, les réglages ne peuvent pas correspondre.

Manipulation des en-têtes d'état et de page

Pour modifier la mise en page de l'état en entier, double-cliquez sur la petite boîte qui se trouve dans le coin supérieur gauche de la fenêtre de l'état en mode Création. La boîte de dialogue Etat s'affiche (Figure 20.6).

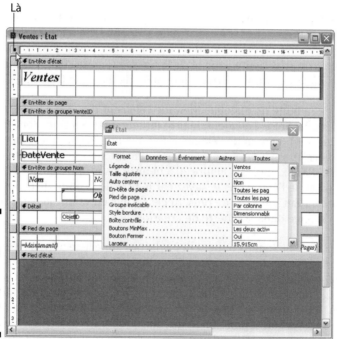

Là

Figure 20.5 Double-cliquez sur la petite boîte dans le coin supérieur gauche pour afficher la boîte de dialogue Etat.

✔ La configuration par défaut pour l'En-tête de page et le Pied de page est Toutes les pages, ce qui signifie qu'Access imprime un en-tête et un pied sur chaque page de l'état.

✔ Choisissez Sans en-tête d'état (ou Sans pied d'état pour le pied) pour spécifier à Access qu'il ne doit rien imprimer sur les première et dernière pages (là où l'En-tête d'état et le Pied d'état sont imprimés), mais qu'il doit imprimer l'En-tête de page sur toutes les autres pages.

✔ L'option Section insécable affecte le paramètre du même nom défini dans la boîte de dialogue Trier et regrouper (voir plus haut dans ce chapitre). Choisissez Par page pour appliquer l'option Section insécable aux pages. Ou encore, dans un état à plusieurs colonnes, choisissez Par colonne pour appliquer l'option Section insécable aux colonnes.

L'En-tête de page propose de nombreuses options. Double-cliquez sur En-tête de page pour afficher la boîte de dialogue Section : ZoneEnTêtePage qui ressemble probablement à celle de la Figure 20.5, plus haut. Voici les options :

✔ **Visible :** Vous pouvez utiliser cette boîte de dialogue pour contrôler la manière dont l'En-tête de page apparaît.

✔ **Hauteur :** Access détermine automatiquement la valeur de cette propriété quand vous cliquez-glissez l'En-tête vers le haut ou vers le bas.

Pour spécifier une taille exacte (par exemple si vous voulez que l'En-tête fasse précisément 4 cm de haut), tapez la taille dans cette section (Access utilise automatiquement l'unité de mesure que vous avez choisie pour Windows).

✔ **Couleur fond :** Si vous voulez ajuster la couleur de la section, cliquez dans cette boîte, puis sur le petit bouton gris qui apparaît à droite de l'entrée. Ce bouton affiche la palette des couleurs. Cliquez sur votre choix et laissez Access s'occuper de tous les numéros de couleurs qu'il faut saisir dans la boîte Couleur fond.

Bien que vous puissiez contrôler la couleur du fond de votre En-tête de page depuis la boîte de dialogue des propriétés de l'état, il est plus simple de cliquer sur la section dans le mode Création et d'utiliser la liste déroulante dans la barre des outils de mise en page.

✔ **Apparence :** Cette propriété modifie l'aspect visuel de l'En-tête de section, tout comme le bouton Effets spéciaux vous permet de modifier l'aspect des marqueurs dans l'état. Vos choix sont quelque peu limités. Cliquez sur la boîte Apparence, puis sur la flèche orientée vers le bas pour visualiser la liste des options disponibles. Choisissez A deux dimensions (par défaut), En relief ou 3D enfoncé.

Mettre en page des sections particulières de votre état

Que faire si vous ne voulez pas modifier la mise en page de tout l'état, mais simplement celle d'une section, par exemple l'en-tête d'un groupe ? Simple. En mode Création, double-cliquez sur l'En-tête de groupe pour afficher la boîte de dialogue que reprend la Figure 20.7.

Figure 20.6
La boîte de dialogue En-tête de groupe vous permet de spécifier la manière dont les groupes doivent être gérés.

L'option Saut de page vous permet de spécifier si la modification apportée au groupe force l'information à commencer sur une nouvelle page. Quand vous activez cette option, vous pouvez spécifier si ce saut de page doit se produire seulement avant l'en-tête, seulement après le pied, ou à ces deux endroits à la fois. De même, vous pouvez contrôler la manière dont les début et fin de chaque section sont gérés dans des états à colonnes multiples (par exemple faire en sorte qu'un groupe commence toujours sur une nouvelle colonne). Comme avec les boîtes de dialogue précédentes, vous pouvez aussi contrôler si les groupes sont réunis et si la section est visible.

Vous disposez des options Auto extensible, Auto réductible et Répéter section :

  ✔ **Auto extensible :** La section s'agrandit en fonction des données qu'elle contient.

    Auto extensible est particulièrement utile quand vous imprimez un état qui contient un champ Mémo. Vous spécifiez la largeur du champ qui vous convient. Puis vous utilisez la propriété Auto extensible pour ajuster la hauteur en fonction de l'information à afficher.

✓ **Auto réductible :** La section peut être réduite si, par exemple, quelques-uns de ses champs sont vides. Pour utiliser les propriétés Auto extensible et Auto réductible, vous devez les spécifier pour la section et les éléments de cette section dont les dimensions peuvent ainsi évoluer.

✓ **Répéter section :** Contrôle si Access répète l'en-tête sur la nouvelle page (ou les pages si la section est si volumineuse qu'elle recouvre plusieurs pages quand un groupe est découpé en pages ou en colonnes).

Prendre un élément à la fois

Double-cliquer ne fonctionne pas seulement sur les sections. Quand vous voulez ajuster la mise en page d'un élément de votre état – une zone de texte, une étiquette ou un objet que vous avez dessiné –, double-cliquez simplement sur cet élément, en mode Création. Access affiche une merveilleuse boîte de dialogue qui vous permet d'effectuer toute sorte d'opérations.

Remplir ces sections

Bien qu'Access utilise des valeurs par défaut pour les en-têtes et les pieds, ces valeurs ne sont pas très personnalisées ni imaginatives. Vous pouvez faire bien mieux avec les en-têtes et les pieds que simplement afficher des étiquettes pour vos données. Vous pouvez générer des expressions dans ces sections ou insérer du texte qui présente ou récapitule les données. C'est le type d'en-tête ou de pied qui impressionne votre patron et force le respect de vos collègues.

À la toute première place

La manière dont vous placez les étiquettes dans les sections En-têtes d'un état détermine l'aspect final de l'état et fournit des informations sur le sens de lecture. Aussi vous feriez bien d'accorder un certain soin à la réalisation de ces en-têtes. Vous devez vous assurer que tous vos en-têtes sont faciles à lire et qu'ils communiquent une information utile sur votre état.

Lorsque vous mettez en page un état, n'hésitez pas à tester plusieurs configurations d'en-têtes. Essayez les diverses solutions qui pourraient vous venir à l'esprit, et retenez celle qui vous surprend le plus.

Par exemple, si vous utilisez un assistant pour créer un état groupé, Access insère par défaut des étiquettes pour vos enregistrements dans l'en-tête de page. La Figure 20.8 montre à quoi ressemble un tel état. Notez que les titres des colonnes sont imprimés au-dessus du nom du site. Les descriptions des titres des colonnes figurent en haut de chaque page car elles sont spécifiées dans la section En-tête de page. Cet exemple ne présente certainement pas une mauvaise mise en page, mais vous pouvez atteindre le même objectif d'une manière différente.

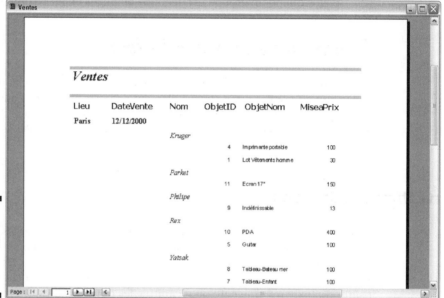

Figure 20.7
L'état Inventaire Enchères où des étiquettes figurent dans l'en-tête de page.

La Figure 20.9 présente une autre solution. Dans ce cas, les titres ObjetID, ObjetNom et MiseaPrix sont répétés sur chaque ligne car ils ont été spécifiés dans la section Nom de l'état. Cette version est quelque peu plus facile à lire que celle reprise à la Figure 20.8, car les descriptions de colonnes se trouvent juste au-dessus des colonnes correspondantes.

Aux Figures 20.8 et 20.9, certaines des étiquettes (dont Nom) ont été déplacées, et diverses sections ont été redimensionnées pour que l'allure des états soit plus plaisante.

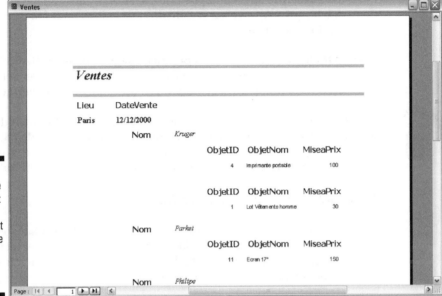

Figure 20.8
L'état Inventaire
Enchères, avant
que les étiquet-
tes qui figuraient
dans l'En-tête de
page ne soient
déplacées vers
la section Nom.

Les numéros de pages et les dates

Access peut insérer certains types d'informations dans les en-têtes ou dans les pieds. En particulier, Access peut insérer des numéros de pages ou des dates grâce aux commandes Numéro de page et Date et heure qui se trouvent dans le menu Insérer.

Quelle page est-ce ?

Choisissez Insérer/Numéro de page pour afficher la boîte de dialogue. Vous disposez de diverses options pour numéroter les pages :

✔ **Format :** Choisissez Page N pour imprimer le mot "Page" suivi du numéro de page approprié. Ou choisissez Page N sur M pour dénombrer les pages de l'état et afficher ce nombre en plus du numéro de page (comme "Page 2 sur 15").

✔ **Position :** Spécifie à Access s'il doit imprimer le numéro de page dans l'En-tête ou le Pied de page.

- ✔ **Alignement :** Spécifie la position du numéro dans la page. Cliquez sur la flèche qui se trouve sur le côté droit de la liste pour faire défiler les options possibles.

- ✔ **Afficher le numéro sur la première page :** Cochez cette option pour inclure un numéro sur la première page de votre état. Décochez-la pour que votre première page ne soit pas physiquement numérotée.

Pour modifier la manière dont les numéros de pages fonctionnent dans votre état, supprimez tout d'abord le champ qui contient le numéro de page (cliquez dessus et appuyez sur la touche Suppr). Une fois qu'il a disparu, vous pouvez choisir Insérer/Numéro de page pour générer une nouvelle numérotation.

Quand avez-vous imprimé votre état ?

Choisissez Insertion/Date et heure pour afficher la boîte de dialogue correspondante. Les options les plus importantes sont : Inclure date et Inclure heure. Sélectionnez le format dans la liste. La boîte de dialogue affiche un aperçu de vos paramètres dans la zone nommée *Exemple*.

Inclure la date et l'heure ne vous semble pas forcément utile aujourd'hui, mais cela fait une *énorme* différence pour les informations qui changent régulièrement. En imprimant l'information automatiquement en bas de vos pages d'état, Access indique à quel moment l'état a été produit.

Cinquième partie

Assistants, formulaires et autres mystérieuses fonctionnalités

"T'as pas parfois l'impression que ce projet peut rendre l'âme à tout moment ?"

Dans cette partie...

La Cinquième partie défie toute explication rationnelle. Elle présente une série de fonctionnalités qui se révèlent individuellement utiles, mais sans lien commun.

Le Chapitre 21 met votre base de données à l'heure du 21e siècle en vous présentant l'intégration sur Internet, l'une des fonctionnalités emblématiques d'Access.

N'oubliez pas de consulter le Chapitre 22 pour découvrir tout ce qu'il convient de connaître sur les formulaires dans Access. Les formulaires sont un outil particulièrement puissant et utile, et trop fun à utiliser – oui, j'ai dit fun !

Le Chapitre 23 explore les possibilités d'importation et d'exportation des données. Le Chapitre 24 vous montre comment analyser le contenu de vos tables.

Chapitre 21

Mettre en ligne vos données sur le Web

. . . .

Dans ce chapitre :

▶ Ce qu'Access connaît d'Internet.

▶ Saisir et utiliser des hyperliens.

▶ Publier des informations sur le Web.

▶ Sujets avancés pour retenir votre attention.

. . . .

Access est une source d'informations pour Internet et intranets. Si vous souhaitez emboîter le pas de la révolution en ligne, si vous voulez vous amuser ou faire du profit sur les autoroutes de l'information, Access (avec le reste de la suite Office XP) est ce par quoi vous devez commencer.

Ce chapitre présente rapidement les fonctionnalités d'Access liées à Internet, les hyperliens dans le détail, et vous dit comment publier une base de données en ligne. Il se termine par quelques considérations sur des sujets avancés, sur lesquels vous pourrez réfléchir plus longuement si cela vous intéresse (ces sujets sont trop techniques pour être détaillés dans ce livre).

Access et Internet : un match qui se déroule à Redmond

Ces derniers temps tous les éditeurs de logiciels intègrent dans leurs produits des fonctionnalités liées à Internet. Qu'il s'agisse d'une évolution naturelle ou d'annonces marketing, tout le monde se lance dans la course au cyberespace.

Fort heureusement, l'intégration d'Internet dans Access résulte d'une évolution naturelle. Les bases de données occupent un rôle parfaitement défini dans le système d'information du World Wide Web. Le Web offre beaucoup de possibilités en termes d'interactivité et de présentation de l'information. Mais, jusqu'à présent, publier des données sur le Web était un processus plutôt fastidieux qui prenait du temps.

Pour simplifier le processus de publication de données, Microsoft en est arrivé à intégrer le Net dans Access. La technologie clé qui permet d'accomplir ce miracle s'appelle ActiveX.

Vous avez probablement déjà entendu des termes tels que OLE (Object Linking Embedding), COM (Component Object Model), voire DNA (Distributed interNet Architecture). Croyez-le ou non, tous ces termes sont plus ou moins synonymes d'ActiveX (Microsoft a pris la mauvaise habitude de renommer régulièrement ses technologies à des fins purement marketing). À la base, ActiveX (ou OLE ou COM ou n'importe quoi d'autre) est la technologie qui permet à différents programmes de partager de l'information. Ne stressez pas sur cette technique, vous n'avez pas besoin de connaître quoi que ce soit sur ActiveX pour qu'Access fonctionne de pair avec Internet ou l'intranet de votre société.

Le pouvoir Internet d'Access est directement extrait du navigateur Web de Microsoft, Internet Explorer, via un sympathique pipeline ActiveX. Lorsque vous travaillez avec les hyperliens, que vous naviguez sur le Net depuis un formulaire ou que vous effectuez une recherche sur l'intranet de votre société, c'est Internet Explorer qui fait tout le travail en coulisse. Même quand il semble qu'Access est en charge du travail, l'information qui provient d'Internet est toujours directement fournie par Internet Explorer. La technologie ActiveX rend cela totalement transparent.

Pour qu'Access puisse faire ses tours de magie sur Internet, vous devez utiliser Internet Explorer 5.0 ou ultérieur. De plus, vous devez disposer d'une connexion Internet (ou à l'intranet de votre société).

Mise en place d'hyperliens dans une table

Au cœur de toutes les discussions relatives à Internet se trouve le terme *hyperlien*. Bien que le mot hyperlien évoque vaguement l'idée d'une camisole de force, il s'agit en fait de zones de stockage pour tout ce avec quoi vous voudrez entretenir un lien. Les hyperliens sont connectés à toute une variété d'endroits sur Internet ou sur intranets, comme le montre le Tableau 21.1.

Tableau 21.1 : Les hyperliens dans Access.

Code de protocole	Description
file://	Ouvre un fichier local ou distant.
ftp://	File Transfer Protocol ; lien vers un serveur FTP.
http://	Hypertext Transfer Protocol ; lien vers une page du World Wide Web.
mailto:	Envoie un e-mail à une adresse réseau ou Internet.
news://	Ouvre un groupe de discussion Internet.

Le Tableau 21.1 contient la plupart des préfixes les plus utilisés. Pour obtenir la liste de tous les préfixes qu'Access comprend, appuyez sur la touche F1 afin d'ouvrir le système d'aide d'Access, puis recherchez le mot *hyperlien*.

Si vous surfez régulièrement sur le World Wide Web, nombre de ces préfixes doivent déjà vous être familiers. Bien que la plupart d'entre eux fassent référence à des applications Internet/intranet, Access peut aussi utiliser des hyperliens pour identifier des documents Microsoft Office stockés en local. Cette technologie est très flexible, elle ne semble limitée que par la hauteur du ciel.

Ajouter un champ hyperlien à votre table

Vous ne pouvez pas laisser les hyperliens traîner ici et là, vous devez les stocker quelque part. Aussi Access dispose-t-il d'un type de champ spécifique pour ce type de données. Comme vous l'avez probablement déjà deviné, ce type est nommé champ hypertexte lien. La Figure 21.1 vous montre une table qui en contient un.

Ajouter un champ hypertexte lien dans une table ne fait pas l'objet d'une procédure particulière. Suivez les mêmes étapes que celles qui vous permettent d'ajouter n'importe quel champ dans une table. Le champ hypertexte lien n'est pas différent des autres champs plus communs qui l'entourent.

Saisir et utiliser des hyperliens

Les hyperliens peuvent comprendre quatre parties, toutes séparées par des dièses :

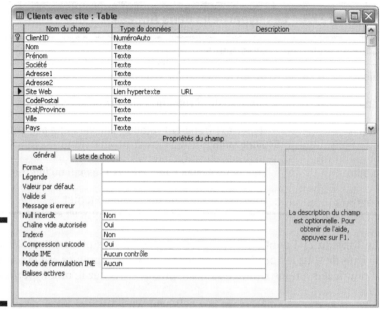

Figure 21.1
Ajouter un champ hypertexte lien dans une table.

```
texte affiché#adresse#sous-adresse#conseil
```

Le Tableau 21.2 dresse la liste de ces parties.

Tableau 21.2 : Format des hyperliens sous Access.

Partie de l'hyperlien	Description
Texte affiché	Le texte qui est affiché. S'il est omis, l'URL est affichée.
Adresse	L'URL (Uniform Resource Locator), telle qu'une page Web. Obligatoire.
Sous-adresse	Un lien dans la même page ou le même document.
Conseil	Un texte qui s'affiche quand l'utilisateur laisse le curseur de sa souris sur l'adresse.

Voici quelques exemples d'hyperliens formatés pour Access :

- www.microsoft.com affiche l'URL http://www.microsoft.com uniquement.

- ✔ Microsoft Corporation#http://www.microsoft.com# affiche Microsoft Corporation.

- ✔ Microsoft Corporation# http://www.microsoft.com#Information# affiche Microsoft Corporation et renvoie vers un sujet nommé "Information" dans cette page.

- ✔ Microsoft Corporation# http://www.microsoft.com#Information#Redmon affiche Microsoft Corporation et renvoie vers un sujet nommé "Information" dans cette page. Quand l'utilisateur laisse son curseur sur ce lien, le mot "Redmond" apparaît.

- ✔ Microsoft Corporation# http://www.microsoft.com##Redmond# affiche Microsoft Corporation. Quand l'utilisateur laisse son curseur sur ce lien, le mot "Redmond" apparaît. Comme aucune sous-adresse n'est incluse, j'ai utilisé un double signe dièse après l'URL et avant le mot "Redmond".

Si tous ces dièses vous donnent le tournis, formatez vos hyperliens via la commande Modifier le lien hypertexte. Dans la table, cliquez du bouton droit dans le champ de l'hyperlien à changer, puis choisissez Lien hypertexte/Modifier le lien hypertexte. La boîte de dialogue de la Figure 21.2 apparaît. Vous pouvez définir l'adresse du site, le texte affiché et l'infobulle (petit texte qui s'affiche lorsque votre souris passe sur une adresse Web). Cette boîte de dialogue permet également d'inclure dans une table Access des liens vers des documents, feuilles de calcul, graphiques, ou même des adresses électroniques.

La meilleure solution pour formater correctement des hyperliens consiste à vous livrer à des expériences jusqu'à obtenir un résultat satisfaisant. La Figure 21.2 montre à quoi ressemble une URL formatée telle qu'elle a été saisie dans la table, et telle qu'elle s'affiche dans un formulaire d'Access.

Bien que la plupart des hyperliens contiennent des adresses Web ou Internet, ils peuvent pointer vers n'importe quoi d'autre dans ce monde. Grâce à leurs éléments flexibles, les hyperliens comprennent les pages Web, les serveurs intranets, les objets de base de données (états, formulaires, etc.), et même les documents Microsoft Office conservés sur votre ordinateur ou sur un autre PC en réseau.

Utiliser un hyperlien est très simple. Suivez ces étapes :

1. **Connectez-vous au réseau ou lancez votre connexion Internet.**

   Internet Explorer a besoin que tout soit en place avant de consentir à s'afficher.

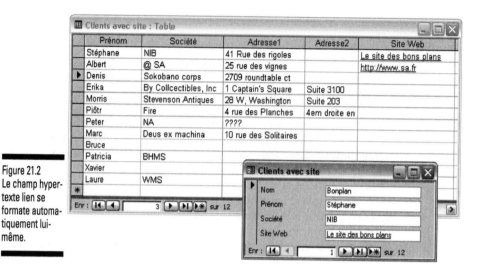

Figure 21.2
Le champ hyper-
texte lien se
formate automa-
tiquement lui-
même.

2. **Ouvrez la base de données Access que vous souhaitez utiliser et ouvrez la table qui contient ces merveilleux hyperliens.**

   Ça va commencer !

3. **Cliquez sur l'hyperlien de votre choix.**

   Si l'hyperlien est une page Web, Internet Explorer apparaît à l'écran et affiche le site Web qui correspond au lien. Si le lien pointe vers autre chose qu'un site Web, Windows lance automatiquement le programme associé à ce que le lien référence.

Mettre vos données sur le Web

Maintenant qu'Access contient toutes vos informations, pourquoi ne pas les partager avec vos collègues, ou même les mettre à la disposition du monde entier ? Que vous construisiez un site commercial pour la gloire et la fortune en ligne, ou un intranet interdépartemental pour décupler les capacités de votre entreprise, Access dispose de tous les outils dont vous avez besoin pour mettre en forme vos données sur le Web en un rien de temps.

Bien qu'il ne soit pas nécessaire de connaître le HTML pour créer des pages Web avec Access, vous aurez probablement besoin de recourir à ce langage pour mener à bien votre projet. Pour apprendre le HTML facilement, reportez-vous à l'ouvrage *HTML pour les Nuls*, par Ed Tittel et Steve James.

Quelques mots sur le World Wide Web (et pourquoi c'est important pour vous)

Bien que les hyperliens puissent sembler faire partie de ces modes technologiques passagères, ils sont vraiment importants. Presque toutes les entreprises sont présentes sur le Web, et nombreuses (sinon toutes) sont celles qui convertissent leurs informations pour le Web. Les sociétés créent aussi des intranets "maison" (des serveurs Web propriétaires qui diffusent des informations aux employés connectés au réseau).

Les fonctionnalités d'Access qui sont liées au Web représentent donc une véritable opportunité pour vous.

La technologie Web et intranet n'est pas nouvelle, mais elle continue d'évoluer rapidement. De nombreux projets sont créés dans tous les secteurs pour lesquels le Web présente un quelconque intérêt.

Si vous êtes à l'écoute du marché, la connaissance du Web peut se révéler un atout. Que vous décidiez de vous consacrer au développement de sites Web, à la gestion de l'information, ou même de créer votre propre structure de consulting sur le Web, il y a de nombreuses opportunités à saisir. Lancez-vous, et découvrez ce que l'avenir vous réserve !

Access vous aide à publier vos données de deux manières : statique et dynamique. La méthode qui convient à votre projet dépend du matériel, des objectifs et de l'expertise [?" dont vous disposez immédiatement. Voici une rapide comparaison des deux solutions :

✔ **Statique :** Cette option consiste à convertir des données d'Access en HTML. Une fois fait, les données ne peuvent pas changer ; elles sont figées. C'est un peu comme prendre une photo de vos données à un certain moment. Si vous ajoutez des enregistrements à votre table et que vous voulez les inclure dans votre site Web, vous devez recréer les pages Web.

La conversion statique est une bonne solution pour les carnets d'adresses et les catalogues dont le contenu ne change pas régulièrement. C'est aussi un bon point de départ pour découvrir les possibilités du Web. Vous pouvez convertir presque n'importe quel objet Access (dont les tables, les requêtes et les formulaires) en pages Web statiques grâce à l'option Fichier/Exporter (je vous explique comment faire dans la section suivante).

✔ **Dynamique :** Au lieu de créer une simple page HTML qui contient toutes vos données, l'option dynamique génère une *page d'accès aux données*. C'est une page HTML qui permet aux utilisateurs d'accéder à vos données, si bien qu'ils peuvent visualiser (et même modifier) vos informations via un réseau d'entreprise ou le Web. Les pages d'accès aux données ne fonctionnent qu'avec les tables et les requêtes d'Access.

Grâce à l'Assistant Page, la génération de pages d'accès aux données reste simple. Mais comme toute cette magie technologique requiert une sérieuse coopération entre le serveur Web, Access et votre base de données, implémenter la page d'accès aux données n'est pas un travail pour les débutants. Si votre page doit être consultée par plusieurs personnes à l'extérieur de votre entreprise, vous devrez probablement vous faire assister par un professionnel.

Bien que les détails de la génération d'une page d'accès aux données puissent requérir l'aide d'un informaticien professionnel, n'importe qui peut créer une telle page à l'aide de l'assistant, dont l'utilisation ressemble beaucoup à celle des Assistants Formulaires et Etat. Voici les étapes à suivre :

1. **Ouvrez la base qui contient les données que vous destinez à votre intranet ou au Web.**

   La fenêtre base de données s'affiche à l'écran.

2. **Cliquez sur la barre Pages, sur le côté gauche de la fenêtre.**

   La fenêtre base de données change pour afficher trois options qui sont liées aux pages d'accès aux données.

3. **Double-cliquez sur l'option Créer une page d'accès aux données à l'aide de l'Assistant.**

   Après quelques chargements à partir du disque dur, l'Assistant d'accès aux données ; on parle ici d'assistant Page et d'assistant Etat s'affiche (Figure 21.3).

4. **Cliquez sur la flèche orientée vers le bas dans la boîte Tables/ Requêtes.**

   Une liste des tables et des requêtes que contient votre base de données apparaît.

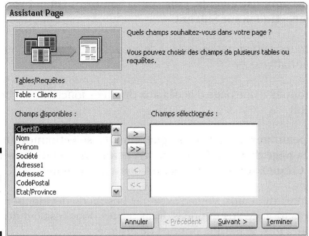

Figure 21.3
L'Assistant Page
ressemble beau-
coup à l'Assis-
tant Etat.

5. Cliquez sur celle que vous voulez transformer en page d'accès aux données.

La fenêtre Champs disponibles contient tous les champs de la table ou de la requête sélectionnée.

6. Cliquez sur le nom de chacun des champs que vous voulez voir figurer dans votre page d'accès aux données, puis sur le bouton >.

Le champ est ajouté dans la liste Champs sélectionnés.

Pour copier tous les champs de la liste Champs sélectionnés, cliquez sur le bouton >>. Pour supprimer un champ, cliquez dessus dans la liste Champs sélectionnés, puis sur le bouton <. Pour effacer le contenu de la liste et tout reprendre à zéro, cliquez sur le bouton <<.

7. Répétez les étapes 4 et 5 pour toutes les tables ou requêtes que vous souhaitez inclure. Quand vous avez terminé, cliquez sur Suivant.

Les pages d'accès aux données comprennent comment les tables reliées fonctionnent, si bien que vous pouvez inclure des champs issus de plusieurs tables dans une même page. (Le Chapitre 5 vous explique tout ce que vous devez savoir sur ces relations.)

8. Pour afficher vos données en groupe dans votre nouvelle page d'accès aux données, cliquez sur les champs dont vous voulez tota-

liser les enregistrements, puis sur le bouton >. Quand vous avez terminé, cliquez sur Suivant.

Les groupes étant déterminés, Access passe au tri et aux informations récapitulatives.

Les groupes d'une page d'accès aux données fonctionnent comme ceux d'un état.

9. Pour peaufiner le tri des enregistrements, sélectionnez un champ dans la page dédiée à l'ordre du tri et aux informations récapitulatives. Cliquez sur Suivant quand vous avez terminé.

La plupart du temps, vous n'avez pas besoin de développer davantage l'organisation de vos données. Mais ici, les données sont découpées plusieurs fois, grâce aux options de groupe.

10. Saisissez le titre de la page voulu, puis cliquez sur Terminer.

L'Assistant se met au boulot, ce qui prend généralement un certain temps. Après vous avoir fait attendre suffisamment longtemps pour vous prouver que le processus était affreusement complexe, l'Assistant vous délivre votre page d'accès aux données (Figure 21.4).

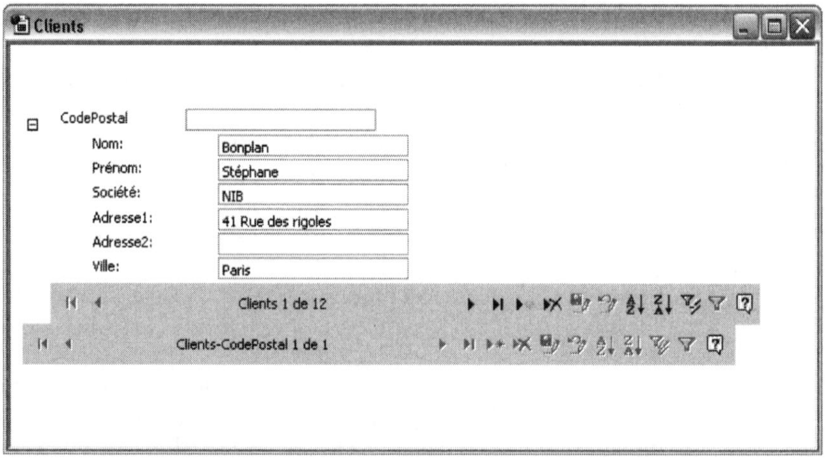

Clients

CodePostal	
Nom:	Bonplan
Prénom:	Stéphane
Société:	NIB
Adresse1:	41 Rue des rigoles
Adresse2:	
Ville:	Paris

Clients 1 de 12

Clients-CodePostal 1 de 1

Figure 21.4 La page d'accès aux données finale a de l'allure.

11. Testez votre nouvelle page en lançant Internet Explorer et en chargeant la page pour y jeter un œil (Figure 21.5).

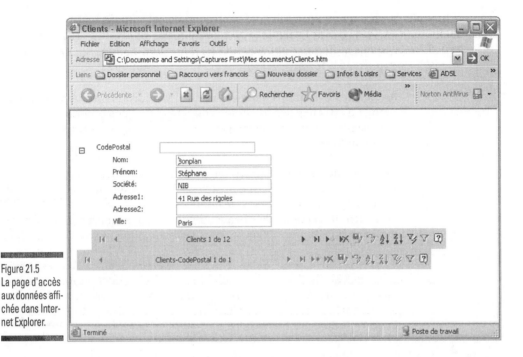

Figure 21.5
La page d'accès aux données affichée dans Internet Explorer.

Il se peut que vous ne soyez pas capable de déployer vos pages sur un site commercial du Web. Tout comme la technologie ActiveX facilite la création de vos pages, elle limite aussi les possibilités de déploiement. À l'heure ou j'écris ces lignes, seul Internet Explorer (versions 5.0 et ultérieures) est capable d'afficher des pages d'accès aux données.

Notions avancées si vous êtes un mordu d'informatique

Si tout ce qui vient d'être présenté dans ce chapitre n'a pas calmé vos ardeurs technologiques, ne vous inquiétez pas car il y en a encore bien plus à venir. Voici quelques idées que vous devez retenir pour que vos pages Web et vos formulaires Access aient l'air réellement cool. Chaque idée expose brièvement un concept que vous devez fournir à l'Assistant Office pour obtenir plus d'informations à ce sujet.

✔ Exportez les feuilles de données, les états et les formulaires sous la forme de pages statiques via l'option Fichier/Exporter. Il suffit d'un ou deux clics pour convertir vos données en une page Web simple et inamovible. Cette option est particulièrement utile si vous parlez couramment le HTML et que vous souhaitez générer rapidement quelques pages d'information que vous retoucherez à la main. Recherchez : **Exporter en HTML**.

✔ Insérez des hyperliens dans vos états et vos formulaires. Access vous permet d'attacher des hyperliens directement à des boutons de commande, étiquettes ou images. Recherchez : **Ajouter un hyperlien à un formulaire**.

✔ Créez des fichiers modèles HTML pour donner toujours aux tables que vous exportez le même aspect. Si vous êtes en train de générer un site qui héberge plusieurs bases de données, les fichiers modèles vous permettront d'économiser beaucoup de temps. Recherchez : **Fichiers modèles HTML**.

✔ Ajoutez un navigateur Web à n'importe quel formulaire d'Access. Naviguez ainsi sur le Web directement depuis un formulaire, sans avoir à basculer entre Access et votre explorateur Web ! Le potentiel de cette fonctionnalité est infini pour les intranets d'entreprise. Recherchez : **Page Web dans un formulaire**.

Ces fonctionnalités ne constituent qu'une partie de celles proposées par Access. En plus de fonctionner avec le Net, Access fonctionne aussi avec les autres membres de la suite Microsoft Office XP. Il y a tant à apprendre sur la manière dont les programmes de Microsoft Office collaborent entre eux que Microsoft a créé un énorme fichier d'information sur le sujet. Ce fichier est accessible gratuitement via Internet. Pour le consulter, reportez-vous au Kit de ressources d'Office XP sur www.microsoft.com/ork.

Dans l'existence, il y a des certitudes : la mort, les impôts et les hyperliens cassés. Si l'adresse précédente ne fonctionne pas, suivez ces étapes :

1. **Saisissez www.microsoft.com.**

   Une option Support apparaît en haut de la fenêtre.

2. **Cliquez sur Support et choisissez Base de connaissance dans le menu déroulant qui apparaît.**

3. **Saisissez Office Resource Kit dans la fenêtre Base de connaissance.**

   Le moteur de recherche devrait vous retourner un lien vers le bon endroit.

Chapitre 22

Créer des formulaires beaux à voir et qui marchent bien

L es formulaires papier sont le liquide vital de presque toutes les entreprises. S'ils n'existaient pas, la vie serait sans doute plus simple et nous serions moins dépourvus d'arbres, mais cela est hors sujet. Comme la vie réelle est le miroir dans lequel les ingénieurs en informatique se contemplent quand ils conçoivent des programmes, Access comporte toutes les fonctionnalités requises pour visualiser et travailler avec des formulaires.

Ne craignez rien ! Les formulaires électroniques sont infiniment plus conviviaux que leurs équivalents matériels. En fait, vous découvrirez même qu'il peut être plaisant d'utiliser les formulaires dans Access. Ce chapitre explique ce que les formulaires peuvent faire pour vous. Il présente différentes manières de créer des formulaires, et vous donne quelques conseils pour personnaliser vos formulaires de sorte qu'ils répondent exactement à vos besoins.

Les formulaires des impôts et les formulaires de données sont des espèces très différentes

Tous les formulaires ne sont pas égaux. Les formulaires papier peuvent faire d'excellents avions, occuper beaucoup d'espace sur le bureau, se révéler très difficiles à modifier et constituer un danger potentiel quand ils sont empilés. Les formulaires d'Access, quant à eux, sont simples à modifier, faciles à stocker, et constituent rarement un risque pour la santé.

Les formulaires d'Access sont un peu l'équivalent numérique de leurs cousins papier, mais ici s'arrête la comparaison. Les formulaires d'Access offrent bien d'autres avantages, et ils vous changeront la vie si vous êtes habitué à saisir des données en mode Feuille de données. Voici quelques exemples de la manière dont les formulaires d'Access peuvent simplifier la visualisation des données. Vous pouvez :

✔ **Echapper au mode Feuille de données :** Plutôt que de faire défiler sans cesse les données, vous pouvez vous déplacer d'enregistrement en enregistrement, et visualiser toutes les données relatives à l'enregistrement courant sur un seul écran.

✔ **Modifier à volonté :** Mettez à jour le formulaire en mode Mise en forme à mesure de vos besoins. Et contrairement à leurs cousins papier, vous n'avez pas à vous soucier de recycler les 10 000 copies qu'il reste encore de l'ancienne version.

✔ **Visualiser l'information que vous voulez :** Access vous permet de prendre un ensemble de données et de le présenter dans autant de formulaires que vous le voulez, sans avoir à ressaisir la moindre donnée. Créez un formulaire particulier pour la saisie des données, un autre pour vos analystes, et un troisième pour vous-même. Les formulaires bien conçus permettent souvent aux bonnes personnes d'obtenir la bonne information sans révéler des sources qui devraient rester confidentielles.

✔ **Visualiser les entrées d'une table ou les résultats d'une requête :** Qu'ils extraient automatiquement des informations d'une table ou du résultat de requêtes, ces deux types de formulaires sont aussi simples à réaliser. Les formulaires fondés sur les requêtes sont particulièrement flexibles car ils affichent toujours les informations les plus récentes.

✔ **Combiner des données de tables liées :** Un formulaire peut afficher des données qui proviennent de différentes tables liées entre elles. Les formulaires utilisent automatiquement les relations que contient votre base de données.

Tout comme les états, les formulaires sont stockés dans le fichier base de données et disposent de leur propre bouton (Figure 22.1). Les formulaires étant des objets Access, vous pouvez leur appliquer un tas de traitements étonnants.

Figure 22.1
Cliquez sur Formulaires pour visualiser tous vos formulaires Access.

Selon vos besoins, vous pouvez créer des formulaires de trois manières :

- ✔ L'Assistant Formulaire vous guide pas à pas. Vos réponses à ses questions lui permettent de produire un formulaire plutôt sobre.

- ✔ Les différents outils Formulaires instantanés génèrent les mêmes formulaires que l'Assistant, mais sans vous poser de questions.

- ✔ Access vous permet de créer un formulaire vide. Il vous donne accès à une boîte à outils remplie de bons instruments, vous serre la main, et va faire un café pendant que vous réalisez votre formulaire à partir de rien.

Je crois qu'il faut élaborer les systèmes les plus simples possible, aussi ce chapitre vous explique-t-il comment utiliser l'Assistant Formulaire et les outils Formulaires instantanés qui génèrent des formulaires à votre place. Ce chapitre s'achève par quelques conseils et astuces pour modifier manuellement ces formulaires.

Créer un formulaire d'un coup de baguette magique

La manière la plus simple de créer le plus beau formulaire informatique jamais conçu consiste à utiliser l'Assistant Formulaire. Comme tous les autres assistants d'Access, l'Assistant Formulaire vous guide pas à pas dans le processus de création.

Pour lancer l'Assistant Formulaire, suivez les étapes ci-après :

1. **Ouvrez votre fichier base de données et cliquez sur le bouton Formulaires, dans la barre Objets, sur le côté gauche de la fenêtre.**

   Access affiche une liste des formulaires qui existent déjà dans votre base de données. Ne vous inquiétez pas si la liste est vide, nous allons la remplir.

2. **Cliquez sur Nouveau.**

   Une boîte de dialogue apparaît.

   La prochaine fois que vous voudrez créer un formulaire, vous pourrez double-cliquer sur l'option Créer un formulaire à l'aide de l'Assistant, plutôt que d'utiliser Nouveau. Considérez cette option comme un raccourci vers le repaire de l'assistant.

3. **Double-cliquez sur Assistant Formulaire dans la boîte de dialogue (Figure 22.2).**

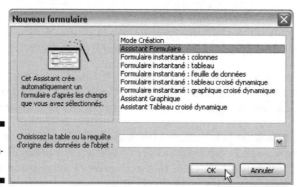

Figure 22.2
Invoquer l'Assistant Formulaire.

Le disque dur de votre ordinateur devrait faire du bruit, comme s'il se battait contre lui-même. Lorsque le silence s'installe, l'Assistant Formulaire entre en action.

4. **Cliquez sur la flèche orientée vers le bas dans la boîte Tables/ Requêtes pour afficher les tables et les requêtes que contient votre base de données, puis sélectionnez celle qui contient les champs que vous voulez visualiser dans ce formulaire.**

L'Assistant Formulaire affiche la liste des champs disponibles.

5. **Double-cliquez sur le nom d'un champ dans la liste Champs disponibles pour inclure le champ dans votre formulaire.**

Si vous voulez inclure tous les champs, cliquez sur le bouton >> qui se trouve au milieu de l'écran. Pour supprimer un champ que vous avez ajouté, double-cliquez sur son nom dans la liste Champs sélectionnés. Le champ se retrouve dans la liste Champs disponibles.

6. **Répétez l'étape 5 pour chacun des champs que vous voulez voir figurer dans le formulaire (Figure 22.3). Quand vous avez terminé, cliquez sur le bouton Suivant.**

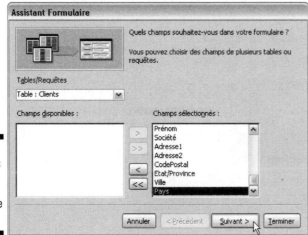

Figure 22.3 Sélectionnez les champs que vous souhaitez visualiser dans le formulaire.

Si vous sélectionnez les champs de plusieurs tables, l'Assistant Formulaire prendra un petit moment pour organiser les données de votre formulaire.

7. **Cliquez sur votre choix dans la liste Par (nom de champ), à gauche de la boîte de dialogue, puis cliquez sur Suivant.**

   L'Assistant Formulaire vous demande comment vous voulez organiser vos données dans le formulaire.

8. **Conservez l'option Colonne simple (ou Feuille de données, si c'est l'option par défaut sur votre écran), puis cliquez sur Suivant.**

   Si vous voulez utiliser une option autre que celle par défaut, reportez-vous à la section "Donner la bonne forme aux formulaires", plus loin dans ce chapitre.

9. **Choisissez la couleur et le style de fond pour vos données et cliquez sur Suivant.**

   Choisissez Standard (Figure 22.4). La plupart des combinaisons de couleur et de fond ralentissent vraiment les performances de votre formulaire. Si vous devez absolument produire un formulaire en couleurs, essayez l'option Pierre. Elle permet de bien mettre en valeur vos données sans trop nuire aux performances.

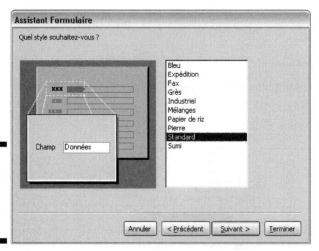

Figure 22.4
Il est tentant
d'être original,
mais restons
simples pour le
moment.

10. **Saisissez un titre descriptif pour votre formulaire dans la boîte "Quel titre souhaitez-vous pour votre formulaire ?", en haut.**

Par défaut, l'Assistant Formulaire vous propose le nom de la table que vous avez choisie pour alimenter le formulaire, mais de grâce utilisez un nom plus explicite.

11. **Cliquez sur Terminer.**

Votre nouveau formulaire apparaît à l'écran (Figure 22.5).

Figure 22.5
Le nouveau formulaire n'est pas joli, mais c'est suffisant pour commencer.

L'Assistant Formulaire enregistre automatiquement le formulaire lors de la création, si bien que vous n'avez pas à le nommer et à le sauvegarder manuellement.

Donner la bonne forme aux formulaires

Selon les données que vous avez sélectionnées pour votre formulaire (elles proviennent d'une ou plusieurs tables), vous disposez de différentes options pour les présenter :

- ✔ **Colonne :** Une mise en page classique, un enregistrement par page. La plupart des formulaires de saisie de données utilisent Colonne.

- ✔ **Tabulaire :** Un formulaire qui contient plusieurs enregistrements par page (Figure 22.6). Préparez-vous à devoir accomplir un travail de chirurgie esthétique pour rendre le formulaire véritablement exploitable. Ce type de mise en page est recommandée pour les états.

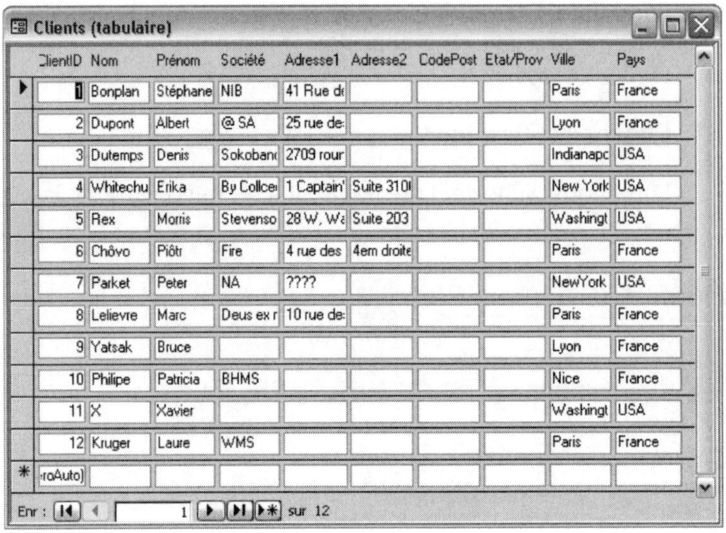

Figure 22.6
Ce formulaire tabulaire est fonctionnel, mais il a besoin d'être un peu retravaillé pour ressembler à quelque chose.

- **Feuille de données :** Une grille, type feuille de calcul. C'est une feuille de données Access incluse dans un formulaire, ce qui permet de donner un style Excel à votre représentation.

- **Justifié :** Les données sont réparties dans le formulaire sur plusieurs colonnes (Figure 22.7). C'est une mise en page intéressante qui est plus particulièrement utile si vous avez des champs Mémo.

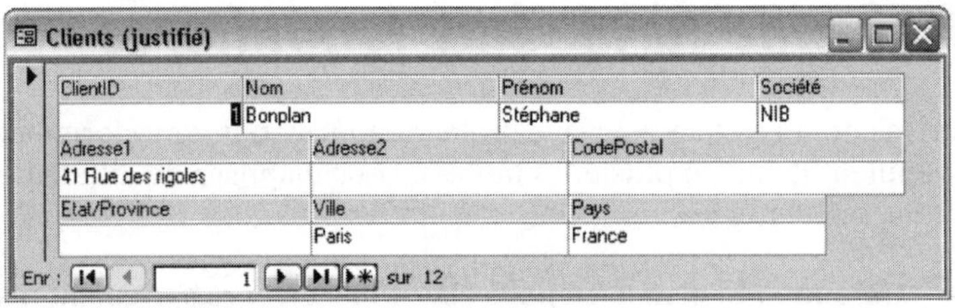

Figure 22.7
La mise en page Justifié.

- **Tableau croisé dynamique :** Fait une synthèse des données et permet de les analyser en glissant-posant des objets de données et en affichant ou dissimulant des détails.

- **Graphique croisé dynamique :** Une analyse graphique des données qui vous permet de glisser-poser les éléments que vous souhaitez analyser.

L'usine à formulaires : les Formulaires instantanés

Quand j'étais enfant, j'étais fasciné par les procédés industriels. J'étais intrigué par la manière dont Henry Ford avait réussi à transformer en travail à la chaîne les procédés de fabrication artisanaux. La chaîne de montage présente des avantages et des inconvénients, mais ce qui la définit le mieux a toujours été pour moi : "Vous pouvez avoir n'importe quelle couleur, du moment que c'est du noir !"

Cela étant dit, bienvenue dans le monde de la chaîne de production des formulaires. Notre slogan est le suivant : "Vous pouvez avoir n'importe quel formulaire, du moment que c'est un des trois que nous fabriquons." Ah, les joies de la flexibilité de la production en série...

Access prétend que les Formulaires instantanés sont des assistants, mais leurs fonctionnalités sont si limitées que je ne les considère pas comme des experts. Mis à part cette question de pure sémantique, vous pouvez utiliser les Formulaires instantanés pour créer n'importe lequel des formulaires présentés dans la section précédente.

L'utilisation d'un Formulaire instantané est très simple. Malgré leur statut de prétendus assistants, les Formulaires instantanés sont davantage des fonctionnalités classiques d'Office : indiquez-leur les données, et en moins de temps qu'il n'en faut pour le dire, le formulaire est terminé. Effectuez ces étapes pour utiliser les Formulaires instantanés :

1. **Votre base de données étant ouverte, cliquez sur le bouton Formulaire, dans la barre Objets à gauche de la fenêtre de la base de données, puis cliquez sur Nouveau.**

   La boîte de dialogue Nouveau formulaire apparaît, prête à vous servir.

2. **Cliquez sur la mise en page que vous souhaitez.**

   Access met en valeur le nom du mini-assistant idoine.

3. **Cliquez sur la flèche orientée vers le bas, à côté de Choisir la table, sous la liste des assistants.**

   Une liste déroulante affiche les tables et les requêtes que contient la base de données.

4. **Cliquez sur la table ou la requête dont vous souhaitez utiliser les données pour ce formulaire, puis cliquez sur OK.**

   Le mini-assistant idoine commence son minitravail, et votre nouveau formulaire apparaît à l'écran quelques minutes plus tard.

Les Formulaires instantanés fonctionnent avec toute table ou requête. Pour inclure des champs de plusieurs tables dans un Formulaire instantané, construisez celui-ci à partir d'une requête qui extrait des informations des champs. Cette partie du processus va au-delà des possibilités des Formulaires instantanés.

5. **Choisissez Fichier/Sauvegarder et saisissez le nom du formulaire dans la boîte de dialogue qui apparaît. Vous pouvez aussi cliquer sur le bouton Sauvegarder dans la barre d'outils.**

6. **Cliquez sur OK.**

   Contrairement à l'Assistant Formulaire, les Formulaires instantanés ne sauvegardent pas automatiquement les formulaires qu'ils créent, aussi devez-vous les sauvegarder manuellement. Le formulaire est ajouté dans votre base de données, sous le bouton Formulaires.

La chirurgie esthétique comme ultime recours

Dites-moi franchement ce que vous en pensez. Vous pouvez obtenir le formulaire sobre et plutôt délavé de la Figure 22.5, ou alors le formulaire plus sophistiqué de la Figure 22.8. Lequel choisissez-vous ? Prenez votre temps pour répondre.

Figure 22.8
Le même formulaire que celui de la Figure 22.5, après cinq ou six minutes de chirurgie esthétique.

Croyez-le ou non, ces images représentent le même formulaire. L'image *Avant* de la Figure 22.5 est un formulaire à colonnes standard généré via un Formulaire instantané. L'image *Après* de la Figure 22.8 est aussi un formulaire à colonnes standard, mais transformé.

Dans la section suivante, je vous montre comment vous pouvez vous aussi donner une allure plus sexy à vos formulaires. Access vous fournit la même boîte à outils que celle qu'utilisent les plus grands chirurgiens de formulaires du pays. En un rien de temps, vos formulaires deviennent des bêtes de saisie de données, aussi beaux que fonctionnels.

Passer un formulaire en mode Création

Avant de pouvoir effectuer une modification, vous devez passer le formulaire en mode Création. Access vous propose deux manières de le faire :

- ✔ **Depuis la fenêtre de la base de données :** Cliquez sur le bouton Formulaires dans la barre Objets pour visualiser la liste des formulaires disponibles. Cliquez sur le formulaire que vous souhaitez modifier, puis sur Modifier.

- ✔ **Depuis la fenêtre d'un formulaire :** Cliquez sur le bouton Modifier qui se trouve dans la barre d'outils, ou choisissez Afficher/Mode Création dans le menu.

Ne vous laissez pas troubler par l'apparente complexité du mode Création. Tout cela est moins obscur qu'il n'y paraît. Si quelque chose devait aller de travers et que vous abîmiez votre formulaire accidentellement, utilisez simplement l'option Fichier/Fermer du menu. Access vous demande alors si vous voulez sauvegarder votre formulaire, répondez poliment Non. Cela effacera à tout jamais les affreuses modifications que vous avez apportées au formulaire. Reprenez votre souffle... et le processus de mise en page.

Déplacer des champs

Pour déplacer un champ dans le mode Création, suivez les étapes suivantes :

1. **Placez le pointeur de votre souris n'importe où dans le champ que vous souhaitez déplacer.**

   Vous pouvez pointer sur le nom du champ ou sur la boîte qui contient la valeur du champ. Peu importe.

Si le champ est déjà sélectionné (le nom se trouve dans une boîte garnie de petits carrés noirs), cliquez sur une zone vide dans votre formulaire pour désélectionner le champ, puis reprenez à l'étape 1.

2. **Pressez et maintenez appuyé le bouton gauche de la souris.**

   Le pointeur de la souris se transforme en une main, ce qui signifie qu'Access est prêt à déplacer quelque chose. Etrange, non ?

3. **Déplacez le champ vers sa nouvelle position.**

   Quand vous déplacez le champ, une se déplacent avec le pointeur pour vous montrer précisément où va apparaître le champ.

4. **Quand le champ est en place, relâchez le bouton de la souris.**

   Le champ apparaît à sa nouvelle position.

   Si le champ n'est pas correctement positionné, déplacez-le de nouveau, ou appuyez sur les touches Ctrl+Z pour annuler le déplacement, et recommencez.

Ajouter des traits et des boîtes

Deux boutons, en bas du mode Création, vous permettent d'ajouter les éléments suivants à votre formulaire :

- ✔ des traits ;
- ✔ des boîtes (ou bordures).

Voici comment utiliser ces outils :

1. **Cliquez sur l'outil de votre choix.**

   L'outil semble enfoncé, comme un bouton à deux états.

2. **Placez le pointeur de la souris à l'endroit où vous voulez que le trait commence (ou que figure le coin supérieur gauche de la boîte), puis pressez et maintenez appuyé le bouton gauche de la souris.**

   Faites attention, mais vous pouvez toujours annuler si quelque chose va de travers.

3. **Déplacez le pointeur sur le point où le trait doit se terminer (ou sur le coin opposé de la boîte), puis relâchez le bouton de la souris.**

   Le trait, ou la boîte, apparaît.

Vous pouvez appliquer des effets spéciaux aux traits et aux boîtes :

✔ Les traits peuvent apparaître *en deux dimensions* ou *en relief*. Bien que les deux options soient disponibles, le résultat ne semble pas différent.

✔ Les boîtes peuvent prendre plusieurs aspects : A deux dimensions, En relief, Ciselé, Gravé, 3D enfoncé et Ombré.

Pour utiliser les effets spéciaux, tracez un trait (ou une boîte), puis cliquez du bouton droit sur celui-ci (si c'est un trait, cliquez sur une de ses extrémités). Choisissez Effets spéciaux dans la boîte qui apparaît et cliquez sur l'effet souhaité.

Si vous voulez personnaliser plus encore votre trait (ou votre boîte), testez donc les paramètres suivants de bordure. Ouvrez la boîte de dialogue Effets spéciaux, et cliquez sur le bouton Format :

✔ **Style de bordure :** Ajustez la présentation du trait, en utilisant les options qui vont de Solide à Pointillé.

✔ **Couleur de bordure :** Changez la couleur du trait.

✔ **Epaisseur de bordure :** Rendez la ligne aussi fine qu'un cheveu ou aussi épaisse qu'un monstre de 6 points.

Testez les paramètres pour trouver la combinaison qui vous semble la plus agréable. Cliquez sur le bouton X dans l'angle supérieur droit de la boîte de dialogue pour fermer celle-ci quand vous avez terminé.

Changer l'ordre de tabulation des champs

Quand vous avez ouvert une fenêtre dans une application et que vous pressez la touche Tabulation, le curseur se déplace de contrôle en contrôle dans un ordre prédéfini. Access vous permet de créer un ordre de tabulation personnalisé (par exemple en passant du Prénom au Nom). Vous pouvez accomplir cela en modifiant la propriété Index de tabulation de chaque contrôle, de la manière suivante :

1. **En mode Création, sélectionnez Affichage/Ordre de tabulation.**

La boîte de dialogue Ordre de tabulation s'affiche. Elle contient la liste des champs dans l'ordre courant de tabulation.

2. **Cliquez sur le petit carré, à gauche du champ sur lequel vous souhaitez travailler (Figure 22.9).**

Figure 22.9
Dans la boîte de dialogue Ordre de tabulation, vous pouvez modifier l'ordre dans lequel le curseur passe de champ en champ.

Le champ passe en vidéo inversée.

Pour qu'Access modifie automatiquement l'ordre de tabulation de tous les champs du formulaire, cliquez sur le bouton Automatique, en bas de la boîte de dialogue Ordre de tabulation. Access modifie automatiquement l'ordre de tabulation en fonction de l'emplacement qu'occupent les champs dans le formulaire. Il commence par le côté supérieur gauche, et parcourt le formulaire de gauche à droite et de haut en bas. Les champs sont finalement ordonnés horizontalement (les champs de la première ligne, puis ceux de la deuxième ligne, etc.).

3. **Cliquez sur le champ, puis faites-le glisser vers sa nouvelle position dans l'ordre de tabulation.**

Au moment où vous faites glisser le champ, une barre grise le remplace. Quand la barre se trouve sur la bonne position, relâchez le bouton. Access place le champ à la nouvelle position dans l'ordre de tabulation.

4. **Répétez les étapes 2 et 3 pour tous les autres champs que vous voulez modifier.**

Access ne tient pas compte du nombre de manipulations que vous effectuez, aussi vous pouvez y aller de bon cœur.

5. **Cliquez sur OK quand vous avez terminé.**

La boîte de dialogue Ordre de tabulation disparaît.

6. **Cliquez sur le bouton Afficher formulaire, dans la barre d'outils, pour visualiser et tester votre travail.**

Si certains champs ne sont toujours pas dans le bon ordre, notez-les et reprenez les étapes de cette explication.

Chapitre 23

Si l'amour est universel, pourquoi ne puis-je pas l'exporter ?

. . . .

Dans ce chapitre :

▶ Extraire des données d'Access.

▶ Décider quand il faut importer et quand il faut lier.

▶ Parler dans des langues de données étrangères.

▶ Jeter vos données dans ce monde cruel.

. . . .

Ceux qui veulent réussir aujourd'hui ne peuvent plus se contenter de ne parler que leur langue maternelle. Ils doivent savoir parler plusieurs langues. Par exemple, je parle couramment l'américain, une langue que les Anglais considèrent comme un pauvre argot utilisé par les bagnards ! Pour pouvoir travailler, j'ai étudié diverses variantes du langage Nerd – NdT : Nerd signifie "fou d'informatique" – dont Windows, le DOS, le langage de gestion des problèmes picturaux #@ !;$& et la dialectique ésotérique Macintosh (ce qui est un véritable défi, car tous les mots se ressemblent).

Access parle aussi plusieurs langues, car le monde de l'informatique est rempli de plus de langages incompatibles qu'on ne pourrait en compter lors d'une session de l'ONU. Pour vous simplifier la vie, Access comprend les langues d'un ensemble de feuilles de calcul, de plusieurs systèmes de bases de données concurrents, et même de fichiers en plein texte. Grâce à ces fonctionnalités, vous pouvez échanger des données avec presque toutes les sources qui existent. Access est l'un des programmes les plus flexibles que je connaisse (et j'en ai vu une quantité).

Ce chapitre traite des fonctionnalités d'exportation et d'importation d'Access. Si vous travaillez avec Access et d'autres programmes, étudiez ce chapitre car un jour viendra où certaines de vos données se trouveront au mauvais endroit. Devinez alors qui devra les déplacer...

Importer uniquement les meilleures informations dans vos bases de données

Access propose deux manières pour récupérer des données externes. *Importer* signifie que vous allez traduire les données rédigées dans une langue étrangère dans le format de fichier de base de données d'Access (ce qui, selon Microsoft, est le seul format dans lequel toutes les données devraient être stockées). L'autre méthode consiste à *lier*, ce qui signifie créer un pont temporaire entre Access et les données étrangères.

Si vous avez déjà travaillé avec des versions précédentes d'Access, sachez que *lier* correspond à *attacher*. Le concept est le même, seul le nom a changé pour égarer les innocents.

Traduire les formats de fichiers

Que vous importiez ou liiez des données, Access ne comprend que certains formats. Le Tableau 23.1 reprend la liste des formats de fichiers avec lesquels Access est amené à traiter le plus souvent. Croyez-le ou non, les entrées de cette table correspondent aux formats utilisés par la majorité des données stockées sur les PC de par le monde.

Même si Access est assez intelligent pour traduire tout seul, il vous faut surveiller ce qui se passe. Voici quelques conseils à suivre quand vous jouez les grands libérateurs de données en guidant celles-ci vers une nouvelle vie dans le pays d'Access :

✔ Vérifiez deux fois l'information qui provient d'un tableur pour être certain qu'elle est consistante et complète. Par-dessus tout, assurez-vous que les entrées de chaque colonne (champ) sont du même type (toutes des nombres, des dates ou autre). Dans le cas contraire, l'importation ne se déroulera pas correctement.

Tableau 23.1 : Les langues que comprend Access.

Programme	Extension fichier	Versions	Commentaires
Access	.MDB	2.0, 7.0/95, 8.0/97, 9.0/2000, 10.0/2002	Bien qu'elles partagent le même nom, ces versions utilisent des formats de données légèrement différents de celui d'Access.
ODBC	N/A	N/A	Utilisez Open Database Connectivity pour vous connecter à d'autres bases de données, telle Oracle.
dBASE	.DBF	III, IV, 5	L'un des formats les plus utilisés.
FoxPro	.DBF	2.x, 3.0, 5.0, 6.x	L'autre programme de base de données de Microsoft, qui n'est pas toujours compatible avec le format dBASE.
Paradox	.DB	3.x, 4.x, 5.0	Une base de données de Borland.
Excel	.XLS	3.0, 4.0, 5.0, 7.0/95, 8.0/97, 9.0/2000, 10.0/2002	Bien qu'il s'agisse de feuilles de calcul, nombreuses sont les personnes qui utilisent Excel comme système de gestion de bases de données pour fichiers plein texte.
Lotus 1-2-3	.WKS, .WK1, .WK31, .WK4	Toutes	L'un des tableurs les plus populaires en son temps.
Text	.TXT	N/A	Le format "par défaut". Access comprend les fichiers texte à champs délimités et à taille fixe.

Tableau 23.1 : Les langues que comprend Access. (*suite*)

Programme	Extension fichier	Versions	Commentaires
XML	.XML	Toutes	XML, eXtensible Markup Language, stocke et décrit vos données.
HTML	.HTM, .HTML	1.0 (listes), 2.0 (tables), 3.x (tables)	Le langage dans lequel sont rédigées les pages Web.

✔ Lorsque vous travaillez avec des fichiers dBASE et FoxPro, veillez à conserver la trace des fichiers index qui accompagnent les fichiers de base de données. Access a besoin de l'index pour travailler sur la table. S'il ne peut pas trouver l'index ou si ce dernier est corrompu, essayez d'annuler quand il vous demande le fichier index et vérifiez que l'importation a bien fonctionné.

✔ Si une table Paradox ne dispose pas de clé primaire, Access ne pourra y écrire de modifications. Pour corriger le problème, utilisez Paradox pour créer une clé primaire dans la table, *puis* liez la table à Access.

✔ Si vous rencontrez des problèmes pour importer un format particulier, vous pouvez employer l'ancien programme de base de données pour ouvrir ce fichier et l'exporter sous la forme d'un fichier plein texte (les techniciens disent *ASCII*). Le plein texte peut se révéler difficile à gérer, mais il s'agit du format le plus utilisé.

Sauvegardez toujours vos données avant d'importer, d'exporter ou de quitter votre bureau, même pour un court instant. Les gens expérimentés savent bien que le pire peut toujours se produire. Faites des copies de vos bases de données avant d'essayer les techniques décrites dans ce chapitre.

Importer ou lier vos fichiers

Les détails de l'importation et de la liaison dépendent beaucoup du type de fichier que vous importez, mais il existe de grandes étapes qu'il convient de respecter. Même si ces instructions sont écrites plus spécifiquement pour l'importation, elles comprennent des notes spécifiques sur la liaison.

Pour importer ou lier des données, procédez ainsi :

1. **Ouvrez la base de données Access où vous souhaitez importer des données.**

Si vous ne savez pas comment exécuter cette étape, arrêtez-vous ici. Reportez-vous au Chapitre 1 et passez quelque temps à vous familiariser avec Access avant de tenter une importation.

2. **Choisissez Fichier/Données externes/Importer.**

La boîte de dialogue de la Figure 23.1 apparaît.

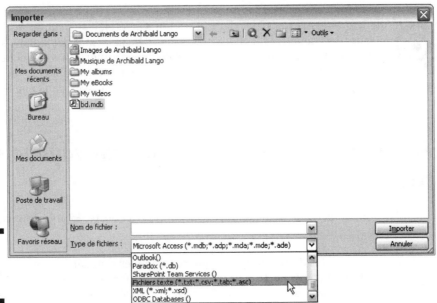

Figure 23.1
Sélectionnez
bien le bon type
de fichier.

3. **Cliquez sur la flèche orientée vers le bas, à côté de Type de fichiers, et cliquez sur le type des données que vous exportez.**

La boîte de dialogue affiche les fichiers qui correspondent au type que vous avez choisi. Assurez-vous d'avoir sélectionné le bon type de fichier. Autrement, Access ne l'affichera pas dans la boîte de dialogue !

Si votre fichier de base de données dispose d'une extension de nom de fichier étrange qui n'est pas standard (.FOO, .DTA ou .XXX), Access risque de ne rien y comprendre. Dans ce cas, demandez de l'aide aux personnes de l'assistance technique.

4. Double-cliquez sur le fichier que vous voulez importer.

Le processus qui se met en route dépend du type de fichier que vous importez. Le seul conseil que je puisse vous donner est de suivre attentivement les instructions affichées à l'écran, de vous référer aux conseils qui vous ont été prodigués précédemment, et de prier pour que tout se passe bien. Mais vous ne risquez rien car vous avez fait une copie de sauvegarde de vos données avant d'entamer le processus (vous l'avez fait, n'est-ce pas ?).

Si le processus semble ne jamais vouloir s'arrêter, il se peut qu'Access soit en train de se débattre dans des problèmes liés au format des données. Pressez Ctrl+Arrêt défil pour mettre fin au processus d'importation, et recherchez des erreurs évidentes dans les données que vous tentez d'importer (des données mauvaises ou corrompues, des données mal organisées dans une feuille de calcul, un index invalide, etc.).

Envoyer vos données faire un long voyage sans retour

Pour vous tenir éveillé, cette explication sera courte. Exporter fonctionne comme importer, à quelques différences près.

Exporter des données signifie que ces données doivent être organisées selon un format différent. Tout comme il sait importer, Access sait exporter des données dans une variété de "langages", au gré de vos besoins. La liste des formats d'exportation est la même que celle des formats d'importation, présentée plus haut dans ce chapitre.

Le principal problème auquel vous devez faire attention est la *perte de données*. Tous les formats de stockage ne sont pas équivalents (après tout, Microsoft ne les a pas tous inventés). Que vos données soient parfaitement adaptées à Access ne signifie pas pour autant qu'elles conviennent à Paradox ou à FoxPro. Des types spécifiques à Access, tels que les numéros automatiques, Oui/Non, Mémo ou OLE, vont presque systématiquement vous poser des problèmes. Préparez-vous donc à faire preuve de créativité pour que vos données fonctionnent comme il se doit.

De même, les noms de champs peuvent poser des problèmes. Access se révèle très laxiste sur ces noms, tandis que dBASE vous impose des règles totalitaires. Il peut ainsi arriver que plusieurs champs prennent le même nom après la conversion. Si vous exportez une table Access dont les champs sont nommés Projet2000Ventes, Projets2000Net et Projet2000Charges, vous risquez de vous retrouver avec trois champs nommés Projet2, ce qui n'est pas très plaisant. Préparez-vous à effectuer quelques ajustements avant que votre exportation fonctionne comme vous l'entendez.

Importer ou lier ? La réponse est : ça dépend !

Puisque Access permet d'importer des données de deux manières différentes, la question qui vient à l'esprit est : "Laquelle dois-je choisir ?" Eh bien... ça dépend.

La réponse dépend principalement de l'autre programme et de son rôle dans votre organisation. Etes-vous toujours en train d'utiliser l'autre programme pour modifier les données ? D'autres personnes se servent-elles du programme pour accéder aux données ? Si oui, utilisez un lien vers Access. Cette option vous permet de recourir aux données tout en les conservant dans leur format initial, si bien que tout monde peut continuer à les employer.

D'un autre côté, si l'autre application est en fin de vie et que vous sauvegardez ses données, importez les données définitivement. Il n'y a aucune raison pour préserver des données dans un format que plus personne n'utilise.

Les étapes d'exportation d'une table sont bien plus simples que celles relatives à son importation. Voici comment procéder :

1. **La base de données étant ouverte, cliquez sur la table que vous voulez exporter.**

   Comme vous pouviez vous y attendre, le nom de la table passe en vidéo inversée.

2. **Choisissez Fichier/Exporter dans le menu principal.**

   La boîte de dialogue Exporter une table s'affiche à l'écran.

3. **Cliquez sur la flèche orientée vers le bas, à côté de la liste Type de fichier, pour afficher la liste des types disponibles pour l'exportation, puis sélectionnez le type que vous souhaitez (Figure 23.2).**

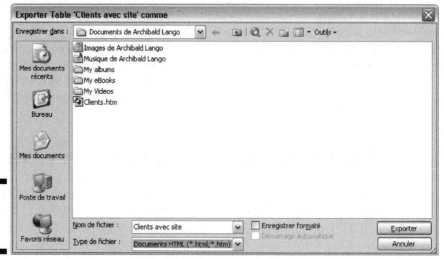

Figure 23.2
Je choisis
d'exporter une
table en HTML.

Si le format que vous recherchez figure dans le Tableau 23.1 mais pas dans la liste sur votre écran, lancez de nouveau le programme d'installation d'Access et installez ce format sur votre système.

4. Cliquez sur Exporter.

Selon le type de fichier que vous exportez, vous ne recevrez éventuellement aucun message qui vous confirme que l'exportation s'est bien déroulée. Vous devriez être capable d'utiliser l'autre programme pour charger votre table.

Si vous exportez en HTML ou en XML, vous pouvez cocher Démarrage automatique (Figure 23.2). Internet Explorer se charge alors et affiche vos données (Figure 23.3).

Après avoir exporté en XML ou en HTML, les développeurs expérimentés éditent le fichier créé par Access. Bien que la page Web de la Figure 23.3 soit facile à lire, elle n'est pas particulièrement attractive. Vous pouvez éditer le fichier et ajouter des couleurs ainsi que d'autres options de formatage pour l'embellir.

Figure 23.3
Internet Explorer
affiche ma table.

Chapitre 24

L'Analyseur : les Drs Freud, Watson et Jekyll de vos données

. . . .

Dans ce chapitre :

▶ Devenir rationnel avec l'Analyseur de table.

▶ Créer le document base de données.

▶ Orienter clairement l'Analyseur de performance.

. . . .

Si je n'en savais pas plus, je donnerais à ce chapitre un titre tel que "Oh ! bien sûr, c'est ce qu'il fait (rire sarcastique)". Après tout, l'Analyseur promet d'effectuer les trois tâches qui tiennent le plus au cœur des spécialistes des bases de données :

✔ Convertir les fichiers texte plein en base de données relationnelle immédiatement.

✔ Documenter les bases de données et leurs éléments (dont les tables, les requêtes, les formulaires, les états et autres).

✔ Analyser la structure de vos tables pour vous assurer que tout est organisé au mieux.

Bien que les technologies aient beaucoup évolué ces dernières années, elles ne sont pas aussi perfectionnées. Cela est vrai pour l'Analyseur qui promet plus qu'il n'en fait. Cependant, il s'agit d'un outil très important, aussi convenait-il de lui consacrer un chapitre, ne serait-ce que pour souligner ses deux vertus et son imperfection.

Il découpe, il mélange, il génère des bases de données relationnelles !

La fonctionnalité la plus prometteuse de l'Analyseur se cache sous Outils/ Analyser/Table. Ce logiciel clame qu'il est capable de transformer un fichier plein texte en une base de données relationnelle sans trop d'intervention humaine et qu'il peut détecter des erreurs de saisie des données simultanément.

À dire vrai, l'Analyseur fait tout son possible pour convertir un fichier plein texte en une base de données relationnelle. Mais comme la plupart des logiciels, il se trompe et part dans de mauvaises directions. Je vous conseille néanmoins d'essayer l'Analyseur, tout simplement parce qu'il peut réussir. Et si cela se produit, vous aurez économisé un temps précieux.

L'Analyseur fonctionne mieux lorsqu'il manipule un fichier plein texte qui contient plein d'informations redondantes. Par exemple, j'ai créé une table contenant des enregistrements relatifs à des clients, des commandes, et j'ai laissé de la place pour stocker quatre articles qui peuvent être commandés. Puisque le détail des commandes se trouve dans les enregistrements des clients, chaque fois qu'un client passe une commande, ses coordonnées doivent être saisies de nouveau. Par ailleurs, comme la description d'un objet est stockée dans la même table, chaque fois qu'un client passe commande, les informations relatives à cet objet doivent être saisies de nouveau. J'ai créé un cauchemar relationnel.

Cela en tête, voici comment invoquer l'Assistant :

1. **Ouvrez votre base de données et choisissez Outils/Analyser/Table.**

   Après quelques instants ponctués par des accès au disque, la fenêtre de l'Assistant Analyseur de table apparaît à l'écran (Figure 24.1).

2. **Lisez les deux premiers écrans si vous le souhaitez (ils sont purement informatifs) ; cliquez sur Suivant après chacun.**

   Un autre Assistant Analyseur de table apparaît (Figure 24.2).

3. **Cliquez sur le nom de la table que vous allez traiter, et cliquez sur Suivant.**

   Dans la boîte de dialogue qui apparaît, l'assistant demande s'il peut analyser la table et faire quelques propositions relatives à son organisation.

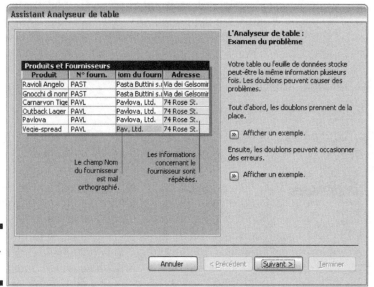

Figure 24.1
Voici l'Analyseur
de table.

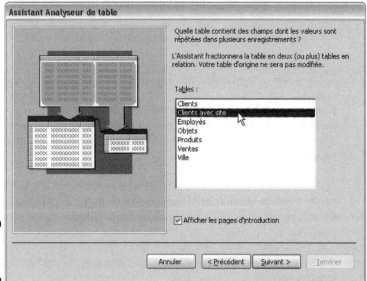

Figure 24.2
Sélectionnez une
table à analyser.

4. **Cliquez sur le bouton radio Oui (s'il n'est pas déjà sélectionné), puis sur Suivant.**

Cette étape est centrale. L'assistant se met au travail. Il affiche quelques barres de progression pour montrer la manière dont les choses avancent. Quand il a terminé, l'assistant affiche ses résultats (Figure 24.3).

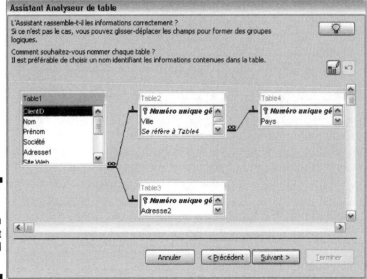

Figure 24.3
Malheureusement, Access n'a peut-être pas fait le meilleur travail d'analyse.

5. **Si vous aimez le résultat produit par l'assistant, nommez les tables en cliquant sur chacune d'entre elles, puis en cliquant sur le bouton Renommer table (celui qui ressemble à un stylo accolé à une table). Vous pouvez aussi utiliser votre souris pour glisser-poser les champs d'une table vers une autre et renommer les tables. Quand vous avez terminé, cliquez sur Suivant.**

Si l'assistant vous recommande de ne pas partager vos tables, cliquez sur le bouton Annuler et félicitez-vous d'avoir accompli du bon travail. C'est la manière dont l'assistant vous informe que votre table est bien conçue.

6. **Désignez une clé en cliquant sur un champ dans une table, puis sur le bouton Clé.**

Cette étape vous permet de remplacer les entrées Numéro unique généré que l'assistant a ajoutées à vos tables. Vérifiez bien que chaque table dispose d'une clé avant de continuer !

Maintenant que la structure est presque complète, l'assistant se concentre sur les erreurs typographiques dans la base de données. En gros, l'assistant se comporte comme un vérificateur orthographique en recherchant des champs qui semblent être identiques à quelques différences mineures près.

La vérification orthographique est lancée automatiquement quand Access a terminé d'analyser la structure de votre base de données. Selon l'état de vos données, vous devrez ou non corriger certains enregistrements. Soyez patient, l'assistant vous apporte ici une aide précieuse.

Une fois que l'assistant a effectué des corrections, il vous propose de créer une requête qui se comporte comme votre table originale. Si vous avez créé des états et des formulaires qui utilisent le fichier plein texte, ils fonctionneront ainsi avec la nouvelle table.

7. **Cliquez sur Non si vous avez changé d'avis. Cliquez sur Terminer pour quitter l'assistant.**

Access crée maintenant une requête qui s'applique à votre table originale. La requête se comporte comme la table originale. Cette dernière est renommée, et tous les formulaires et états utilisent dorénavant la requête au lieu de la table originale.

L'Analyseur de table a généralement du mal à découper un fichier plein texte pour former une base de données relationnelle. Vous feriez bien mieux de confier la base de données à une personne qualifiée qui en modifiera la conception correctement.

Documentation : comment la générer automatiquement

Si le monde était plus documenté, la vie serait plus facile. En vérité, rédiger la documentation est peut-être le dernier de vos soucis à l'instant présent, en particulier si vous êtes en train de créer quelque chose pour vos besoins personnels. Je sais que vous disposez de très peu de temps pour installer et faire fonctionner une base de données, mais vous devriez vraiment documenter ce que vous créez.

Comme beaucoup d'autres choses, documenter votre travail est un compromis entre une nécessité impérative et un manque de temps. Personne ne veut s'en occuper ? Appelez l'Assistant Documentation !

Dans un second temps, l'Analyseur consulte en détail votre base de données et documente tous ses aspects. Il collecte des informations si obscures que je ne suis même pas certain que les programmeurs sachent de quoi il s'agit.

Ce qu'il y a de bien avec cet assistant, c'est qu'il fonctionne seul. Vraiment. Vous le lancez, lui indiquez une base de données, et vous partez prendre un verre. A votre retour, le rapport produit par l'assistant vous attend. Documentation instantanée.

Voici comment mettre l'assistant au travail sur votre base de données :

1. **Ouvrez le fichier base de données et sélectionnez Outils/Analyser/ Documentation.**

   L'Assistant de documentation apparaît à l'écran.

2. **Dans la boîte de dialogue Documentation, cliquez sur l'onglet Tous types d'objets, puis sur Sélectionner tout (Figure 24.4). Quand vous avez terminé, cliquez sur OK pour lancer le processus.**

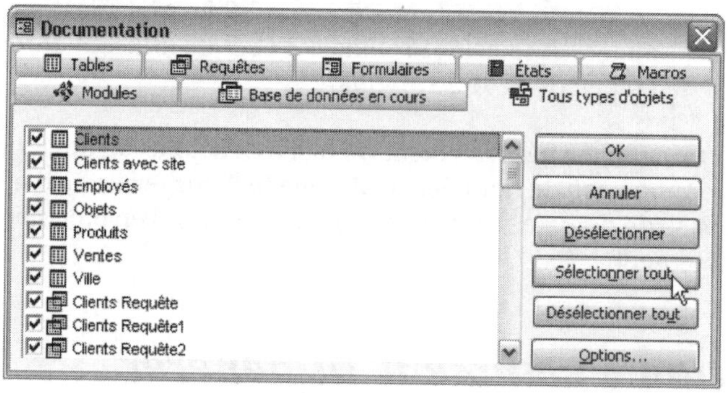

Figure 24.4
Cliquez sur l'onglet Tous types d'objets, puis sur Sélectionner tout.

L'assistant examine tous les objets de votre base de données, en commençant par les tables, puis en passant aux requêtes, aux formulaires, aux états et ainsi de suite. Durant le processus, vos formulaires apparaissent à l'écran pendant un instant, mais c'est normal.

Le processus prend parfois du temps, aussi profitez-en pour aller manger.

Quand l'assistant a terminé, il laisse un rapport qui contient toutes les informations relatives à votre base de données (Figure 24.5).

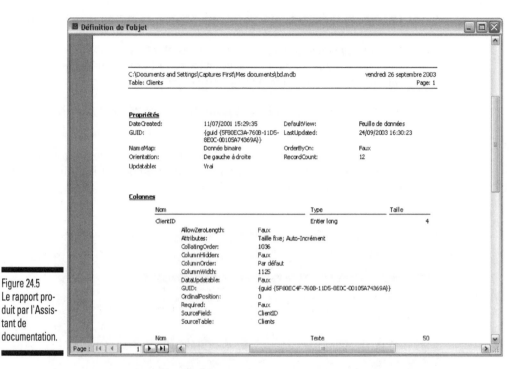

Figure 24.5
Le rapport produit par l'Assistant de documentation.

3. **Cliquez sur le bouton Imprimer ou choisissez Fichier/Imprimer pour obtenir une copie papier. Attention, le document est parfois très volumineux.**

Performances : vers une meilleure base de données

Tout comme l'Analyseur de conception, l'Analyseur de performance est loin d'être parfait. Quand vous l'utilisez (et vous devriez le faire), tenez compte de ces remarques.

Pour utiliser l'Analyseur de performance, suivez ces étapes :

1. **Ouvrez le fichier base de données et choisissez Outils/Analyser/ Performance.**

   L'Analyseur de performance apparaît à l'écran.

2. Choisissez les objets que vous allez analyser et cliquez sur Suivant.

Je vous conseille de cliquer sur Tous les objets, puis sur Sélectionner tout, de la même manière que vous l'avez fait pour générer la documentation. L'écran est le même que celui de la Figure 24.4.

3. Sélectionnez chaque résultat produit (Figure 24.6) et lisez les commentaires.

Si Access peut effectuer les modifications pour vous, le bouton Optimiser est activé. Sinon, utilisez un crayon et un papier pour imaginer la solution qu'Access n'a pas pu trouver.

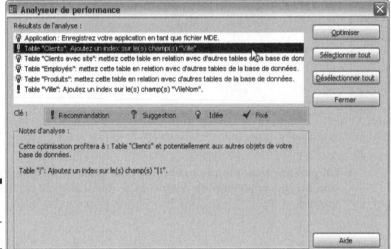

Figure 24.6
Access vous fait
part de ses moin-
dres pensées.

Avant d'appliquer tout changement recommandé par Access, demandez son avis à votre informaticien préféré.

Sixième partie
Les dix commandements

"Plutôt maigre comme projet, et je ne parle pas de la qualité. Vous croyez en votre bonne étoile ?"

Dans cette partie...

*E*t voici venue la traditionnelle partie des dix, grande pourvoyeuse d'informations numérotées, gardienne des chiffres décimaux, dans la grande tradition des ouvrages *Pour les Nuls*.

Chaque livre *Pour les Nuls* se termine par les dix commandements. Je suppose que c'est la version *Pour les Nuls* d'un dénouement. Quoi qu'il en soit, la partie finale de ce livre contient des informations que vous pouvez mettre à profit dès aujourd'hui, des informations dont vous aurez besoin demain, et des informations qui ne se révéleront utiles que bien plus tard encore. J'ai tenté d'inclure un petit quelque chose pour chacun d'entre vous, aussi je vous conseille de lire attentivement ce chapitre pour en extraire l'information qui répond à vos besoins.

Chapitre 25

Dix raccourcis clavier qui vous feront gagner du temps

Dans ce chapitre :

▶ Sélectionner un champ entier : F2.

▶ Insérer la date courante : Ctrl+; (point-virgule).

▶ Insérer l'heure courante : Ctrl+: (deux-points).

▶ Insérer la même valeur de champ que dans le dernier enregistrement :
Ctrl+' (apostrophe).

▶ Insérer un saut de ligne : Ctrl+Entrée.

▶ Ajouter un enregistrement : Ctrl++ (signe plus).

▶ Supprimer l'enregistrement courant : Ctrl+- (signe moins).

▶ Sauvegarder l'enregistrement : Majuscule+Entrée.

▶ Annuler vos dernières modifications : Ctrl+Z.

▶ Ouvrir l'objet sélectionné en mode Création : Ctrl+Entrée.

Ce n'est pas parce que Windows est censé être l'ultime environnement graphique que vous n'avez plus besoin d'utiliser le clavier. En fait, Access dispose de quelques raccourcis qui ne sont disponibles que via cette offre spéciale pour les claviers.

Ce chapitre présente dix raccourcis particulièrement utiles qui ont été conçus pour vous simplifier la vie. Quelques combinaisons de touches permettent de générer des saisies automatiquement, d'autres d'accélérer l'édition, et d'autres encore sont tout simplement amusantes.

Sélectionner un champ entier : F2

Ce raccourci est particulièrement utile quand vous devez remplacer le contenu d'un champ qui contient une longue adresse ou une longue description. Plutôt que de batailler avec la souris pour vous assurer que vous avez *tout* dans le champ sélectionné, appuyez sur la touche F2 et vous *saurez* que c'est le cas. Ce raccourci fonctionne dans les modes Feuille de données et Formulaire.

Insérer la date courante : Ctrl+; (point-virgule)

Cette combinaison de touches et la suivante ne vous permettent pas seulement d'économiser du temps, elles sont aussi un gage de fiabilité. Combien de fois avez-vous fait une erreur dans la saisie d'une date car vous étiez pressé ? Ctrl+; résout ce problème pour vous. Pour exécuter correctement cette commande, appuyez sur la touche Ctrl d'abord, puis tout en la maintenant appuyée, pressez la touche point-virgule. Ce raccourci fonctionne dans les modes Feuille de données et Formulaire.

Insérer l'heure courante : Ctrl+: (deux-points)

 Ce raccourci est lui aussi un gage de fiabilité. Pour insérer l'heure courante, appuyez sur la touche Ctrl, puis tout en la maintenant appuyée, pressez la touche deux-points. Ce raccourci fonctionne dans les modes Feuille de données et Formulaire.

Insérer la même valeur de champ que dans le dernier enregistrement : Ctrl+' (apostrophe)

Lorsque vous entrez des données, vous devez souvent saisir toute une série d'enregistrements dont un des champs prend toujours la même valeur (par exemple la même ville). Au lieu de saisir l'information redondante dans chaque enregistrement, la combinaison de touches Ctrl+' (apostrophe) vous permet de la saisir rapidement dans les modes Feuille de données et Formulaire.

Ctrl+' (apostrophe) n'est pas magique. Cela signifie simplement : "Je vois que vous êtes dans le champ Ville. Dans le dernier enregistrement, ce champ prend la valeur Paris. Donc je présume que c'est ce que vous voulez voir apparaître dans cet enregistrement." Access recopie alors la valeur du champ de l'enregistrement précédent dans le champ de l'enregistrement courant (bien entendu, cela fonctionne pour n'importe quel type de champ, pas simplement ceux qui contiennent le nom d'une ville).

Insérer un saut de ligne : Ctrl+Entrée

Lorsque l'information saisie dans un mémo ou un champ de texte semble si longue qu'on n'en finit pas, brisez la monotonie avec un saut de ligne. Des sauts de lignes bien placés permettent d'améliorer la lisibilité de vos données. Ce raccourci fonctionne dans les modes Feuille de données et Formulaire.

Ajouter un enregistrement : Ctrl++ (signe plus)

Bien que Ctrl++ semble ridicule (mais comment écrire + autrement sans l'épeler ?), ce raccourci clavier évite de casser le rythme quand vous êtes dans une phase de saisie intensive. Comme vous n'avez plus à basculer sans cesse du clavier à la souris pour insérer de nouveaux enregistrements, votre productivité en est accrue.

Supprimer l'enregistrement courant : Ctrl+- (signe moins)

Souffrez-vous de ces enregistrements inutiles qui encombrent vos tables ? Ctrl+- vous permet de les supprimer sans aucun effort. Et tout comme son rival Ctrl++, ce raccourci fonctionne dans les modes Feuille de données et Formulaire.

Sauvegarder l'enregistrement : Majuscule+Entrée

Après une longue et pénible séance de saisie, assurez-vous que vos enregistrements sont sauvegardés en utilisant Majuscule+Entrée. Cela signale à Access que vous avez vraiment terminé votre travail et que vous êtes prêt à le stocker pour la postérité. Le logiciel vous prend au mot et sauvegarde vos données immédiatement. Utilisez cette combinaison dans les modes Feuille de calcul et Formulaire. Elle permet vraiment d'économiser du temps !

Annuler vos dernières modifications : Ctrl+Z

Tout le monde connaît la combinaison de touches Annuler, c'est l'une des plus précieuses. Comme Access a une terrible propension à sauvegarder votre travail chaque fois que vous touchez à quelque chose, cette combinaison peut réellement vous sauvegarder la vie. Quand ça va de travers, ne paniquez pas et utilisez Ctrl+Z. Vous pouvez employer cette combinaison n'importe où dans Access, et dans de nombreuses applications Windows d'ailleurs.

Ouvrir l'objet sélectionné en mode Création : Ctrl+Entrée

Mais, qu'est-ce que c'est ? Ctrl+Entrée a deux fonctions dans Access ? Eh oui :

- ✔ Lorsque vous éditez une table dans l'un des modes Feuille de données ou Formulaire, Ctrl+Entrée insère un saut de ligne.

- ✔ Lorsque vous êtes en mode Base de données, utilisez Ctrl+Entrée pour ouvrir quelque chose en mode Création.

Laissez les *communs des mortels* utiliser la souris. Pensez différemment, pensez clavier !

Chapitre 26

Dix crises ordinaires, et comment y survivre

. . . .

Dans ce chapitre :

▶ Vous tapez 73.725 et ça se transforme tout seul en 74 !

▶ Vous exécutez une requête mais les résultats ne correspondent à rien !

▶ Et quand vous avez regardé à nouveau, l'enregistrement avait disparu !

▶ La validation qui n'a jamais eu lieu.

▶ Les menus... à la carte.

▶ Vous ne pouvez vous lier à une table dBASE.

▶ Vous ne pouvez mettre à jour une table dBASE ou Paradox liée.

▶ Une violation de clé survient quand vous importez une table.

▶ Vous essayez et réessayez, mais le programme ne démarre pas.

▶ L'Assistant fait la grève !

. . . .

L à où il y a des ordinateurs, on se trouve aussi des logiciels, car un ordina-teur n'est rien sans logiciels. Là où il y a des logiciels, il y a aussi des problèmes, car un logiciel sans problème est certainement dépassé et doit être remplacé immédiatement.

Les problèmes font partie de la vie. Quand des problèmes frappent vos précieuses données, ils semblent toujours redoutables. Ce chapitre traite de dix problèmes que vous risquez de rencontrer avec Access. Si votre problème est mentionné ici, testez la solution que je propose. Si vous ne trouvez pas votre problème dans la liste, reportez-vous au Chapitre 3 pour d'autres conseils.

Et bonne chance (je le pense vraiment !).

Vous tapez 73.725 et ça se transforme tout seul en 74 !

L'arrondi automatique peut vous frustrer pendant des jours, mais il est facile d'y remédier. Par défaut, Access configure tous les champs numériques pour qu'ils acceptent des nombres entiers longs, sans décimales. Vous devez modifier ce paramètre en lui affectant la valeur *simple*, qui correspond à *nombre à simple précision*.

Pour régler le problème, ouvrez la table en mode Création et cliquez sur le champ en cause. Dans l'onglet Général de la zone Propriétés, en bas de l'écran, cliquez dans la boîte Taille de champ. Cliquez sur la flèche orientée vers le bas à l'extrémité de la boîte, puis sélectionnez Simple dans la liste déroulante qui apparaît. Sauvegardez la table. Votre problème d'arrondi automatique a disparu !

Vous exécutez une requête mais les résultats ne correspondent à rien !

Bon, vous pourriez regarder sous le lit, mais ça ne vous avancerait pas beaucoup. Et si vous avez un lit dans votre bureau, *quelqu'un* va avoir un problème. Il est fréquent qu'une requête livre des résultats incohérents. Le problème a toujours l'une des causes suivantes :

- **Quelques caractères égarés déambulent dans vos critères.** Une seule faute de frappe suffit pour envoyer Access sur une fausse piste. Revoyez patiemment vos critères, vérifiez l'orthographe, puis testez de nouveau la requête.

- **La logique de sélection n'est pas au point.** Jongler avec un lot de connexions ET et OU dans une requête met rapidement à mal même le plus hardi des concepteurs de base de données. Consultez les Chapitres 11 et 13 pour fortifier vos connaissances en requêtes.

- **Vous avez effectué une mauvaise jointure.** Si votre requête retourne bien plus d'enregistrements que vous n'en attendiez et qu'elle utilise deux tables ou plus, il est probable que vous avez effectué une mauvaise jointure. Reportez-vous au Chapitre 12 où je traite des jointures.

- **Vous avez effectué une bonne jointure, mais Access ne trouve aucun lien entre les tables.** Si votre requête implique deux tables ou plus, et qu'elle retourne moins d'enregistrements que vous n'en attendiez, ce dernier point est probablement la cause du problème. Par exemple, si vous avez une base de données de saisie de commandes et que vous exécutez une requête qui retourne la liste de tous les clients avec leurs commandes, vous ne verrez par défaut que les clients qui ont effectué au moins une commande. Pour voir tous les clients, qu'ils aient ou non passé une commande, procédez ainsi :

1. **En mode Création, cliquez du bouton droit sur la jointure (la ligne qui relie les deux tables) et choisissez Propriétés jointure.**

   Si vous avez besoin de vous rafraîchir la mémoire sur le mode Création, rendez-vous au Chapitre 12.

2. Examinez les types de jointures qui vous sont proposés et choisissez celui qui dit quelque chose comme "Inclure TOUS les enregistrements de *Clients* et seulement les enregistrements de *Commandes* dont les champs joints sont égaux."

   Le texte que vous verrez différera quelque peu en fonction du nom de vos tables. En jargon technique, il s'agit d'une jointure externe. Parfait.

3. Cliquez sur OK et exécutez votre requête.

   Vous devriez maintenant obtenir tous les enregistrements de la table Clients, qu'il existe ou non des saisies correspondantes dans la table Commandes.

Si votre requête fait appel à plusieurs critères, quelques champs calculés et diverses jointures, essayez de scinder la tâche en plusieurs étapes plus courtes au lieu de tenter de soumettre la bête d'un seul coup. Une démarche pas à pas permet de vous concentrer sur chaque portion, une à la fois, en vous assurant que chacune travaille parfaitement avant de passer à la suivante. Pour plus d'informations sur cette manière de procéder, voyez le Chapitre 15.

N'oubliez pas que vous pouvez toujours utiliser le créateur d'expression pour vous aider à élaborer la réponse à des questions compliquées.

Si votre requête ne fonctionne toujours pas, demandez à quelqu'un d'autre d'y jeter un rapide coup d'œil. Après avoir passé beaucoup de temps sur une requête, il est facile de ne plus voir le plus simple des problèmes. Un œil neuf résout souvent rapidement les choses.

Et quand vous avez regardé à nouveau, l'enregistrement avait disparu !

"L'enregistrement était juste là !" La clé dans cette phrase est le temps du verbe ; il indique que l'enregistrement n'est plus là maintenant. "Où est passé l'enregistrement ?" est une question à laquelle il est difficile de répondre. Seul l'ordinateur le sait, et les machines maintiennent la loi du silence sur ces questions (c'est un sous-ensemble des règles qui disent que toutes les imprimantes doivent tomber en panne simultanément).

Ne paniquez pas. Les personnes qui paniquent font des choses étranges, et vous aurez besoin de toute votre lucidité pendant quelques minutes. Vous pourrez vous laisser aller par la suite.

Avant de vous livrer à quelque manipulation technique avec Access (laissez de côté la batte de base-ball pour l'instant !), appuyez sur les touches Ctrl+Z pour annuler votre dernière action. Si l'enregistrement apparaît de nouveau, vous êtes sorti d'affaire. Dans ce cas, fermez la table et faites une crise de nerfs dans la pièce.

Si la commande Annuler n'a rien produit, vous avez un problème. La meilleure solution est de copier l'enregistrement depuis une sauvegarde du fichier de la base de données.

De grâce, conservez toujours une sauvegarde de vos données. Vous ne savez jamais ce qui peut aller de travers (musique de La Marche funèbre ici).

La validation qui n'a jamais eu lieu

Les validations sont l'une de mes fonctionnalités favorites d'Access. Mais comme toutes les fonctionnalités, elles peuvent poser des problèmes si elles ne sont pas utilisées correctement.

Le plus gros problème est qu'une règle de validation peut ne pas être valide. Par exemple, supposons que quelqu'un (certainement ni vous ni moi) désire limiter un champ donné de sorte qu'il n'accepte que des entrées entre 0 et 100. Pour cela, cette personne crée une validation qui stipule < 0 et > 100. Malheureusement, cette règle ne marchera jamais ! L'utilisateur a mélangé les symboles et créé une règle qui n'accepte que les nombres inférieurs à 0 et supérieurs à 100. Selon mon professeur de mathématiques, on ne trouve pas beaucoup de nombres qui satisfont ces conditions dans la réalité.

Ne vous laissez pas impressionner par ce type de problème. Pour éviter qu'il ne survienne, écrivez votre règle sur le papier et testez-la avec des données exemples. Veillez à utiliser des données correctes et incorrectes pour vérifier que la règle fonctionne bien comme elle le devrait.

Les menus... à la carte

Grâce à la division *Fonctionnalités conceptuellement cool, mais fonctionnellement frustrantes* de Microsoft, les menus d'Access (ainsi que tous ceux de Windows XP) n'affichent pas automatiquement la liste intégrale de leurs options. Ils ne proposent que les options le plus souvent utilisées, plus un petit chevron qui pointe vers le bas, à la base du menu (oui, c'est supposé vous rendre la vie plus facile. Il faut le savoir, non ?).

Ce petit chevron est la clé qui vous permet d'accéder à la totalité du menu. Quand vous cliquez dessus, le menu s'agrandit comme par magie, et affiche toutes les options qu'il contient. Vous pouvez alors cliquer sur l'option du menu que vous souhaitez.

Une fois que vous aurez sélectionné une option dans le menu, Access l'ajoutera automatiquement à la liste des options systématiquement affichée dans le menu.

Vous ne pouvez vous lier à une table dBASE

C'est probablement parce que vous n'utilisez pas la bonne version de dBASE. Si vous choisissez dBASE 5 et que cela ne marche pas, essayez dBASE IV ou dBASE III.

Vous ne pouvez mettre à jour une table dBASE ou Paradox liée

Si vous ne pouvez mettre à jour une table dBASE ou Paradox à laquelle vous vous êtes lié, vous aurez probablement besoin de l'aide d'un technicien. Les drivers par défaut livrés avec Access ne donnent qu'un accès en lecture seule aux tables dBASE ou Paradox ; il vous faudra installer "Borland Database Engine" (BDE) sur votre ordinateur. Au moment où j'écris ces lignes, la meilleure solution pour s'informer est la page d'assistance technique BDE communautaire, www.bdesupport.com. Vous pouvez y télécharger les fichiers du moteur, trouver d'excellents documents d'aide et entrer en contact avec d'autres développeurs. Si vous avez besoin d'informations supplémentaires sur la connexion Access-Paradox, allez sur la base de connaissances Microsoft (`http://search.support.microsoft.com`) et faites une recherche sur Borland Database Engine.

Une violation de clé survient quand vous importez une table

Lorsqu'une violation de clé survient lors de l'importation d'une table, c'est que les données que vous importez contiennent des valeurs de clés redondantes. Comme Access ne peut pas arbitrairement modifier les données en question, vous devez effectuer vous-même la réparation. Retournez dans le programme original, trouvez l'enregistrement qui pose problème, et modifiez la clé redondante. Une fois assuré que toutes les valeurs de clé sont uniques, essayez de nouveau l'importation.

Vous essayez et réessayez, mais le programme ne démarre pas

Après avoir sélectionné Access dans le menu Démarrer, l'écran d'accueil (la jolie image qui vous distrait pendant que le programme prend le temps de se charger) s'affiche à l'écran. Soudain, une boîte de dialogue apparaît pour vous signaler que Windows ne trouve pas le FICHIER_ESOTERIQUE.MDB. L'écran d'accueil d'Access disparaît et vous vous retrouvez seul dans le bureau de Windows.

Cette séquence se produit de temps en temps. Pour être honnête, de tels événements font partie de la vie avec les ordinateurs. Je donne à mes élèves un mantra à répéter pour traiter ce problème : *C'est un fichier. Les fichiers se détériorent.*

Puisque le message d'erreur a été assez aimable pour vous fournir le nom du fichier (toutes les erreurs ne sont pas aussi généreuses), utilisez l'Explorateur pour rechercher le fichier. Si vous le trouvez, il est probable qu'il soit corrompu. Si le fichier n'est pas là, vous savez maintenant pourquoi Access ne l'a pas trouvé !

Quoi qu'il en soit, vous devez remplacer le fichier par une version intacte qui provient de vos disques originaux. Si vous avez une version CD-ROM d'Access, ce processus est simplifié. Faites simplement pointer l'Explorateur sur le CD-ROM d'installation, trouvez le fichier, et copiez-le dans le sous-répertoire d'Access.

Si Access se trouve sur le réseau de votre entreprise, contactez vos amis du support technique pour qu'ils vous aident. Dans ce cas, le problème n'est vraisemblablement pas votre fait. Souhaitez bonne chance aux gourous de l'informatique, et allez prendre un café pendant qu'ils règlent le problème.

L'Assistant fait la grève !

Ce problème est une autre version de celui où Access ne veut pas démarrer. Cette fois, il se pose avec un assistant en particulier. La solution est la même : recherchez le fichier qui manque, remplacez-le par une version qui provient du CD-ROM, et croisez les doigts.

Si rien ne marche, appelez votre ami fondu d'informatique pour qu'il vous aide.

Par défaut, les menus d'Access et les autres boîtes de dialogue affichent toutes les options possibles, et pas seulement celles qui sont installées sur votre ordinateur. Cela signifie que lorsque vous utilisez Access, une option que vous avez sélectionnée dans le menu n'existe pas sur votre ordinateur. Dans ce cas, prenez le CD-ROM Access et installez l'option. Si votre ordinateur fait partie d'un réseau dans une entreprise, contactez les assistants du support technique, car ils voudront probablement procéder à l'installation eux-mêmes.

Chapitre 27

Dix conseils des pros des bases de données

. . . .

Dans ce chapitre :

▶ Documentez comme si votre vie en dépendait.

▶ Ne créez pas des champs trop grands.

▶ Les vrais nombres sont stockés dans des champs numériques.

▶ De bonnes validations font de bonnes données.

▶ Des noms que les utilisateurs peuvent comprendre.

▶ Prenez garde quand vous supprimez.

▶ Conservez des sauvegardes.

▶ Pensez d'abord et pensez par la suite.

▶ Organisez-vous ou restez simple.

▶ Sachez à qui vous adresser pour demander de l'aide.

. . . .

Que vous les appréciiez ou non, les experts techniques sont toujours avec vous. Dans leurs moments les plus lucides, ces experts peuvent faire preuve d'une surprenante sagesse. Ce chapitre prodigue de bons conseils que j'ai accumulés durant toutes ces années. Quelques-uns traitent de problèmes très particuliers, d'autres sont plus généraux, voire philosophiques. Ainsi se déroule la vie avec les experts techniques (vous le saviez déjà).

Documentez comme si votre vie en dépendait

Oui, je sais, c'est pénible. Oui, c'est ennuyeux. Oui, je le fais moi-même. Si vous générez une base de données, vérifiez que votre document contient tous les détails qui s'y rapportent. Voici une liste de ce qu'il ne faut pas oublier :

✔ **Des informations générales sur la base de données :** N'oubliez pas les chemins d'accès aux fichiers (avec des chemins réseau spécifiques, pas seulement des lettres d'unité de disque, comme *G:*), une explication de l'objectif de la base de données, et des informations relatives à son fonctionnement.

✔ **L'organisation des tables, dont les noms de champs, les tailles, les contenus et des exemples de contenus :** Si certaines des données proviennent de sources ésotériques ou temporaires (comme l'état que vous avez jeté à la poubelle après en avoir saisi les données), notez ces informations dans la documentation de sorte que personne ne l'ignore.

✔ **Les noms des états, une explication de l'information qui y figure, et des listes des personnes auxquelles les états sont distribués :** Si vous avez besoin d'exécuter des requêtes avant de créer un état, documentez ce processus (mieux encore, demandez à un fou d'informatique de vous aider à automatiser le travail). Dressez la liste des personnes auxquelles est destiné l'état. C'est très important. N'oubliez pas de mentionner le titre de ces personnes.

✔ **Les requêtes et la logique :** Fournissez pour chaque requête une explication détaillée de son fonctionnement, surtout si elle utilise plusieurs tables ou des sources de données externes à Access (comme des tables SQL ou d'autres zones de stockage d'informations importantes).

✔ **Répondez à la question "pourquoi ?" :** Tandis que vous documentez la base de données, demandez-vous si votre travail fonctionne comme il le devrait. Pourquoi les requêtes utilisent-elles ces tables en particulier ? Pourquoi les états sont-ils remis à ces personnes ? Certes, si vous travaillez dans une entreprise, vous ne savez peut-être pas pourquoi le système fonctionne comme il le fait, mais ça ne peut pas vous faire de mal de l'apprendre.

✔ **Des détails divers :** Fournissez des informations telles que le détail du processus de sauvegarde et sa planification, où sont les bandes de sauvegarde (vous faites des sauvegardes, n'est-ce pas ?), et ce qu'il convient de faire si l'ordinateur ne fonctionne pas. Si votre base de données sert à une tâche importante, comme la comptabilité, l'inventaire, la vente ou la saisie de commandes, assurez-vous qu'il existe un processus manuel qui permette aux affaires de suivre leur cours si l'ordinateur tombe en panne, et souvenez-vous que vous devez documenter ce processus !

Si vous avez besoin d'aide sur ces aspects, *demandez le concours d'un pro !*

Tous les 6 ou 12 mois, relisez votre documentation pour la mettre à jour. La documentation n'est utile que dans la mesure où elle est à jour et peut être lue par autrui. De même, vérifiez que vous (ou vos collègues) savez où se trouve la documentation. Si vous disposez d'une version électronique, conservez-en une sauvegarde et une version imprimée.

Ne créez pas des champs trop grands

Lorsque vous créez une table, prenez le temps de donner à vos champs de texte la taille qui convient aux données que vous allez y stocker. Par défaut, Access fixe la taille des champs à 50 caractères, ce qui est particulièrement généreux, en particulier si le champ contient des abréviations de deux lettres d'un nom de pays. Certes, il n'y a pas de quoi s'exciter au sujet de 48 caractères, mais multipliez cet espace par les 10 000 adresses de clients que vous conservez et vous obtiendrez 4,8 Mo d'espace qui ne servent absolument à rien.

Ajustez la taille des champs avec le paramètre Taille de champ, dans l'onglet Général, en mode Création.

Les vrais nombres sont stockés dans des champs numériques

Utilisez des champs numériques pour les nombres, et non du texte qui prétendrait être un nombre. Les ordinateurs font la différence entre le code produit 47999 et le numéro 47 999. Le code est stocké sous la forme d'une série de caractères qui se trouvent tous être des chiffres, mais le nombre est stocké en tant que tel, et vous pouvez l'utiliser dans des opérations mathématiques de toute sorte.

Lorsque vous choisissez le type d'un nouveau champ qui contiendra des valeurs numériques, posez-vous la question : vais-je un jour utiliser ces valeurs pour faire des calculs ? Si oui, choisissez un champ de type numérique. Sinon, choisissez un champ de type texte.

De bonnes validations font de bonnes données

Les validations fonctionnent main dans la main avec les masques qui permettent d'interdire la saisie de données erronées. Les validations sont simples à mettre en œuvre, et toujours vigilantes (même si vous êtes si fatigué que vous ne tenez plus debout). Si vous n'avez pas recours aux validations pour protéger l'intégrité de votre base de données, vous devriez le faire à partir de maintenant. Reportez-vous au Chapitre 7 pour obtenir de plus amples informations sur ce sujet.

Des noms que les utilisateurs peuvent comprendre

Lorsque vous créez des tables ou une base de données, pensez un peu aux noms que vous allez employer. Vous souviendrez-vous de ce qu'ils signifient dans trois mois ? Dans six mois ? Sont-ils assez intuitifs pour que quelqu'un d'autre jette un œil à la table et comprenne aussitôt son rôle, bien après que vous aurez oublié comment Access a lancé votre carrière ?

Windows vous permet d'utiliser de longs noms de fichiers ; aussi n'hésitez pas à vous en servir. Vous n'avez pas besoin de rentrer dans les détails, mais vous n'avez maintenant plus aucune excuse pour choisir des noms tels que *St1T01*. Préférez *Statistiques du premier trimestre 2001*, ce qui est bien plus significatif.

Prenez garde quand vous supprimez

Chaque fois que vous supprimez des valeurs de champ d'une table, assurez-vous que vous allez faire disparaître les valeurs dans le bon enregistrement, vérifiez encore, et ne les supprimez qu'après. Vous pouvez toujours faire un Ctrl+Z pour récupérer une donnée accidentellement effacée.

Pourquoi vérifier deux fois ? Parce que après que vous aurez supprimé une valeur dans un champ et effectué une autre manipulation sur la base de données, Access aura complètement oublié la valeur supprimée, comme si elle n'avait jamais existé. Si vous supprimez un enregistrement de la table, alors l'enregistrement aura bel et bien disparu car la suppression ne peut pas être annulée pour un enregistrement. Si cet enregistrement contenait des informations importantes et que vous n'avez pas de copie de sauvegarde... désolé !

Conservez des sauvegardes

Rien ne vaut une bonne sauvegarde, en particulier quand les données concernées sont vitales pour votre entreprise. Les stratégies de sauvegarde efficaces spécifient toutes que les copies doivent être conservées dans un endroit à part, au cas où un désastre ravagerait votre lieu de travail. Vous ne me croyez pas ? Pensez un instant aux mots "chômage technique". Que pensez-vous des sauvegardes maintenant ? Je savais que vous partageriez mon point de vue.

Pensez d'abord et pensez par la suite

Appliquez cette règle à chaque travail dont l'énoncé comprend les mots *supprimer* et *revoir la conception*. Pensez à ce que vous voulez faire. Puis encore une fois. Le logiciel permet de manipuler des volumes considérables de données bien plus simplement qu'auparavant, mais il peut les détruire tout aussi aisément.

Organisez-vous ou restez simple

Bien qu'ils semblent sans rapport au premier regard, ces deux conseils travaillent à promouvoir ces deux grandes valeurs de l'informatique : *une place pour chaque gadget* et *ma requête fonctionne plus vite que la tienne*. En conservant votre ordinateur en ordre et en organisant votre espace de travail, vous aurez tout ce dont vous avez besoin à portée de main. Trouvez-vous un siège confortable et une télécommande, et vous ne voudrez plus quitter le bureau.

Oui, vous pouvez devenir trop organisé. En fait, il est très facile de devenir trop organisé. Modérez vos pulsions d'organisation en limitant toujours le nombre d'étapes requises pour accomplir vos travaux. Sur votre ordinateur, limitez la profondeur de la hiérarchie de vos dossiers à un maximum de cinq niveaux. Si vous poussez au-delà, votre organisation commencera à affecter votre productivité (et personne ne veut perdre de sa productivité, surtout pas les auteurs de slogans destinés à maintenir le moral de l'entreprise).

Sachez à qui vous adresser pour demander de l'aide

Si vous avez un problème avec quelque chose, ravalez votre amour-propre et demandez de l'aide. Il n'y a aucune honte à dire *je ne sais pas* puis à chercher une solution. Cette règle est particulièrement importante quand vous manipulez des milliers d'enregistrements dans une base de données. De petites erreurs peuvent avoir de grosses conséquences, ce qui démultiplie les effets d'un problème mineur. Demandez de l'aide avant que la situation ne se détériore.

Index